C0-AVS-927

VOLTAIRE

ET L'ENCYCLOPÉDIE

DU MÊME AUTEUR

Le Goût de Voltaire, Garnier frères, 1938, in-8°.

***

Extraits de Voltaire, en collaboration avec Gustave Lanson, Hachette, 1930, in-16.

Les Philosophes du XVIIIe *siècle*, en collaboration avec Gustave Lanson, Hachette, 1933, in-16.

Le Dictionnaire philosophique de Voltaire, édition préfacée par Julien Benda, Garnier frères, 1936, 2 vol. in-16.

RAYMOND NAVES
Ancien élève de l'Ecole Normale Supérieure
Docteur ès Lettres
Chargé de cours à la Faculté des Lettres
de l'Université de Toulouse

VOLTAIRE
ET
L'ENCYCLOPÉDIE

LES ÉDITIONS DES PRESSES MODERNES — PARIS

A MON PÈRE,

qui a suivi l'élaboration de cet ouvrage
avec une vigilance si affectueuse

INTRODUCTION

L'attitude de Voltaire à l'égard de l'*Encyclopédie* a toujours semblé ambiguë. Il ne s'est jamais donné tout entier à la grande entreprise, mais il est resté sans cesse en coquetterie avec elle ; il l'a souvent critiquée et plus souvent louée ; sa collaboration apparaît, suivant le point d'où on l'examine, pleine et consciencieuse, ou réticente, ou même insignifiante et mesquine ; sa position dans les deux crises de 1758 et de 1760 reste mystérieuse : on peut aussi bien y voir lâcheté et duplicité que dignité et droiture [1]. Enfin, son rôle général dans le mouvement encyclopédique est d'habitude considéré comme minime [2], mais un critique qui a étudié l'ensemble de ce mouvement [3] a pu dire que les articles de Voltaire étaient les « perles de l'*Encyclopédie* » et déclarer : « On voit que Voltaire n'est pas absolument le chef et le maître du parti encyclopédique » [4], ce qui laisse entendre qu'il l'est tout de même pour une grande part.

1. Il est assez remarquable que la plupart des historiens de Voltaire ou de l'*Encyclopédie* aient négligé de mettre au point cette question (Desnoiresterres seul s'y arrête un instant). C'est M. Delafarge, dans son *Palissot*, qui en a le mieux débrouillé les avenues.

2. Par exemple, dans Bédier et Hazard, *Hist. de la litt. française*, tome II, p.86 ; article de M. Mornet.

3. Ducros. *Les Encyclopédistes*. Voir surtout pp. 78 à 89.

4. Ducros, pp. 81 et 85. — G. Lanson dit aussi : « Les *frères* saluèrent avec joie le maître qui leur venait. » (*Hist. Litt.*, p. 756). — M. André Bellessort va encore plus loin et appelle Voltaire le « chef incontesté des Encyclopédistes » (*Essai sur Voltaire*, p. 278). — Cette opinion se trouve d'ailleurs déjà chez les contemporains ; Marmontel écrit dans ses *Mémoires* (éd. 1891, t. II, p. 37) : « C'était de Genève que Voltaire animait les coopérateurs de l'*Encyclopédie*. » Collé appelle Voltaire le « général de l'*Encyclopédie*. »

Ces incertitudes du lecteur moderne ne font d'ailleurs que refléter une réalité historique à double face ; il suffit de considérer, même superficiellement, les rapports de Voltaire avec les deux co-directeurs de l'*Encyclopédie* pour constater qu'il y eut à la fois sympathie et répulsion : avec d'Alembert, les relations, d'abord académiques et courtoises, deviennent vite intimes, malicieuses, philosophiques et militantes ; avec Diderot, elles resteront toujours lointaines, méfiantes et trop polies. Y a-t-il là une question de personnes, ou, plus largement, une question de tempéraments, de tactiques, peut-être de pensées et de doctrines ?

Il nous a donc paru utile d'éclairer cette discussion, toujours restée en suspens, et, il faut bien le dire, souvent influencée par des passions encore vivantes. La principale difficulté de notre tâche a été, en effet, non pas tellement de mettre au jour des documents nouveaux que de tenir compte de *tous* les documents connus, et, dans une histoire où le principal acteur essaie souvent de brouiller les cartes, mais reste aussi plus souvent sincère qu'on ne croit, de ne pas porter de jugement hâtif et préconçu, sans tout accepter au pied de la lettre, mais aussi sans tout suspecter par principe.

Le but et l'intérêt de cette étude peuvent être définis par la série de questions suivante :

En premier lieu, quels ont été les rapports de Voltaire avec l'*Encyclopédie ?* Et cela non seulement par l'étude des faits, relations et collaboration, propagande et activité militante, mais aussi par l'étude des dispositions morales : sympathie ou réserve, communion spirituelle ou incompatibilité. On le voit, cette partie de notre travail touche nécessairement au caractère même de Voltaire, dont les nuances risquent de se développer particulièrement dans ces circonstances délicates.

En second lieu, qu'a été Voltaire encyclopédiste ? A-t-il eu des idées personnelles sur ce genre de métier ? Comment a-t-il jugé ses confrères ? Qu'a-t-il fait lui-même en l'espèce ? Sa collaboration a-t-elle un intérêt, a-t-elle eu des répercussions sur l'ensemble de l'œuvre encyclopédique, sur le reste de l'œuvre voltairienne ?

Enfin, ce débat ne peut-il pas, en conclusion, s'élargir encore ? Les divergences, déjà certaines, entre l'*Encyclopédie* et Voltaire ne posent-elles pas une question de tactique philosophique, et, plus généralement, d'éducation des esprits, question dont il n'est pas impossible de trouver des échos dans les préoccupations les plus modernes ?

Telles sont les principales directions et hypothèses qui ont commandé nos recherches et qui ont disposé successivement leurs résultats.

Je tiens à remercier ici tous ceux qui m'ont aidé dans ce travail par leurs suggestions ou leur obligeance : M. Daniel Mornet, qui m'a engagé à étudier ce sujet, et M. Georges Ascoli, qui en a suivi l'élaboration ; M. Henri Perrochon, professeur à Payerne, et M. Daniel Simond, professeur à Morges, qui m'ont initié aux enquêtes en pays de Vaud ; M. Paul Chaponnière, de Genève, qui m'a donné d'utiles renseignements sur cette période de l'histoire genevoise dont il est l'élégant introducteur ; M. Fernand Aubert, directeur du département des manuscrits à la Bibliothèque publique de Genève, qui a très aimablement facilité mes recherches ; M. Edmond Gilliard, de Lausanne, qui m'a communiqué le résultat de ses travaux personnels ; M. René Bray, professeur à l'Université de Lausanne, qui s'est mis à ma disposition pour orienter mes vérifications lausannoises ; M. Auguste Gampert, bibliothécaire de la Compagnie des pasteurs de Genève ; M. Henri Monod, de Blonay, habitant à Morges, qui m'a permis avec tant de cordialité de feuilleter à mon gré tous les manuscrits de la famille Polier qu'il tient de sa mère, descendante collatérale du pasteur encyclopédiste ; M. l'abbé Dedieu, professeur à l'École Massillon, à Paris, qui m'a donné de multiples renseignements bibliographiques ; M. Raymond Salesses, professeur au lycée de Cahors, dont les études personnelles sur Diderot, encore inédites, m'ont permis de mettre au point plusieurs questions importantes.

PREMIÈRE PARTIE

HISTORIQUE DES RAPPORTS DE VOLTAIRE AVEC L'ENCYCLOPÉDIE

L'*Encyclopédie* n'a jamais été pour Voltaire une préoccupation de premier plan ; mais, de 1752 à 1778, il se passe peu d'années qu'il ne lui ait consacré au moins quelque attention curieuse, souvent un travail personnel ou de multiples passages de sa correspondance. Il convient donc, si nous voulons comprendre sa pensée à cet égard, de reconstituer les épisodes de sa collaboration et de ses relations encyclopédiques.

Première période : Les débuts de la collaboration (1750-1756)

1750 : IGNORANCE RÉCIPROQUE.

Les premiers documents que nous ayons ne sont pas antérieurs à 1752. Comment Voltaire a-t-il accueilli le *Prospectus* ? Avait-il eu, auparavant, connaissance de l'entreprise ? D'Alembert avait-il sollicité sa collaboration dès 1750, comme il paraîtrait naturel, étant donné les *autorités* dont il cherche à s'entourer dès le premier volume [1] ? Autant de questions qui restent sans réponse. Tout ce que nous savons, c'est que dans le *Discours*

1. Voir la liste des principaux collaborateurs en tête du tome I, à la suite du *Discours préliminaire*.

préliminaire, paru en juillet 1751 avec le tome I, d'Alembert décerne à Voltaire les éloges les plus hyperboliques et le met nettement au-dessus de tous ses contemporains ; après avoir passé en revue les principaux genres dans lesquels le « poète de la *Henriade* » s'est exercé, il conclut : « Que ne puis-je, en parcourant ici ses nombreux et admirables ouvrages, payer à ce génie rare le tribut d'éloges qu'il mérite, qu'il a reçu tant de fois de ses compatriotes, des étrangers et de ses ennemis, et auquel la postérité mettra le comble quand il ne pourra plus en jouir [2] ! » Ce n'est pas là le ton d'un homme qui aurait voulu écarter Voltaire du grand ouvrage. Pourquoi alors cette abstention ? Regardons de plus près les éloges décernés ; nous verrons qu'ils s'appliquent à l'épopée, à la tragédie, et, pour couronner le tout, aux « pièces fugitives » qui « suffiraient par leur nombre et par leur mérite pour immortaliser plusieurs écrivains ». C'est qu'en 1750, aux yeux de d'Alembert comme à ceux de tous les contemporains, Voltaire est un grand poète, mais n'est qu'un poète [3] (et même poète courtisan depuis 1744) ; ses travaux historiques importants n'ont pas vu le jour (le *Charles XII* est trop mince pour faire figure érudite), ses travaux scientifiques de Cirey n'ont pas été pris au sérieux (d'Alembert n'y fait aucune allusion dans le *Discours*, même quand il s'arrête à Newton [4], bien que l'ouvrage de vulgarisation de Voltaire datât de douze ans à peine). Bref, il semble bien que les directeurs de l'*Encyclopédie* n'aient d'abord pas pensé à utiliser Voltaire dans leur « boutique », parce qu'ils ne trouvaient en lui aucune compétence, on pourrait même dire aucune vertu encyclopédique. Cette remarque expliquera peut-être bien des choses dans la suite, et nous verrons que Diderot gardera toujours contre Voltaire un préjugé défavorable, qui a sans doute d'autres causes, mais qui est en premier lieu le préjugé de l'homme de métier contre l'amateur, du travailleur contre l'oisif et remuant touche-à-tout [5].

2. Réimprimé dans *Mélanges*, I, p. 166.

3. En 1759, en réimprimant le *Discours* dans les *Mélanges*, d'Alembert y ajoutera quelques lignes pour louer Voltaire prosateur et son *Siècle de Louis XIV* (I, 165).

4. *Ibid.*, pp. 136-141.

5. Aussi est-on obligé de voir une erreur grave dans ces lignes de Brunetière (*Etudes critiques*, IV, 283) : « Sans ses travaux scientifiques, Voltaire... n'aurait jamais exercé l'influence qu'il devait avoir sur les Diderot et les d'Alembert. Ces physiciens et ces géomètres, qui n'auraient jamais reconnu l'autorité du poète de *Zaïre* et d'*Œdipe*, feignaient de se soumettre au commentateur de Newton. ». — Il faut remarquer au contraire que d'Alembert n'a jamais confié à Voltaire que des articles purement littéraires ou quelquefois des articles philosophiques (nous verrons dans quelles circonstances) et que, pour les sciences proprement dites et les arts appliqués, qui étaient l'es-

De son côté, Voltaire considère d'abord ce gros *Dictionnaire* comme une compilation, et, s'il en voit bien l'utilité, il conserve à son égard l'opinion dédaigneuse de l'homme de goût, qui veut bien s'intéresser à des travaux de manœuvres mais sait les mettre à leur place dans la hiérarchie littéraire [6]. N'oublions pas ce qu'en 1737 il disait de Bayle lui-même, pourtant « le plus profond dialecticien qui ait jamais écrit » : « c'est presque le seul compilateur qui ait du goût » [7]. Cette simple phrase en dit long sur le préjugé naturel de Voltaire contre toute œuvre *encyclopédique.* Ajoutons qu'en 1750 il va s'engager dans l'aventure prussienne, il va « courir le monde » [8], comme il le dira plus tard pour s'excuser de n'avoir point souscrit à l'ouvrage dès le début, et effectivement, tout à sa lune de miel avec Frédéric et à l'achèvement du *Siècle de Louis XIV*, il ne pensera guère à l'*Encyclopédie,* dont le *prospectus* paraît quand il est déjà installé à Potsdam.

Le milieu des encyclopédistes lui est assez étranger ; de cette nombreuse phalange, bien peu figurent dans ses relations, aucun n'est de ses intimes. Il ne connaît pas Diderot, à peu près pas d'Alembert, qui en 1746 lui a envoyé ses *Réflexions sur la cause générale des vents,* [9] mais ne paraît pas avoir poussé plus loin ses hommages. Si nous écartons les encyclopédistes tardifs, parmi lesquels nous ne trouverions d'ailleurs, en relations avec Voltaire, que des correspondants lointains et occasionnels, comme Beauzée [10], Bourgelat [11], Desmahis [12], Morellet [13], et seulement deux amis importants, le comte de Tressan [14] et Turgot [15], si nous examinons les collaborateurs des trois premiers tomes, la récolte sera assez maigre : le chevalier de Jaucourt écrivit à Voltaire pour lui présenter ses condoléances à la mort

sentiel de l'*Encyclopédie,* Voltaire s'est constamment incliné, avec un respect qui peut souvent d'ailleurs paraître profane, devant les articles de ses confrères spécialistes. Voir aussi ce que Diderot dit à Falconet en mars 1766 (ASSÉZAT, XVIII, p. 127) ; il reconnaît un certain mérite à Voltaire, mais dans les « parties qui ne tiennent point essentiellement au technique ».

6. Voir la persistance de cette opinion de Voltaire dans notre 2e partie.
7. *Conseils à un journaliste* (MOLAND, XXII, 263).
8. Lettre du 9 octobre 1756 à d'Alembert.
9. Lettre du 13 décembre 1746 à d'Alembert.
10. Lettre du 14 janvier 1768.
11. 26 oct. 1771 et 18 mars 1775.
12. Sept. 1755 et juillet 1756.
13. Correspondance à partir de 1766.
14. Relations dès 1732.
15. A partir de 1760.

de Mme du Châtelet [16] ; les termes de la réponse de Voltaire indiquent qu'il ne connaît pas du tout le chevalier. Le peintre Watelet lui enverra plus tard un poème sur l'*Art de peindre*, mais ce sera la première fois qu'il s'adresse à lui [17]. Aucun lien avec d'Aumont, Blondel, Boucher d'Argis, ni avec les Daubenton, avec d'Holbach, Leblond, Mallet, Yvon et la plupart des autres. Il ne reste que trois noms, à réserver, qui entrent plus avant dans la vie de Voltaire ; c'est d'abord Dumarsais, le grammairien, qu'il avait fréquenté à Paris [18] et dont il gardera toujours un excellent souvenir [19] ; c'est La Condamine, que Voltaire connaissait depuis 1734, grâce à Mme du Châtelet, et avec qui il devait échanger une aimable correspondance jusqu'à la rupture avec Maupertuis (1752) ; c'est enfin et surtout Marmontel, admirateur et disciple de l'auteur de *Mérope*, qui venait de faire jouer son *Denis* (1748) et son *Aristomène* (1749), en dédiant l'un à Voltaire et l'autre au maréchal de Richelieu [20], et se préparait à fournir des articles de critique et de littérature, qui seront insérés dès le tome III de l'*Encyclopédie.* Mais il est impossible de saisir le moindre rapport entre la collaboration encyclopédique de ces trois hommes et leur amitié avec Voltaire. Cette amitié est étrangère à leur travail technique et elle n'a aucunement aidé Voltaire à mieux connaître le milieu de d'Alembert et de Diderot.

Ainsi, nous sommes en droit de dire qu'en 1750, Voltaire ignore l'*Encyclopédie,* et les encyclopédistes négligent Voltaire ; il n'y a pas eu pénétration entre le jeune groupement scientifique et vulgarisateur qui vient de se constituer et le « tripot » littéraire et dramatique. Il y a presque incompatibilité entre eux. Nous allons voir comment, peu à peu, va se faire l'alliance et se dégagera une compréhension mutuelle.

1751 : Sympathie naissante.

Au milieu de 1751 paraît le premier volume de l'*Encyclopédie*, et bientôt après (octobre) le deuxième volume ; des exemplaires en sont certainement parvenus à Berlin, d'où Formey envoyait d'ailleurs des articles [21]. Leur

16. Réponse de Voltaire, le 15 oct. 1749.
17. Réponse de Voltaire, 25 avril 1760.
18. Cf. lettre du 12 oct. 1755.
19. Voir à la 2e partie les appréciations sur Dumarsais.
20. Voir par exemple lettres de Voltaire du 13 février 1748 et du 16 juin 1749.
21. Mais cette collaboration de Formey semble être d'abord passée inaperçue aux yeux de Voltaire, qui lui écrit le 3 mars 1759 sur un ton de surprise : « Vous avez donc travaillé aussi à l'*Encyclopédie ?* Eh bien ! vous n'y travaillerez plus. »

lecture semble avoir eu une double répercussion : d'abord, si l'on en croit une lettre à Frédéric [22], Voltaire aurait eu l'intention de se faire encyclopédiste ; il lui écrit en effet l'année suivante, après avoir loué une page de l'abbé Yvon : « Jugez si j'avais tort de vouloir travailler avec lui à l'encyclopédie de la raison. » Cette phrase indique un désir antérieur de Voltaire et, probablement, une critique du roi. Celui-ci serait-il responsable d'une nouvelle abstention de Voltaire, mais abstention cette fois plus délibérée et tout de même mêlée de sympathie ?

La deuxième répercussion est la fameuse naissance du *Dictionnaire philosophique.* La tradition, reprise par tous les éditeurs, veut qu'au cours d'un souper philosophique, auquel assistaient Frédéric, La Mettrie, Maupertuis, d'Argens et Voltaire, le 28 septembre, on ait jeté l'idée d'un Dictionnaire qui ne prétendait pas être une somme de toutes les connaissances humaines, comme celui de Diderot, mais, choisissant les principaux sujets qui méritent une explication « philosophique », devait constituer un manuel, ou, comme on dira plus tard, un *portatif* de l'honnête homme. Tout ce que nous savons, c'est que Voltaire écrivit plusieurs de ces articles d'un nouveau genre, tels que AME, BAPTEME, ABRAHAM, et peut-être ATHÉE et APOSTAT [23]. Par contre, ni Voltaire ni Frédéric n'indiquent à aucun moment que ce travail soit destiné à concurrencer ou même simplement à compléter l'*Encyclopédie.* Ici encore, nous avons bien l'impression que Voltaire prend toujours un intérêt très réduit à la compilation parisienne ; c'est peut-être à l'occasion de celle-ci qu'il a conçu le *Dictionnaire philosophique :* mais la forme alphabétique seule a pu le séduire ; le fond, l'esprit et la manière devaient en être totalement différents [24].

Au début de 1752 paraît la deuxième édition du *Siècle de Louis XIV*, augmentée du *Catalogue des écrivains*, et ce *Catalogue*, sans doute établi dès la fin de 1751, va nous donner le premier document de valeur sur notre sujet. Exactement au terme de ce long dénombrement, et après la mention des principaux sculpteurs, architectes et graveurs, comme couronnement de tout le progrès matériel qui est pour Voltaire une des gloires les plus solides de l'âge moderne, nous lisons ces lignes : « Enfin, le siècle passé a mis

22. Classée vers nov. 1752 (MOL. XXXVII, 527)

23. Voir la correspondance entre Voltaire et Frédéric d'octobre 1751 à octobre 1752.

24. On sait qu'après octobre 1752, les relations entre Frédéric et Voltaire furent de plus en plus tendues, et le projet de *Portatif* fut suspendu au moins jusqu'en 1759.

celui où nous sommes en état de rassembler en un corps et de transmettre à la postérité le dépôt de toutes les sciences et de tous les arts, tous poussés aussi loin que l'industrie humaine a pu aller ; et c'est à quoi a travaillé une société de savants remplis d'esprit et de lumières. » Sachons voir à la fois dans cet éloge un hommage important à la grande entreprise, mais aussi un hommage circonstancié et limité à son caractère technique (notons que nous sommes dans le *Catalogue*, et non dans le corps de l'ouvrage [25]). En historien consciencieux et en philosophe du progrès, en curieux de l'actualité aussi, Voltaire note l'effort des « savants » qui lui semble une conclusion logique à toutes les découvertes antérieures. Il n'y a encore là aucun acte de partisan. Peut-être même y entre-t-il un simple sentiment de reconnaissance pour d'Alembert qui, censeur improvisé par d'Argenson, venait de favoriser la reprise de *Mahomet*. En tout cas, des velléités confuses, de l'intérêt superficiel, voilà à peu près ce que marque l'année 1751.

1752 : L'ABBÉ DE PRADES.

L'abbé de Prades a soutenu sa thèse en Sorbonne le 18 novembre 1751 Le 7 février suivant, le Conseil d'État suspend la publication de l'*Encyclopédie*. De Prades, auteur involontaire du désastre et déjà condamné le 15 décembre par la Sorbonne pour dix propositions impies, décrété de prise de corps, s'est enfui en Hollande. C'est alors que d'Alembert, désireux de lui trouver une situation sûre, l'oriente vers la Prusse et le fait recommander à Voltaire par Mme Denis ; l'abbé arrive à Potsdam au mois d'août ; Voltaire le reçoit volontiers, le trouve gai et bien aimable pour un hérésiarque [26], il compte le caser auprès de Frédéric comme lecteur pour remplacer La Mettrie, et en attendant, il « le loge comme il peut » [27].

A peine informé de cette réception, d'Alembert écrit à Voltaire pour

25. Voltaire aurait pu aussi bien ajouter cette indication à la fin du ch. XXXIII sur *les Arts*.

26. A Mme Denis, 19 août 1752.

27. A noter que dans cette lettre assez détaillée à Mme Denis il n'est pas du tout question de l'*Encyclopédie*. Voltaire s'intéresse à de Prades comme à une victime de l'intolérance et non comme à un encyclopédiste, et encore ne le prend-il pas trop au sérieux. Il avait d'ailleurs mis beaucoup d'empressement à le recevoir ; dans une lettre de juillet, il va jusqu'à lui proposer de partager avec lui (et avec Yvon, qui l'accompagne) le repas servi sur l'ordre de Frédéric : « On me sert un repas pour moi seul qui peut suffire pour nous trois. » (GAZIER, *Mélanges*, p. 202).

le remercier [28] ; et il profite de l'occasion pour lui exprimer sa reconnaissance (ainsi que celle de Diderot, ajoute-t-il) pour les lignes élogieuses du *Siècle de Louis XIV ;* de là, il passe aux compliments sur le *Siècle* lui-même, allant jusqu'à l'adulation la plus extrême : « J'envie le sort de ceux qui ne l'ont pas encore lu, et je voudrais perdre la mémoire pour avoir le plaisir de le relire. » Et des compliments encore sur le *Duc de Foix* et *Rome sauvée :* on sent chez d'Alembert le désir de plaire au grand homme coûte que coûte ; et en même temps on constate qu'avant cette lettre aucune relation n'existait entre eux. Nous avons bien là le début de ce long commerce [29].

La réponse de Voltaire est très courtoise [30] ; il loue l'*Encyclopédie,* souhaite qu'elle continue à paraître et parle de l'abbé de Prades avec bienveillance et bonne humeur. L'ensemble a un air très détaché, que confirme sa correspondance au même moment [31] ; il se félicite de ne pas être à Paris, exposé aux coups des « ânes de Sorbonne » ; il goûte sa quiétude, quoique relative et bien précaire. L'affaire de Prades n'a eu pour effet que de lui faire reconnaître avec plaisir les avantages de son éloignement.

Or, c'est en octobre 1752 que paraît le *Tombeau de la Sorbonne* [32]. Cette diatribe, très détaillée et bien documentée, est un historique de l'affaire de Prades sur le mode plaisant ; elle ridiculise les docteurs de Sorbonne, qui ont d'abord approuvé à l'unanimité une thèse où ils ont ensuite trouvé des propositions répréhensibles, et elle se termine par un éloge du roi de Prusse, « vrai philosophe, protecteur de la raison et de l'innocence opprimée ». L'opinion publique attribue le pamphlet à Voltaire, Frédéric tout le premier [33], et cette attribution persistera longtemps, malgré les dénégations répétées de Voltaire ; les éditeurs de Kehl seront les premiers à rejeter l'authenticité du libelle parce « qu'on n'y reconnaît ni sa manière, ni son style » ; Quérard et Bengesco sont du même avis et donnent comme auteur

28. Le 24 août.

29. Par manière de compliment encore, d'Alembert écrit à propos de l'*Encyclopédie :* « Elle ne pourrait être bien faite qu'à Berlin », ce à quoi Voltaire répond : « Ce n'est qu'à Paris que vous pouvez l'achever. » Ce sont des politesses, mais bientôt nous verrons sortir de là une idée maîtresse de Voltaire encyclopédiste : la publication à l'étranger.

30. Le 5 septembre.

31. A d'Argental, 1er sept. ; à Choiseul, 5 sept.

32. Mol., XXIV, 17-28.

33. On voit encore Frédéric écrire à Voltaire le 18 mai 1759 : « Vous avez fait le *Tombeau de la Sorbonne;* ajoutez-y celui du Parlement. »

l'abbé de Prades en personne [34]. Pour nous, nous le rejetterons aussi [35], mais nous y verrons tout de même un pamphlet inspiré par Voltaire [36]; celui-ci, dans une lettre à Frédéric où il semble se disculper d'avoir écrit le *Tombeau* [37], ajoute cette curieuse déclaration : « Il y a des choses que je fais, il y a des choses sur lesquelles je donne conseil, d'autres où j'insère quelques pages, d'autres que je ne fais point. » Et sans doute faut-il se méfier des démentis voltairiens ; mais ici l'examen du texte et des circonstances nous amène à penser que le *Tombeau* est une de « ces choses sur lesquelles Voltaire a donné conseil ». » Il ne s'est pas encore lancé dans la mêlée encyclopédique ; il reste spectateur.

1753 : Entr'acte.

L'année 1753 est celle du départ de Berlin, de l'avanie de Francfort, de la retraite en Alsace. Pendant ce temps, l'*Encyclopédie* reprend confiance ; le troisième volume s'imprime et paraît en novembre. Rien n'indique un rapprochement avec Voltaire ; celui-ci laisse à Berlin l'abbé de Prades pourvu de deux bénéfices et promu lecteur du roi. Les relations avec d'Alembert en sont restées à la politesse la plus cérémonieuse.

34. Bengesco, II, p. 70 (nº 1629).

35. Les deux arguments mis d'habitude en évidence sont l'emploi du mot « cul-de-sac », mot abhorré de Voltaire (argument de Colini) et la critique qu'il fait de la première phrase du *Tombeau* dans une lettre à Frédéric : « Misérable phrase d'écolier de rhétorique. » (Voir note 37). Mais on peut ajouter à cela la gaucherie et la monotonie du style, un certain nombre d'obscurités dans le récit, la maladresse constante et même l'incorrection dans l'emploi des temps verbaux (passage du passé simple à l'imparfait, puis au présent, puis de nouveau au passé, sans aucune raison), enfin un détail caractéristique : on trouve dans le *Tombeau* un éloge complet de l'article *Certitude* de l'*Encyclopédie* (article de l'abbé de Prades) ; or, si Voltaire a écrit cela, on doit bien supposer qu'il a lu l'article en question, et cet article est précisément un de ceux que Voltaire a le plus attaqués, à cause d'un passage sur la croyance aux résurrections (voir notre *deuxième partie*). Et qu'on ne dise pas que Voltaire, défendant l'abbé de Prades, pouvait fermer les yeux sur un passage blâmable ; ce n'est pas la manière de Voltaire : il ne se prive pas de faire des restrictions dans ses éloges les plus officieux ; nous le verrons par exemple maintenir à l'égard d'Helvétius des réserves précises, même au plus fort de sa sympathie. C'est l'absence même de réserves à l'égard de l'abbé de Prades (personnage que Voltaire n'a jamais vraiment respecté), c'est le ton d'apologie continue du *Tombeau* qui nous fait surtout conclure au rejet de l'authenticité.

36. Le plan général, en forme de récit humoristique, sinon le détail de l'exécution, rappelle le procédé de la *Relation de la maladie et de la mort de Berthier*, et quelquefois la *Diatribe du docteur Akakia*.

37. Lettre classée vers octobre ou novembre 1752 (Mol. XXXVII, 527).

Le seul incident que nous puissions relever est la publication, dans le *Journal de Gottingue*, d'une critique minutieuse du *Siècle de Louis XIV*, où, au passage, le journaliste blâmait l'éloge que Voltaire avait fait de l'*Encyclopédie* : « L'*Encyclopédie*, y lisait-on, n'est pas le dernier effort des forces réunies du genre humain. » Voltaire, qui ne laissait rien passer sans réplique, envoya un *Avis à l'auteur du Journal de Gottingue*, qui parut dans la *Bibliothèque impartiale* [38], suivi d'ailleurs d'une longue réponse du journaliste. Dans l'*Avis* de Voltaire se trouve l'alinéa suivant : « Il se trompe quand il dit que l'*Encyclopédie* n'est pas un ouvrage très utile, et quand il conclut qu'il ne vaut rien, de ce qu'il a été critiqué et persécuté dans sa naissance par des ennemis intéressés. Il devait conclure tout le contraire. » Ce à quoi le journaliste répondait par une critique détaillée et malveillante du *Dictionnaire* : « Sa géographie, son histoire, ses langues orientales, sa botanique, son anatomie, tout, à la réserve des arts, de la grammaire française et d'une partie des mathématiques, est presque toujours au-dessous du médiocre [39]. »

La passe d'armes en resta là. C'est fort peu de chose. A la date où nous sommes arrivés, trois ans après les débuts du grand ouvrage collectif, on pourrait croire que Voltaire va définitivement rester à l'écart.

1754 : Les premiers articles isolés.

C'est après la publication du troisième volume que soudain le rapprochement va se faire. On a coutume de reporter cet événement à l'année précédente, mais la seule raison qu'on en donne est une lettre de Voltaire à d'Alembert, généralement placée vers septembre 1753 et où il s'agit déjà d'articles achevés et envoyés à Paris [40]. Mais la date de cette lettre est fort douteuse, et nous croyons qu'elle n'est pas antérieure à mai ou même juin 1754 [41].

38. Tome VII, 2e partie, p. 316.

39. On peut trouver les pièces de ce procès dans la *Guerre littéraire*, de Leresche ; voir aux pages cxvi et cxxvi.

40. Mol., XXXVIII, p. 125.

41. Le seul argument de Moland est que Voltaire y cite le mot *Clavecin* comme le titre d'un article à venir ; or, le tome III contenant le mot *Clavecin* paraît en novembre 1753 ; il faudrait donc placer cette lettre avant cette date. Mais Voltaire parle de *Clavecin* en plaisantant, parmi d'autres mots pris au hasard ; devait-il nécessairement vérifier, en écrivant cela, si cet article avait paru ou non ? Nous savons par ailleurs qu'il lisait souvent tard les volumes parus (par exemple, c'est seulement le 24 mai 1757

Au début de mai probablement, d'Alembert a fait une commande à Voltaire. Comment s'y est-il décidé ? Peut-être en pensant à la compétence du poète en littérature étrangère. En effet, dans sa réponse, Voltaire s'excuse de savoir peu de chose en italien et en espagnol, et surtout de n'avoir pas sous la main tous les instruments de travail nécessaires (il est alors à Colmar); il cite de mémoire quelques noms, Muratori, Orsi, Gravina, etc... et déclare qu'à Paris un « aide à maçon » ferait mieux que lui. Il envoie néanmoins quelques essais, qui doivent être les articles *Elégance* et *Eloquence* [42], quelques « cailloux pour fourrer dans quelque coin de mur », les traitant de sujets *in medio positi*, trop connus et rebattus. Il termine par des conseils sérieux sur la façon de rédiger un dictionnaire, et des conseils facétieux pour y introduire des détails satiriques et irréligieux. Nous avons déjà là les divers aspects des lettres de Voltaire à d'Alembert au sujet de l'*Encyclopédie:* de la modestie affichée mais de bon aloi, du travail minutieux et de l'intérêt pour l'œuvre, des encouragements à exprimer une pensée libre et frondeuse.

Bientôt après, c'est l'article *Esprit* qui est en chantier [43] ; Voltaire y travaille à Senones, chez dom Calmet, et le contraste entre le sujet de l'article et l'érudite bibliothèque qui l'entoure excite sa verve ; il se compare au

qu'il s'en prend à l'article *Enfer*, paru depuis près de deux ans), et il était alors en Alsace, en résidence provisoire, certainement peu au courant d'un détail si infime. Donc, aucun argument pour la date de 1753. Par contre, nous constatons qu'en 1754, dans ses lettres du 19 mai et du 2 juillet à Mme du Deffand, amie de d'Alembert, Voltaire lui parle des offres de ce dernier, mais dans les lettres du 3 mars et du 23 avril à la même, il n'est question de rien (et pourtant le 23 avril il parle de ses travaux, des *Annales de l'Empire*, etc...) Le 19 mai, où il annonce sa collaboration, il le fait en ces termes : « M. d'Alembert est bien digne de vous, bien au-dessus de son siècle. Il m'a fait cent fois trop d'honneur. » Cette formule indique que nous sommes tout au début, encore à la période des compliments. Il faut conclure que les premières propositions de d'Alembert sont de fin avril ou début de mai 1754. Il y a encore un autre argument contre la date de septembre 1753 : le tome III paraît en novembre et ne contient aucune allusion à la collaboration de Voltaire pour les tomes suivants, bien qu'il annonce divers collaborateurs nouveaux dont les articles paraîtront plus tard (pp. XIV et XV de *l'avertissement)*. Or, dans le tome IV, paru en septembre 1754, le nom de Voltaire est mis en lumière avec une évidente satisfaction ; si, l'année précédente, d'Alembert avait pu l'annoncer, il l'aurait certainement fait.

42. Il ne peut être question d'autres articles à ce moment. Tous ceux qui suivent alphabétiquement sont facilement repérables dans la correspondance, comme nous le verrons ; et Voltaire n'a jamais parlé d'articles antérieurs, si ce n'est *Amitié, Amour, Amour-propre* et *Amour socratique* (lettres à Damilaville et à D'Argental, 12 et 20 oct. 1764), prétextes pour détourner l'attention du *Dictionnaire philosophique*, et d'ailleurs inactuels en 1754, la lettre A ayant paru depuis trois ans.

43. A Mme du Deffand, 19 mai et 2 juillet.

P. Mabillon et au P. Montfaucon : « [M. d'Alembert], écrit-il à Mme du Deffand, se repentira d'avoir demandé des gavottes à un homme qui a cassé son violon. »

Mais après l'envoi de ces trois articles, qui paraîtront dans le tome V de l'*Encyclopédie* à la fin de l'année suivante, un nouveau silence, de plus d'un an, s'établit. D'Alembert a fait un simple essai ; il n'a pas proposé à Voltaire une collaboration permanente. On peut même supposer que cette première tentative, encore timide, attendait la consécration du public, puisque, nous allons le voir, la collaboration beaucoup plus régulière qui est demandée à Voltaire à la fin de 1755 suit immédiatement la publication du tome V (octobre). Voltaire est désiré à cause de son nom, mais peut-être vaguement redouté à cause de ses aventures et de sa disgrâce. On ne l'utilise d'abord qu'à petites doses [44].

1755 : VOLTAIRE COLLABORATEUR ATTITRÉ.

Voici maintenant Voltaire installé aux Délices, et assez indifférent à ce qui se passe à Paris. D'Alembert a été élu à l'Académie française, et désormais les correspondants pourront se traiter de « confrères », mais cette élection ne semble pas avoir ému l'exilé [45] : d'Alembert n'est encore pour lui qu'un savant mathématicien ; le philosophe militant ne s'est pas déclaré [46].

Le 30 août, dans la célèbre lettre à J.-J. Rousseau en réponse au *Discours sur l'origine de l'inégalité*, Voltaire reportant la discussion sur le *Discours* précédent qui traitait des *sciences et des arts* et esquivant le fond du problème, énumère une série de persécutions subies par les belles-lettres

44. Aussi est-il étrange qu'on ait pu représenter Voltaire comme allant à l'*Encyclopédie* seulement quand elle eut conquis le public (par exemple Brunetière : « Avant de se ranger de leur bord, il attendit qu'ils eussent l'opinion avec eux ». *Etudes crit.*,IV, 285). Nous venons de voir que ce sont plutôt les encyclopédistes qui ont longtemps hésité avant de le pressentir. D'ailleurs, en 1754, l'*Encyclopédie* n'est pas plus populaire qu'en 1750. C'est après 1758, de l'aveu même de Brunetière (qui voit dans cette date l' « époque décisive du siècle »), que l'ouvrage deviendra célèbre, à la suite de la persécution et du retrait de son privilège.

45. A peine une ligne à ce sujet dans une lettre à Dupont, 6 décembre 1754.

46. On est tout de même un peu étonné que Voltaire n'ait pas été frappé par le *Discours préliminaire*, paru dès 1751, et où il pouvait retrouver des idées qui lui étaient chères (comme la glorification de la science expérimentale, avec Bacon et Locke). Il ne devait pas l'avoir encore lu de près. En 1767, il le déclarera « supérieur à la méthode de Descartes » (*Lettres sur Rabelais*..., VIII).

et en arrive tout naturellement à l'*Encyclopédie* : « Dès que vos amis eurent commencé le *Dictionnaire encyclopédique,* ceux qui osèrent être leurs rivaux, les traitèrent de *déistes,* d'*athées,* et même de *ansénistes* [47]. » Remarquons ici à la fois le ton bienveillant, qui sera toujours celui de Voltaire à l'égard du grand *Dictionnaire,* mais aussi la tendance à marquer les distances ; spontanément, il n'est pas de ce milieu : « *vos* amis » et non « *nos* amis », bien qu'il ait déjà fourni des articles.

En octobre, le tome V paraît ; la collaboration de Voltaire est signalée avec complaisance dans l'*Avertissement.* Grimm, rendant compte du volume, cite particulièrement les trois articles en question [48] ; c'est un petit événement littéraire. Et aussitôt après, au cours du mois de novembre [49], d'Alembert passe une commande d'au moins huit articles destinés au prochain volume : *Facile, Faiblesse, Fausseté, Feu, Finesse, Force, Fornication* [50], *Français.* A ces huit articles, il faut en ajouter cinq autres, commandés probablement en décembre . *Faveur, Figuré, Fleuri, Formaliste* [51], *Franchise,* et huit autres réellement écrits par Voltaire, mais dont il n'est fait aucune mention dans la correspondance : *Faction, Fantaisie, Faste, Favori, Fécond, Félicité, Fermeté, Fierté.* Comme on le voit, ces articles sont à peu près uniquement orientés vers les « belles-lettres », la « littérature », souvent même vers la « grammaire » proprement dite. C'est vraiment du travail d' « aide à maçon », dont Voltaire va s'acquitter ponctuellement [52] ; mais pourquoi d'Alembert, au moment où il paraît adopter fermement sa collaboration,

47. Il pense ici probablement à l'abbé de Prades (voir les mêmes expressions dans le *Tombeau de la Sorbonne*). Dans le *Mercure* d'octobre 1755, où parut cette lettre, la phrase ci-dessus est devenue : « Vous savez quelles traverses vos amis essuyèrent quand ils commencèrent cet ouvrage aussi utile qu'immense de l'*Encyclopédie,* auquel vous avez tant contribué. »

48. *Corr. litt.* III, 129. — Déjà dans l'*Avertissement* du tome IV (paru en septembre 1754), la collaboration de Voltaire avait été annoncée : « Nous ne pouvons trop nous hâter d'annoncer que M. de Voltaire nous a donné les articles *Esprit, Eloquence, Elégance, Littérature* [celui-ci n'a jamais été publié] etc..., et nous en fait espérer d'autres. »

49. Dans la lettre du 9 décembre à d'Alembert, Voltaire demande des éclaircissements pour la confection des articles ; on voit que la proposition est toute récente.

50. Peut-être cet article, qui paraît étrange au milieu des autres, n'est-il dû qu'à une fantaisie de Voltaire. Nous n'avons pas la lettre de d'Alembert à ce sujet.

51. L'article *Formaliste* ne sera jamais publié. Voltaire l'a-t-il rédigé ?

52. Voltaire a toujours montré de la bonne volonté pour la confection de ces articles secondaires. C'est à peine si, à un moment de colère contre Diderot, il dira : « Je ne me suis point rebuté de la futilité des sujets qu'on m'abandonnait, ni du dégoût mortel que m'ont donné plusieurs articles de cette espèce. » (A d'Argental, 26 février 1758).

cherche-t-il surtout cette menue monnaie, que pouvait aisément lui fournir un Marmontel ou un Dumarsais (mort seulement l'année suivante) ? Pourquoi couvrir d'un nom illustre de simples discussions de synonymes et quelques finesses psychologiques ?

On pourrait supposer que Voltaire lui-même avait exigé, par prudence, des titres inoffensifs ; mais, outre que la prudence aurait été plutôt, dans ce cas, de l'effacement, nous le voyons, au contraire, dès le début, essayer d'avoir des articles d'une autre envergure ; prenant prétexte d'une conversation avec le docteur Tronchin, qui correspondait de son côté avec d'Alembert, il demande, dès le 9 décembre, qu'on lui donne *Goût* et *Génie*, mais sur un ton de réserve parfaite : « Si on en a chargé d'autres, ces articles vaudront mieux. Si personne n'a encore cette besogne, je tâcherai de la remplir. J'enverrai mes idées, et on les rectifiera comme on jugera à propos [53]. » En veine d'initiatives, il réclame encore l'article *Histoire*, et il faut avouer que ces trois nouveaux titres ont une autre allure que *Facile*, *Faiblesse*, *Fausseté*, et toute la série proposée par d'Alembert ; l'homme qui veut se charger de *Goût*, *Génie* et *Histoire* ne se contente pas des « cailloux » à mettre au mur ; il prend nettement des responsabilités de premier plan, on peut même dire qu'il est séduit par ce travail : de ce jour, Voltaire est encyclopédiste.

Des trois articles revendiqués, deux lui seront confiés : *Histoire* exclusivement (on peut voir là la confirmation des soucis techniques chez les directeurs du dictionnaire), et *Goût* conjointement avec le chevalier de Jaucourt et d'Alembert ; on imprimera même à la suite un fragment inédit de Montesquieu. Quant à l'offre de *Génie*, article primitivement confié à Montesquieu mais non rédigé par lui (il venait de mourir le 10 février), il semble bien qu'on l'ait déclinée ; en tout cas, Voltaire écrira plus tard deux sections sous ce titre dans les *Questions sur l'Encyclopédie* et rien ne permet de dire qu'il ait renoncé volontairement à un article aussi prometteur. Peut-être faut-il voir là une intervention de Diderot, qui se chargea de l'article et se méfiait sans doute des idées trop classiques de Voltaire [54]. Remarquons, à cette occasion, que dans tout ce début de collaboration, Diderot reste invisible ; d'Alembert seul, quoique ne connaissant pas mieux Voltaire, correspond

53. A d'Alembert, 9 déc. 1755.

54. Rien n'empêchait en effet d'imprimer un texte de Voltaire à la suite du texte de Diderot ; on trouve effectivement à cette place un article supplémentaire du chevalier de Jaucourt, et nous avons vu qu'au mot *Goût* quatre auteurs avaient collaboré.

avec lui, et il faudra attendre 1757 pour que Diderot sorte de cette abstention, par le simple envoi de son *Fils naturel*. Or, il est peu vraisemblable qu'il soit resté à l'écart quand il s'est agi d'insérer Voltaire dans la liste des collaborateurs ; il a pu laisser faire d'Alembert, sans enthousiasme, mais il est très probable qu'il a aussi orienté et limité l'apport du nouveau converti [55].

1756 : SUITE DE LA COLLABORATION. D'ALEMBERT AUX DÉLICES.

Vers le 15 décembre 1755, Voltaire quitte les Délices pour Monrion, suivant sa nouvelle habitude hivernale ; avant de partir, il a achevé et envoyé tous les petits articles de la lettre F qu'on lui a commandés, sauf *Français*, qui l'intéresse particulièrement et qu'il veut travailler ; *Goût* et *Histoire* sont également en chantier. Mais dès qu'il est à Monrion, il s'aperçoit qu'il n'a pas sous la main les instruments de travail suffisants ; il écrit bien à Briasson, l'éditeur du *Dictionnaire* [56], pour qu'il fasse des recherches à la Bibliothèque royale et trouve l'origine du mot *français* dans les anciens romans [57] ; il commence bien le brouillon de ces articles [58] ; mais il attend d'être rentré aux Délices, vers le 20 mars, pour les mettre au point. Ce n'est d'ailleurs que fin novembre 1756 qu'il enverra *Goût* [59] ; et *Histoire*, envoyé en octobre [60], sera réclamé pour des corrections et une refonte, et terminé seulement en décembre [61]. Ainsi les commandes de 1755 traînent jusqu'à la fin de 1756 ; il est vrai que les lettres G et H pouvaient attendre plus longtemps. Le tome VI de l'*Encyclopédie*, paru en juillet, contient la lettre F en partie seulement ; les articles de Voltaire y sont publiés, jusqu'à *Fleuri* [62].

55. Voir plus loin notre étude sur les rapports de Voltaire et Diderot. Chose curieuse, Voltaire, pourtant si susceptible, a toujours fait preuve à l'égard de Diderot d'une mansuétude exceptionnelle. Ainsi, n'ayant pas obtenu de faire l'article *Génie*, il n'en éprouve aucune rancœur, et écrit, dans les *Questions sur l'Encyclopédie* : « L'article *Génie* a été traité dans le grand Dictionnaire par des hommes qui en avaient. On n'osera donc dire que peu de choses après eux. » Et les réflexions qui suivent sont en effet très brèves.

56. Le 13 février.

57. Briasson ne semble pas avoir fait la recherche. Voir 2e partie, chap. I, note 14.

58. A Mme de Fontaine, 17 mars.

59. A d'Alembert, 29 nov.

60. Au même, 9 oct.

61. Au même, 28 déc.

62. Le tome VI contient 14 articles de Voltaire. Grimm, dans son compte rendu, (*Corr. litt.*, III, 222) n'en signale que 5 : *Feu, Faveur, Favori, Finesse* et *Fierté*.

Mais l'année 1756 va être encore plus décisive que la précédente, grâce au voyage de d'Alembert à Genève. Ce voyage, autant qu'une visite à l'hôte des Délices, était un voyage d'information et d'étude ; d'Alembert s'arrête plusieurs jours à Lyon, pour y voir « ce qu'il peut être utile de connaître pour le bien de notre *Encyclopédie* [63]. » Et une fois installé aux Délices, il ira fréquemment dans Genève et s'introduira dans les milieux principaux de la ville, faisant la connaissance de *citoyens* importants, comme le conseiller Jean-Louis du Pan [64], et d'un groupe de pasteurs, dont le professeur Jacob Vernet, l'un des plus représentatifs de l'Église de Genève, Lullin, Vernes et De la Rive [65].

On peut aisément imaginer le thème des conversations entre d'Alembert et Voltaire. Celui-ci en est encore à la période aimable de ses relations genevoises ; une seule ombre au tableau : l'interdiction de jouer la comédie sur le territoire de la république (décision du Consistoire un an auparavant, le 31 juillet 1755, à la suite de récitations faites aux Délices par Lekain). Mais par ailleurs Voltaire se félicite de la largeur de vues de ses nouveaux amis, particulièrement sur les questions religieuses ; Vernet, avec qui il correspondait déjà avant son arrivée en Suisse [66], a écrit une *Instruction chrétienne* [67] où, en lecteur rapide, il croit reconnaître un déisme à peine déguisé [68] ; l'idée de tolérance a fait un tel progrès dans Genève que tous ceux à qui Voltaire a parlé de l'affaire Servet ont blâmé la rigueur de Calvin et ont déclaré qu'un tel supplice ne serait plus possible dans la capitale réformée ; Voltaire, qui met la dernière main à son *Histoire générale (Essai sur les mœurs)* qu'on va imprimer à Genève, en a profité pour y écrire un chapitre entier sur l'affaire Calvin-Servet [69], où il fait une prudente allusion à la transformation des esprits. En somme, Genève lui apparaît comme une ville exceptionnelle, austère sans doute, mais d'une vertu « républicaine » et d'une philosophie très moderne ; et comme il est prompt à

63. A Voltaire, 28 juillet.

64. Du Pan signale à Freudenreich la présence de d'Alembert le 15 août, et, le 18, annonce qu'il a dîné avec lui (Mss. Genève, Ann. 1755 à 1758, f°s 80 et 82).

65. Cf. ROGET. *Etr. gen.* 4e s., p. 104.

66. Le début de leurs relations eut même pour prétexte les *Lettres philosophiques*, au sujet desquelles Vernet avait présenté des observations parmi beaucoup d'éloges. (Cf. lettre à Vernet, 14 sept. 1733).

67. Deuxième édition cette année même 1756.

68. Voir notre chapitre sur l'article *Genève*.

69. Le chapitre actuel CXXXIV. Nous aurons l'occasion d'en reparler.

s'enthousiasmer, il se voit déjà conseiller secret et presque directeur de conscience de la cité. La présence de d'Alembert fait germer l'idée d'un article *Genève* dans l'*Encyclopédie;* cet article (nous y reviendrons) aura deux sources : les aspirations et les espoirs de Voltaire, le rapport de Jacob Vernet. En effet, d'Alembert, désireux d'écrire un article bien documenté, demande au pasteur le plus autorisé un Mémoire sur la constitution politique de Genève [70], et Vernet le lui enverra.

Ce séjour de d'Alembert [71] va être gros de conséquences : de vive voix, les deux philosophes ont pu constater que leurs pensées concordaient sur beaucoup de points [72] ; Voltaire a été agréablement surpris de trouver chez l' « encyclopède » un antichristianisme résolu et militant [73] ; du coup, le *Dictionnaire* gagne beaucoup dans son estime, et malgré le peu d'espoir qu'il place dans une œuvre pourvue d'un privilège et obligée de paraître au grand jour, il commence à croire qu'il n'est pas impossible d'y glisser quelques articles de combat. Les seules parties vraiment utiles, selon lui, sont la théologie et la métaphysique ; or, ce qu'ont écrit là-dessus Yvon, Mallet et même de Prades, lui « serre le cœur » [74] ; la grande affaire est donc de modifier cette théologie, d'y introduire l'esprit philosophique, tout en camouflant l'intention et l'auteur. L'idéal serait de trouver parmi les pasteurs libéraux un homme de bonne volonté, qui voulût bien travailler au *Dictionnaire*, et dont l'autorité religieuse couvrît les hardiesses. Il est assez vraisemblable que Voltaire ait d'abord pensé à Vernet ; faire passer dans l'*Encyclopédie* l'esprit de l'*Instruction chrétienne*, où il était dit, par exemple, que la Morale est « la partie essentielle, ou, pour mieux dire, le capital » de la Religion, et où l'on déclare que « de fausses religions donnent trop à une vaine curiosité, en faisant consister la religion dans des opinions singu-

70. Cf. ROGET, *Etr. gen.*, 4e s., p. 105 ; et VERNET, *Lettres crit.*, I, 18.

71. Séjour de trois semaines, du 12 août environ au début de septembre. Le 9 août, Voltaire l'attend (lettre à Thieriot) ; le 18, il l'a chez lui depuis plusieurs jours (lettre à Tressan). D'autre part, d'Alembert, qui comptait arriver vers le 10, devait rester jusqu'à la fin du mois (lettre du 28 juillet), et le 12 septembre, Voltaire parle de lui comme s'il était parti (à Rousseau).

72. Sauf peut-être sur Dieu et la nature de l'âme, questions pour lesquelles d'Alembert avait dû subir l'influence matérialiste de Diderot. Une phrase de la lettre de Voltaire du 9 octobre, qui contient une plaisanterie sur « ce que devient l'âme », semble rappeler une discussion à ce sujet.

73. Ecrivant à Thieriot le 20 août, il appelle d'Alembert « un des meilleurs philosophes de l'Europe, et, qui plus est, un des plus aimables. »

74. A d'Alembert, 9 oct.

lières et subtiles » [75], c'était un rêve séduisant et au premier abord réalisable ; mais c'était compter sans les responsabilités genevoises de Vernet et de ses collègues. Pour le moment il faudra se contenter d'un mémoire purement technique et de quelques confidences orales. Ce n'est pas à Genève que Voltaire trouvera son prêtre philosophe [76].

En attendant, il reçoit de d'Alembert de nouvelles commandes, qu'il exécute rapidement : *Froid, Galant, Garant, Gazette, Généreux* [77], *Genre de style, Gens de lettres, Gloire et Glorieux, Grâce, Gracieux, Grand et Grandeur, Grave et Gravité* [78]. Ces douze articles sont destinés au tome VII, dans lequel ils paraîtront un an plus tard avec le reliquat de la lettre F. On remarquera encore ici la modestie de ces titres ; par contre, comme précédemment, Voltaire se propose pour des articles plus importants qui l'attirent ; et cette fois, c'est *Idée, Imagination* et *Idole* [79] ; les deux derniers lui seront confiés. Enfin, il se récuse pour deux autres articles que d'Alembert lui demandait : *Généalogie*, pour des raisons de prudence (il aurait voulu y parler de la généalogie de Jésus, comme il le fera dans les *Questions sur l'Encyclopédie*, et le sujet était trop brûlant pour un dictionnaire public), et *Guerres littéraires*, parce qu'il désapprouve ce titre trop provocant.

Ainsi l'année 1756 s'achève sur une activité encyclopédique très remarquable. Notons aussi que Voltaire, depuis la visite de d'Alembert, donne à celui-ci des conseils de plus en plus précis sur la confection de l'ouvrage [80] ; il va jusqu'à lui suggérer la rédaction d'un *protocole* ou plan de travail, que l'on devrait remettre à chaque collaborateur pour assurer plus d'unité dans la présentation des articles. On le voit, Voltaire a pris fait et cause pour le grand *Dictionnaire ;* il l'a adopté et cherche à le perfectionner. N'ayant pas souscrit au début de la publication, il est obligé de lire les articles parus sur des exemplaires étrangers ; aussi commande-t-il maintenant son exemplaire personnel [81] pour mieux se rendre compte de l'ensemble.

75. VERNET., *Instr. chr.* III ,p. 4.

76. Voir le chapitre suivant.

77. On verra, dans la 2e partie, qu'il y a un doute sérieux sur l'attribution de cet article à Voltaire.

78. A d'Alembert, 13 et 29 nov.

79. A d'Alembert, 29 nov. et 28 déc.

80. Surtout le 13 nov. et le 22 déc. Voir notre 2e partie.

81. Le 9 octobre.

* * *

Si nous considérons maintenant l'ensemble de ces sept années, nous verrons nettement qu'après une longue attente, pendant laquelle les encyclopédistes et Voltaire, partis de milieux complètement hétérogènes, en restent à des politesses lointaines d'où ne sont pas exclues de la réserve et de la méfiance, le rapprochement se fait, encore timide, grâce à d'Alembert ; Voltaire accueille ses offres, puis bientôt, prenant goût à la besogne, il cherche lui-même des titres d'articles et travaille consciencieusement. Cette période est couronnée par le séjour de d'Alembert aux Délices, où se noue définitivement une amitié philosophique qui deviendra chaque année plus ntime [82].

82. Il faut noter cependant dans la correspondance de Voltaire l'extrême rareté des allusions à l'*Encyclopédie* ct surtout à sa collaboration ; à part d'Alembert et Mme du Deffand, personne n'en est informé. Est-ce discrétion ? C'est plutôt que Voltaire considère ce travail comme secondaire et peu suggestif.

Deuxième Période : Polier de Bottens (1757)

Articles du « prêtre de Lausanne »

En 1757, nous assistons à un brusque changement. Voltaire s'acquitte d'abord de ses dettes : le 16 janvier, il envoie *Imagination*, le 4 février *Idole, Idolâtre, Idolâtrie* [1]. Mais ce beau feu s'éteint subitement ; jusqu'en janvier 1758, la collaboration sera interrompue, et elle ne reprendra que faiblement pour s'arrêter sans retour bientôt après. Et pourtant, la correspondance avec d'Alembert devient de plus en plus active ; il est vrai qu'elle change aussi de caractère : tandis qu'auparavant l'*Encyclopédie* en faisait presque tous les frais, les sujets les plus variés s'y entrecroisent maintenant et surtout les informations et les confidences sur la lutte philosophique.

Mais la raison essentielle de la nouvelle abstention de Voltaire, c'est qu'il a trouvé un remplaçant, et un remplaçant de choix : dès le 4 février, il propose l'article *Liturgie*, par « un prêtre hérétique de ses amis, savant et philosophe. » Comme on le voit, dès ce premier sujet, on entre dans la zone dangereuse, où Voltaire en personne ne s'est pas encore risqué. Et le prêtre en question écrit avec tant d'audace que Voltaire est obligé de le « corriger » et de l' « adoucir » [2], et que d'Alembert, au reçu de l'article édulcoré, estime qu'on aura « beaucoup de peine à le faire passer » [3] sans nouveaux adoucissements !

Ce prêtre, qui se trouve être le premier pasteur de Lausanne, écrira encore *Mages* [4], *Magie* et *Magicien* [5], et encore d'autres articles dont la correspondance ne nous révèle pas les titres [6] ; enfin Voltaire lui demandera

1. Remarquer que l'article *Idole*... est le premier article à tendance philosophique que Voltaire ait fourni, mais ce sera aussi le dernier.
2. A d'Alembert, 29 févr.
3. A Voltaire, avril.
4. Envoyé par Voltaire le 24 mai.
5. Envoyés les 6 et 8 juillet.
6. Fin juillet.

de traiter le sujet le plus scabreux de tous : « Je lui ai donné *Messie* à faire ; nous verrons comme il s'en tirera [7]. » Et il prend un air indifférent pour annoncer ces envois : « Voici encore de l'érudition orientale de mon prêtre... Je ne me soucie guère de Mosaïm, pas plus que de Chérubim. Si mon prêtre vous ennuie, brûlez ses guenilles... Et toujours mon prêtre ! et moi je ne donne rien, mais c'est que je suis devenu Russe : on m'a chargé de *Pierre-le Grand*... Je recommande à mon prêtre moins d'hébraïsme et plus de philosophie ; mais il est plus aisé de copier le *Targum* que de penser [8]. »

On devine néanmoins dans ces feintes critiques le plaisir que prend Voltaire à envoyer ces « guenilles », et cette présentation négligente rappelle invinciblement le ton innocent et patelin avec lequel il annoncera plus tard « fusées volantes » et « marrons » dont il ne voudra pas avouer la paternité. Si bien qu'une question se pose : le prêtre de Lausanne est-il bien l'auteur de ces articles ? Voltaire n'aurait-il pas usé de son nom par prudence ? L'article *Messie*, le seul qui ait été jusqu'ici identifié, grâce à Voltaire lui-même, qui le reproduisit dans son *Dictionnaire philosophique*, est toujours imprimé dans les Œuvres de Voltaire, malgré ses démentis répétés [9], et certains éditeurs, comme G. Avenel [10], n'en mettent pas en doute l'authenticité, y voyant même « l'un des articles les plus hardis de ce livre ».

Nous sommes donc obligés de nous arrêter un instant sur ce prêtre mystérieux, d'autant plus que, nous allons le voir, ce n'est pas, comme on l'a cru, quatre ou cinq articles problématiques, mais exactement dix-sept qui ont été écrits par son intermédiaire.

Polier de Bottens.

Antoine-Noé de Polier, premier pasteur de Lausanne depuis 1754, avait succédé à son oncle dans cette charge ; d'une vieille famille française originaire du Rouergue et établie en Suisse depuis plusieurs générations, il était l'avant-dernier des sept fils laissés par Jean-Jacques de Polier, seigneur de Bottens, banneret de Bourg et colonel des vieilles élections du pays de Vaud [11].

7. A d'Alembert, 29 août.
8. A d'Alembert, 8 et 23 juillet, 29 août.
9. Voir plus loin, à l'année 1764.
10. Ed. du *Siècle*, 1867, t. I, p. 537.
11. Ces renseignements, ainsi que ceux qui vont suivre, sont tirés des *Souvenirs de jeunesse d'Antoine de Polier* et des indications qu'a bien voulu nous donner M. Henri Monod de Blonay.

Son oncle, Georges de Polier, orientaliste de valeur (1675-1759), était professeur d'hébreu à l'Académie de Lausanne ; c'est lui qui avait initié son neveu aux langues orientales ; prédicateur et controversiste, il avait publié en 1746 des *Pensées chrétiennes*[12] destinées à réfuter les *Pensées philosophiques* de Diderot, et il venait d'achever un gros travail : *Le Nouveau Testament, mis en catéchisme*[13], que complétera son fils Antoine (ne pas le confondre avec Antoine-Noé) par un *Ancien Testament éclairci*[14]. Tout cela très orthodoxe et peu suspect de complaisance pour la philosophie moderne.

Antoine-Noé, celui qui nous intéresse, était né en 1713 et mourra en 1783. Il fit d'excellentes études sous des maîtres particuliers, tels que Main, à Morges, et Duncky, pasteur de Stettlen, près de Berne ; pour la théologie, il lisait fréquemment les *Institutions* de Gürtler, « auteur qui avait écrit suivant la nouvelle méthode et avec goût et simplicité »[15], témoignant par là d'une certaine curiosité pour les adaptations les plus récentes de la doctrine réformée[16]. Mais c'est là le seul détail qui puisse déceler en lui autre chose que le conformisme le plus normal ; ses *Souvenirs de jeunesse*, malheureusement inachevés, nous le montrent assez sentencieux, parfois naïf ; le ton en est moralisant sans excès, le récit est consciencieux et simple. Les *Sermons* qu'il a prononcés, et dont il reste quelques textes[17], n'ont aucun caractère personnel. Sa carrière fut assez brillante, puisqu'à quarante et un ans, il était premier pasteur des Eglises de Lausanne. Il devint, dit-il lui-même, « membre de plusieurs académies étrangères » ; mais nous n'avons de lui aucune œuvre importante qui nous permette de le juger au fond : seuls les dix-sept articles encyclopédiques et *philosophiques* sont là, posant un curieux problème.

Les premières relations entre Voltaire et Polier remontent à 1753. Au moment où Voltaire, ayant quitté Berlin, est contraint de séjourner à Franc-

12. *Pensées chrétiennes mises en parallèle et en opposition avec les Pensées philosophiques*, in-8°, la Haye, 1746, et in-12, Rouen, 1747.

13. Six vol. in-8°, Lausanne, 1756.

14. *La Sainte-Ecriture de l'Ancien Testament, exposée et éclairée par demandes et réponses*. 11 vol. in-8°, Lausanne, 1764-66. F. A. Forel se trompe (*Revue hist. vaudoise*, t. XIX) dans son introduction aux *Souvenirs de jeunesse* en attribuant ces volumes à Antoine-Noé ; il le confond avec son cousin germain.

15. *Souvenirs de jeunesse*, p. 24.

16. Le livre de Gürtler parut en 1702 et venait d'être réédité en 1732. (*Note de M. H. Vuilleumier*.)

17. Une douzaine de sermons inédits, dont le manuscrit appartient à M. Henri Monod.

fort et en appelle à toute l'Europe du traitement qu'il subit, Polier lui écrit pour lui proposer la résidence de Lausanne [18] ; la lettre arrive après le départ de Voltaire, mais, quelques mois plus tard, Polier récidive, secondé par son compatriote, le jurisconsulte de Brenles, et tous deux reçoivent de Colmar une réponse prometteuse quoique non définitive [19]. Bientôt, les négociations se précisent ; de Brenles propose à Voltaire le château d'Allaman, dont l'achat ne pourra se conclure ; mais Voltaire, décidément orienté vers le Léman, vient s'installer provisoirement à Prangins, chez Guiger, d'où il mènera de front l'achat des *Délices*, aux portes de Genève, et la location de Monrion, à la sortie de Lausanne. Cette double opération, réalisée en février 1755, indique chez lui le désir d'étudier les avantages des deux villes avant de se fixer tout à fait, mais aussi, une fois trouvée l'occasion des *Délices*, l'intention de ne pas négliger les amis de Lausanne qui avaient été les premiers en date dans l'invitation suisse [20].

Ainsi l'initiative de Polier a joué un rôle important dans la décision prise par Voltaire de chercher en Suisse « son tombeau ». Sans doute celui-ci avait-il pu y penser vaguement de lui-même [21], mais les lettres répétées de Polier, à un moment où le proscrit errait en Alsace et ne trouvait pas de résidence satisfaisante, ont certainement préparé la détermination prochaine [22]. Resterait à savoir quelles raisons avait Polier pour désirer la venue de Voltaire.

Ces raisons sont avant tout d'admiration littéraire. Polier n'était pas

18. Huit mois plus tôt (5 nov. 1752), Voltaire avait fait des avances aux avoyers de Berne et leur avait demandé l'autorisation de leur dédier *Rome sauvée*, autorisation qui fut refusée. Polier connaissait sûrement cette démarche, qui avait donné lieu à une correspondance publique.

19. Le 10 et le 12 février 1754.

20. Les assurances qu'il donne à de Brenles à cet égard (31 janvier, 9 et 18 févr. : « Je vous jure que je n'y vais que pour vous ») ne sont pas de simples compliments. Pendant trois ans, Lausanne va sériuesement concurrencer Genève dans ses sympathies philosophiques.

21. En juillet 1754, ayant rencontré à Plombières un avoyer de Berne, de Steiger, Voltaire l'avait « instruit du désir » qu'il avait « toujours eu de se retirer sur les bords » du Léman. (A de Brenles, 5 nov. 1754). Il y avait peut-être là une amplification flatteuse ; mais n'oublions pas qu'en 1745, Voltaire avait déjà été en relations avec Jean-Pierre de Crousaz, recteur de l'Académie de Lausanne (mort en 1750), à qui il écrivait le 6 juin : « Vous avez fait de Lausanne le temple des Muses, et vous m'avez fait dire plus d'une fois que, si j'avais pu quitter la France, je me serais retiré à Lausanne. »

22. Voltaire écrit à de Brenles le 21 mai 1754 : « M. Polier, le premier, m'inspira l'envie de voir le pays que vous habitez. »

seulement théologien et orientaliste ; les belles-lettres le séduisaient ; à l'âge de vingt ans, il avait concouru *honoris gratia* pour une chaire de belles-lettres à Berne et s'était particulièrement distingué, au point, nous dit-il, que « ses bons amis et patrons regrettaient qu'il n'eût pas sérieusement pensé à se mettre sur les rangs » [23]. Dès les premiers temps de ses relations avec Voltaire, nous le voyons prêter à celui-ci une traduction des poésies de Haller [24]. Mais cette sympathie naissante semble bien aussi avoir été philosophique. Tout au début de la correspondance, Voltaire, répondant à une nouvelle invitation du pasteur, feint de ne pouvoir se déplacer sans l'autorisation du roi et il ajoute en badinant : « La seule manière peut-être qui me convînt serait d'y être incognito, je vous en serais plus utile » [25]. De quel genre d'utilité s'agit-il ? Le contexte laisse supposer déjà une ébauche de complicité spirituelle. D'ailleurs, les deux hommes en arrivent vite, sans s'être vus, à un ton d'intimité qui ne peut s'expliquer que par des avances de Polier en matière religieuse. Le 28 février 1755, Voltaire lui écrit : « J'attends avec impatience le moment où je pourrai être votre diocésain ; si je ne peux vous entendre à l'église, je vous entendrai à table. » Et un peu plus loin : « Adieu, monsieur ; si je ne crois pas absolument en Calvin, je crois en vous. » C'est là le ton de Voltaire avec ceux de ses correspondants qu'il a jugés « gens d'esprit » et à qui il peut adresser le signe de tête, le coup d'œil de reconnaissance [26]. Le 4 juin, des Délices, il souhaite toujours de voir Polier à Lausanne et de « philosopher un peu » avec lui.

Les moments décisifs de cette amitié se placent au cours des deux hivers 1755-1756 et 1756-1757. Voltaire a fait de Monrion son « palais d'hiver », et il y passe chaque fois trois mois. Dans cette nouvelle société où, plus heureux qu'à Genève, il peut donner la comédie et cela en présence des pasteurs eux-mêmes [27], Polier est un de ses préférés ; il vient en effet d'avoir une preuve sensible de son dévouement : au mois de juillet précédent a éclaté le scandale de la *Pucelle*, qui menaçait depuis près d'un an ; Grasset, possesseur d'un manuscrit de ce poème, essaie en vain de le monnayer, puis en répand des copies. Or, un Lausannois, de Montolieu, ami de Polier (son fils épousera la fille de ce dernier) semble avoir trempé dans la transmission du manus-

23. *Souvenirs*, p. 24.
24. Voltaire les lui renvoie le 18 février 1755 (lettre à de Brenles)
25. A Polier, 19 mars 1754.
26. Cf. *Dict. philos.* art. BLÉ, section VI.
27. Cf. DESNOIRESTERRES, t. V, pp. 204-207.

crit ; Voltaire s'en plaint à Polier, qui l'apaise [28]. Mais en novembre on imprime clandestinement le licencieux poème ; Voltaire obtient l'interdiction de la vente dans Genève, et c'est Polier qui le seconde avec succès pour le faire interdire dans Lausanne et dans Berne [29]. Ce service était de ceux que Voltaire appréciait le plus, et l'on comprend qu'arrivant à Lausanne quelques jours après [30], il ait fait du pasteur un de ses fidèles [31]. D'autre part, un tel geste de la part de Polier, qui avait pris l'initiative d' « assembler le corps académique » à cet effet, est une nouvelle preuve de l'attachement singulier qui l'unissait au poète-philosophe avant même de lui avoir parlé.

POLIER ENCYCLOPÉDISTE.

Du premier séjour de Voltaire à Monrion nous n'avons rien d'important à retenir, si ce n'est le *Poème sur le désastre de Lisbonne*. Le fameux tremblement de terre avait eu lieu le 1er novembre ; le poème, commencé aux Délices, est complété à Monrion dans les derniers jours de décembre [32], et les idées ont dû en être discutées avec passion par les fidèles de Lausanne dès l'arrivée de Voltaire [33]. Or, nous le verrons, la philosophie du poème, philosophie du doute et de la prudence scientifique, qui classe une bonne fois les questions sur lesquelles aucune certitude rationnelle n'est possible, est exactement la philosophie qui dirigera les articles de Polier. Il n'est pas sans intérêt de noter que les premières conversations de celui-ci avec Voltaire ont pu traiter de tels problèmes.

Le deuxième séjour à Monrion est capital [34]. A peine arrivé, Voltaire pressent Polier pour une collaboration encyclopédique et, le 4 février, il peut annoncer à d'Alembert l'article *Liturgie*. Tout reste mystérieux sur la part qu'a pu prendre Voltaire à ce travail. Nous avons pu retrouver les

28. Cf. lettres du 12 août et du 14 nov.

29. A Bertrand, 30 nov.

30. Vers le 15 déc.

31. Le 2 décembre, avant de partir pour Monrion, il l'appelle « homme aimable et essentiel ».

32. Voltaire l'a déjà envoyé à d'Argental le 2 janvier 1756, mais pas encore le 25 décembre 1755.

33. Le 1er janvier 1756, Voltaire envoie le poème à la duchesse de Saxe-Gotha, mais, nous dit A. François, le manuscrit en est incomplet. Cela peut indiquer que l'achèvement du poème est encore postérieur à cette date.

34. Du 10 janvier 1757 environ au 10 avril.

manuscrits de Polier ; ils sont tous écrits de sa main [35] et avec des ratures personnelles ; la rédaction est donc incontestablement de lui, de même que la documentation biblique et les détails d'érudition, pour lesquels il avait toute la compétence voulue. Mais l'intention, la composition, et les digressions philosophiques portent la marque voltairienne la plus authentique ; si l'on ne peut pas conclure absolument à un plan et à des formules de présentation fournis par Voltaire, on peut être certain du moins que les deux hommes ont eu des conversations précises sur les divers sujets à traiter, et que Polier s'est laissé indiquer avec plaisir la méthode à suivre ; si les articles de Polier ne sont pas de ces choses où Voltaire « insère quelques pages », ils sont de celles sur lesquelles il « donne conseil » [36].

Deux présomptions extérieures corroborent d'ailleurs les résultats de l'étude des textes. D'une part, il est assez remarquable que Polier se mette au travail seulement après l'arrivée de Voltaire à Monrion ; depuis que d'Alembert était venu aux Délices, cinq mois auparavant, et que les pasteurs de Genève avaient paru dignes d'entrer dans l'*Encyclopédie* au moins par personne interposée, Voltaire avait bien dû penser à la bonne volonté toute neuve de son prêtre de Lausanne, déjà appréciée l'hiver précédent. Or, il attend d'être à Monrion pour lui proposer le travail, de vive voix ; il peut y avoir là à la fois prudence et désir de donner des instructions, difficiles à exposer par lettre quand il s'agit d'articles délicats dont on veut contrôler la fabrication [37].

D'autre part, une affaire qui fit beaucoup de bruit à Lausanne et qui malheureusement devait, plus d'un an après, provoquer une demi-rupture entre Voltaire et Polier, peut nous faire mesurer la complaisance du pasteur envers son hôte : c'est l'affaire Saurin. Nous n'entrerons pas dans tous les détails de cette affaire, qui nous entraînerait trop loin [38] ; il suffit de rappe-

35. La confrontation de ces manuscrits avec celui des *Souvenirs de jeunesse* et celui des *Sermons* inédits ne laisse aucun doute sur ce point.

36. Voir 1re période, note 37. — Nous renvoyons à la 2e partie l'étude des articles de Polier, pour avoir une meilleure idée d'ensemble de la collaboration de Voltaire, directe ou indirecte.

37. Quand Elie Bertrand, premier pasteur de Berne, fera des articles d'histoire naturelle, qu'il demandera à Voltaire de présenter, celui-ci lui dira de les envoyer directement à Briasson (lettre du 7 oct. 1758). Au contraire, Polier n'envoie jamais ses articles lui-même.

38. M. Edmond Gilliard, qui a fait plusieurs conférences à Lausanne sur ce sujet, a bien voulu nous communiquer ses notes, où nous avons vérifié les quelques points qui nous sont utiles.

ler que dans le *Catalogue des écrivains* paru à la suite du *Siècle de Louis XIV* et réimprimé en 1756 avec l'*Essai sur l'histoire générale*, Voltaire, à la fin du long article consacré à La Motte et où il disculpait celui-ci d'avoir écrit les couplets diffamatoires attribués à J.-B. Rousseau en 1710, laissait entendre que le véritable auteur de ces couplets ne pouvait être que J.-B. Rousseau ou Joseph Saurin. Or, cette attribution évasive était fort malencontreuse ; en effet, on venait de publier des Mémoires [39] tirés des papiers de Nicolas Boindin, mort en 1751, où ce dernier accusait La Motte et Saurin pour disculper Rousseau ; Saurin se trouvait ainsi accusé à la fois par le défenseur de Rousseau et par celui de La Motte. Pour comble, dans le *Dictionnaire* de Chaufepié, suite du *Dictionnaire* de Bayle, qui paraissait à ce moment [40], l'article *Saurin* ressuscitait un vieux scandale : Saurin, ancien pasteur de Bercher, en Suisse, avait, disait-on, fui le territoire d'Yverdun à la suite de vols pour lesquels on l'avait décrété de prise de corps, et il s'était installé à Paris, où, devenu catholique, il avait surtout pratiqué l'incrédulité philosophique. Enfin, on reproduisait une lettre supposée à un de ses amis où il avouait toutes ses fautes, l'original de cette lettre se trouvant dans les Registres de la classe des pasteurs d'Yverdun.

Saurin était mort en 1737, mais son fils, secrétaire du duc de Conti, s'émut de ces attaques convergentes. et il écrivit à Voltaire [41] pour lui demander une rectification. Voltaire, à la fois sans doute par amabilité pour le duc de Conti et pour la satisfaction de défendre la mémoire d'un ancien pasteur devenu *philosophe* [42], entreprit d'obtenir une justification complète. Etant alors à Monrion, il s'adresse naturellement à Polier ; celui-ci, toujours dévoué, se prête à l'opération et, le 30 mars 1757, il signe, conjointement avec deux autres pasteurs, Abram de Crousaz, son collègue direct à Lausanne, et Daniel Povillard, un certificat déclarant que les soussignés « n'ont jamais vu l'original de cette prétendue lettre [où Saurin avouait ses crimes] ni connu personne qui l'ait vue, ni ouï dire qu'elle ait été adressée à aucun pas-

39. *Mémoires pour servir à l'histoire des couplets de* 1710, *attribués faussement à Rousseau.*

40. Edition de 1752-1756.

41. En février ou mars 1757. La réponse de Voltaire, non datée, est classée vers le 25 mars.

42. Le fils Saurin lui aussi était *philosophe ;* ami d'Helvétius, il sera considéré par Voltaire comme un des *frères*, et son élection à l'Académie en 1761 sera une victoire des *cacouacs*.

teur de ce pays ; en sorte que nous ne pouvons qu'improuver l'usage qu'on a fait de ladite pièce » [43].

Un tel document supposait un certain courage de la part des trois pasteurs ; car si les jeunes prêtres, dont plusieurs fréquentaient Monrion [44], ne devaient pas critiquer cette conduite, il n'en était pas de même des « vieillards rétifs » [45] qui voyaient dans Joseph Saurin un renégat et qui n'aimaient guère Polier [46], « prêtre par état, incrédule par sens commun » [47]. Le pire, c'est que Voltaire, reproduisant le certificat dans sa nouvelle édition du *Catalogue*, le fit suivre de la conclusion suivante : « Joseph Saurin mourut en philosophe intrépide, qui connaissait le néant de toutes les choses de ce monde, et plein du plus profond mépris pour tous ces vains préjugés, pour toutes ces disputes, pour ces opinions erronées qui surchargent d'un nouveau poids les malheurs innombrables de la vie humaine ». L'éloge du pasteur renégat devenu philosophe et le certificat des trois prêtres paraissaient, par leur rapprochement, procéder de la même intention.

Cette indiscrétion de Voltaire entraînera l'année suivante toute une polémique ; Leresche, pasteur de Chexbres, dénoncera le certificat dans le *Journal helvétique* [48], Voltaire répliquera [49], Leresche aggravera l'affaire en faisant publier par Grasset toute une série de pièces polémiques sous le titre de *Guerre littéraire* [50]. Polier et ses deux co-signataires seront désapprouvés par la classe des pasteurs, et si le libelle de Grasset est condamné par l'Académie de Lausanne [51], Leresche sera bientôt nommé doyen des pasteurs dans Lausanne même, ce qui semble bien indiquer un triomphe de son parti.

Que faut-il retenir de cette histoire ? Surtout la facilité de Polier qui,

43. On prétendit plus tard que la lettre existait bien dans le Registre d'Yverdun, que Polier en personne en avait la garde et que Voltaire l'aurait subtilisée en abusant de la confiance de Polier. Mais tout cela a bien l'air d'un roman. Cf. DESNOIRESTERRES, t. V, p. 309.

44. Comme les Chavane, beaux-frères de M. de Brenles.

45. A Saurin, mars 1757. Ces pasteurs *rétifs* n'étaient pas tous âgés. Leresche, leur futur porte-parole, était plus jeune que Polier.

46. Cf. lettre de Voltaire à Bertrand, 27 nov. 1758.

47. A d'Alembert, 29 févr. 1757.

48. Oct., nov. et déc. 1758.

49. *Réfutation d'un écrit anonyme*, nov. 1758.

50. Février 1759.

51. Cf. lettre de Voltaire à de Brenles (mars 1759). Voltaire cherche à consoler Polier, qui lui bat froid depuis quelques mois.

pour faire plaisir à son grand homme, n'hésite pas à se compromettre, probablement sans mesurer les répercussions possibles de son geste, puisqu'à cette audace succédera un abattement, qualifié par Voltaire de « faiblesse »[52] et de « mollesse » [53], et une désaffection soudaine pour celui qu'il avait tant voulu tenir à Lausanne. Cette légèreté et cette complaisance un peu irréfléchie expliqueraient fort bien le genre de collaboration que Voltaire a obtenue de lui pour l'*Encyclopédie :* à la base, communauté d'opinion entre eux ; connaissances théologiques et hébraïques de Polier ; conseils précis de Voltaire pour insérer dans chaque article une dose suffisante de *philosophie* ; rédaction définitive par Polier, qui aura peut-être pris quelques phrases essentielles sous la dictée de Voltaire [54].

Quoi qu'il en soit, les manuscrits de Polier permettent de lui attribuer la rédaction de dix-sept articles.

Huit d'entre eux n'ont pas été imprimés dans l'*Encyclopédie* et restent inédits. Sur ces huit, quatre n'ont aucun équivalent dans le *Dictionnaire*, ce sont KAMOS, MELCHISEDEK, MESSIA et MUTINUS ; quatre ont des équivalents, dans une autre rédaction que celle de Polier : LARES, MAGES [55], MELCHISEDECHIENS et MER ROUGE.

Les neuf autres ont paru dans l'*Encyclopédie* sans nom d'auteur, quatre avec des corrections ou des suppressions de détail : LOGOMACHIE, MALACHBELUS, MANES et MESSIE (dont fait partie le supplément *Faux Messies*) ;

52. A de Brenles, 2 nov. 1758.

53. A Bertrand, 27 nov.

54. Il y a, par exemple, dans l'article *Liturgie* un passage concernant les protestants qui paraît vraiment extraordinaire sous la plume d'un pasteur et qui se trouve pourtant *in extenso* dans le manuscrit :

« Les protestants ont aussi leurs liturgies en langue vulgaire ; ils les prétendent fort épurées et plus conformes que toutes les autres à la simplicité évangélique, mais il ne faut que les lire pour y trouver l'esprit de parti parmi beaucoup de bonnes choses et des pratiques très édifiantes ; d'ailleurs, les dogmes favoris de leurs réformateurs, la prédestination, l'élection, la grâce, l'éternité des peines, la satisfaction, etc., répandent plus ou moins dans leurs liturgies une certaine obscurité, quelque chose de dur dans les expressions, de forcé dans les allusions aux passages de l'Ecriture sainte ; ce qui, sans éclairer la foi, diminue toujours jusques à un certain point cette onction religieuse qui nourrit et soutient la piété. » Il est difficile de ne pas voir l'inspiration de Voltaire dans ce mélange habile de critiques, d'éloges et d'insinuations. Voir d'autres passages caractéristiques dans notre 2e partie.

55. Pour l'article *Mages* se pose un problème, que nous traiterons dans la 2e partie ; voir chap. II, note 155.

les cinq derniers textuellement : KIJUN, LITURGIE [56], MAGICIENS, MAGIE et MAOSIM [57].

* * *

Ainsi, à examiner la situation en octobre 1757, moment où Polier écrit *Messie* et où va paraître le tome VII de l'*Encyclopédie* contenant l'article *Genève*, nous voyons Voltaire occupé à souder l'*Encyclopédie* et le christianisme libéral, et oubliant sa propre collaboration anodine de l'année précédente pour une collaboration indirecte mais efficace. Cependant, si Lausanne lui apportait cette satisfaction, Genève allait le désillusionner. Il en avait d'ailleurs senti déjà la menace à l'occasion d'un mot imprudent sur Calvin.

56. Desnoiresterres (t. V, p. 213) dit à tort que l'article *Liturgie* n'est pas de Polier et que « ce fut Diderot qui le rédigea ». M. Babelon (*Corr. de Diderot*, t. I, p. 32, note) se trompe aussi en disant que « d'Alembert ne l'accepta point, le jugeant trop audacieux ». C'est une interprétation abusive de la lettre de d'Alembert à Voltaire d'avril 1757.

57. C'est certainement de l'article *Maosim* (dont il déforme le titre avec une négligence voulue) que Voltaire veut parler quand il écrit à d'Alembert : « Je ne me soucie guère de Mosaïm, pas plus que de Chérubim. » (23 juill. 1757.)

Troisième Période : L'article GENÈVE et la crise de 1758

Décembre 1757, janvier et février 1758 forment un moment très agité dans cette histoire ; mais deux sources d'événements s'y mêlent : la publication de l'article *Genève;* la retraite de d'Alembert et la crise de direction dans l'*Encyclopédie*. Il nous faut les exposer séparément.

I. L'article GENÈVE

Les faits.

En novembre 1757 paraît le tome VII de l'*Encyclopédie* [1], le dernier avant la suppression du privilège ; il contient dix-sept articles de Voltaire [2], la fin de la lettre F (depuis *Foible*) et la lettre G (jusqu'à *Grave*, *Gravité*). Il contient aussi l'article *Genève*.

Avant que le volume arrive à Genève, le bruit, venu de Paris, se répand dans la ville. Théodore Tronchin prétendra même que l'article était connu avant l'impression [3], mais rien ne confirme ce propos, qui semble destiné surtout à mettre d'Alembert dans son tort. Les premiers bruits à ce sujet ne paraissent pas antérieurs à la fin du mois de novembre [4]. Par contre, cette rumeur préalable n'est pas favorable à l'article, ou plus exactement au passage qui concerne les pasteurs : on sait déjà que, sous couleur d'éloge philosophique, ceux-ci sont taxés de socinianisme et de déisme. Au bout

1. Grimm l'annonce en décembre (*Corr. litt.*, t. III, p. 458).
2. Grimm ne signale que l'article *Goût*.
3. Dans une lettre à Pictet reproduite dans Perrey et Maugras, *Vie int.*, p. 179 : « Il n'y a eu qu'un cri contre l'article avant l'impression de l'article ; donc, M. d'Alembert ne peut pas dire qu'il n'en a pas prévu l'effet. »
4. Le 2 décembre, Voltaire en parle pour la première fois à d'Alembert, et la question paraît toute récente : « On m'apprend que... » Comme on va le voir, le Conseil ne s'en occupe que le 9 décembre. (Il se réunissait au moins une fois par semaine).

de quelques jours, le scandale est tel que le Conseil croit utile d'évoquer le cas et d'examiner les mesures à prendre ; sa décision va être négative, et ce n'est pas la seule fois que nous observerons la prudence et la réserve du Conseil [5]. Voici l'extrait de ses Registres concernant la séance du 9 décembre [6] : « M. le Premier a dit qu'il lui est revenu que dans un livre qui s'im-« prime à Paris [7] intitulé l'*Encyclopédie*, dans l'article *Genève*, il y a des « insinuations contre nos ministres qui les font regarder comme étant « déistes et sociniens, qu'il faut voir s'il n'y a pas quelques mesures à « prendre pour faire changer ou supprimer cet article, et, en étant opiné, « réflexion faite que si nous faisions quelque demande à cet égard au minis-« tère de France, il serait à craindre qu'ils ne nous en fissent de leur côté « quelqu'une, relativement à la religion, qui ne nous serait pas agréable, « l'avis a été qu'avant toutes choses l'on se procure une copie de l'article « en question pour sur icelui être pris tel parti qui conviendra. » On remarquera la naïveté du compte rendu qui ne déguise pas l'abstention sous des prétextes spécieux : le Conseil, nous le verrons, n'est pas très dévoué pour défendre l'Église de Genève ; ne se sent-il pas qualifié ? Ou connaît-il trop bien les *variations* de sa doctrine ?

Pendant ce temps, que fait Voltaire ? Pas plus que les Genevois il n'a encore le tome VII entre ses mains ; il l'attend avec impatience [8]. Mais il connaît la teneur de l'article, non seulement par les on-dit, mais aussi par des souvenirs personnels, comme nous allons nous en convaincre ; et il écrit à d'Alembert des lettres de félicitations. Mais voilà que dans Genève, c'était fatal, on commence à l'accuser d'avoir eu part à la composition du passage incriminé [9] ; Vernet est sûrement à l'origine de ce nouveau bruit ; ses démêlés avec Voltaire à propos de l'affaire Servet, que nous devrons examiner tout à l'heure, le prédisposaient certainement à voir la main du philosophe dans toutes les atteintes portées au prestige de l'Église genevoise.

5. Voir plus loin à propos de la *Déclaration* des pasteurs, et aussi pour l'affaire Servet.

6. Archives de Genève ; Registres du Conseil, 1757, p. 568. Cf. ROGET. *Etr. gen.*, 4e s., p. 130.

7. Ces mots prouvent que le 9 décembre, non seulement le tome VII n'était pas arrivé à Genève, mais que les Genevois ne savaient pas si le volume avait paru. Cela explique l'affirmation erronée de Tronchin (note 3).

8. A d'Alembert, 6 déc. ; à Thieriot, 7 déc.

9. A d'Alembert, 12 déc.

Voltaire ne semble pas s'en être ému outre mesure ; il en parle une fois à d'Alembert [10], deux fois à Vernes pour se disculper [11] ; mais il n'y met aucune insistance comme il le fait souvent quand il s'agit d'échapper à des poursuites ou d'éviter la saisie d'une édition. L'attitude du Conseil devait le rassurer ; puisque les magistrats restaient circonspects et neutres, il n'y avait rien à craindre des prêtres.

On a pourtant prétendu, et c'est une opinion assez courante, que Voltaire, inquiet, aurait fui devant les menaces de l'opinion publique [12], et l'on donne comme preuve son départ pour Lausanne, qui eut lieu en effet le 18 ou le 19 décembre. Mais ce départ était tout à fait normal ; c'est le troisième et d'ailleurs le dernier hiver qu'il va passer à Lausanne. Nous l'avons vu prendre cette habitude deux ans auparavant quand il a loué Monrion, et son départ de Genève a lieu tantôt en décembre, tantôt en janvier [13] ; son séjour, d'une régularité parfaite, ne dépasse guère trois mois chaque hiver [14], et cette fois, dans la maison de la rue du Grand-Chêne qu'il a achetée [15] et qui remplace Monrion, la durée en sera la même que les deux années précédentes. Nous savons bien en effet ce qui l'attirait à Lausanne, en dehors du climat, qu'il avait cru d'abord meilleur qu'à Genève [16], mais qui s'était révélé assez rigoureux : c'est surtout la possibilité de jouer la comédie, et l'hiver se trouvait la saison la plus favorable pour rassembler à cet effet une société choisie [17]. Il est vrai qu'il a écrit à Dupont, le 3 novembre : « Nos spectacles de Lausanne ne commenceront qu'en janvier » ; et il part un peu à l'avance, au milieu de décembre. Mais il est difficile de voir là tout de même un départ précipité, une « fuite », provoquée par les rumeurs de la ville, d'autant plus que l'affaire entrera dans la période aiguë seulement le 23 décembre. Tout au plus peut-on supposer chez Voltaire la satisfaction

10. Le 12 déc.
11. Le 29 déc. et le 12 janv.
12. Voir Perrey et Maugras, p. 171 ; Henry Tronchin, *Th. Tronchin*, p. 208.
13. Le 15 décembre 1755 et le 10 janvier 1757.
14. Du 15 déc. 1755 au 30 mars 1756 ; du 10 janv. au 10 avril 1757 ; du 19 déc. 1757 au 15 mars 1758.
15. En juin 1757.
16. Cf. à Thieriot, 24 mars 1755 ; à d'Argental, 8 janv. 1756.
17. Le 2 juin 1757, quand il vient d'acheter la maison du Chêne, il écrit à Thieriot : « On joue si bien la Comédie à Lausanne que j'ai enfin fait l'acquisition... Je retourne demain à mes Délices, qui sont aussi gaies en été que ma maison de Lausanne le sera en hiver. »

de faire coïncider son séjour prévu et habituel à Lausanne avec une période de controverse religieuse dans Genève [18].

En tout cas, le fameux tome VII arrive aussitôt après son départ, le 20 ou le 21. Le reste des événements est connu [19] : le 23, réunion de la Compagnie des pasteurs ; interrogatoire individuel pour savoir si quelqu'un a vraiment fourni à d'Alembert les renseignements compromettants ; tout le monde nie, y compris les trois pasteurs que d'Alembert a fréquentés : Vernet, Vernes, et De la Rive, qui a lui-même pris l'initiative de l'interrogatoire (le quatrième, Lullin, vient de mourir). La Compagnie nomme une commission chargée de rédiger une Déclaration en réponse à l'article ; le secrétaire en est Th. Tronchin ; celui-ci essaie d'obtenir une rétractation de d'Alembert, mais un échange de lettres n'aboutit pas ; d'Alembert, encouragé par Voltaire, s'obstine ; Voltaire, jouant double jeu, tente quelques démarches pour calmer les pasteurs, mais sans succès. Le 20 janvier 1758, le texte de la Déclaration est lu devant la Compagnie, il est adopté le 27, et publié le 8 février à 1.500 exemplaires. Ce texte a été depuis très diversement apprécié, et nous devrons y revenir car de son interprétation dépend notre jugement définitif sur les intentions de Voltaire.

Pour terminer ce récit, il n'est pas inutile de montrer une deuxième attitude négative du Conseil au moment décisif. La Déclaration devait invoquer l'autorité des magistrats à l'appui de sa thèse, et le Modérateur de la Compagnie était venu chez le « Premier » pour obtenir de lui lá permission de le nommer. La réponse fut sévère : « L'Avis a été, nous dit le compte « rendu de la séance, que, vu l'occasion particulière qui a donné lieu à ce « mémoire, le Conseil n'en ayant pas voulu prendre connaissance, il n'y « avait pas lieu d'en faire lecture. Opiné ensuite sur ce qui vient d'être

18. D'autre part, il quitte Genève avant que le tome VII y soit arrivé, et il ne le recevra à Lausanne que vers le 25. Il devait pourtant être curieux de voir l'article imprimé, et, s'il songeait à fuir, il n'en était pas sans doute à deux jours près. S'il est parti le 19, c'est que la date était fixée déjà et l'installation au Chêne prévue pour ce moment-là. — Dans la correspondance du Pan-Freudenreich (années 1755-1758, f° 137), nous trouvons à la date du 20 décembre : « Voltaire part demain pour Lausanne [Du Pan se trompe, puisque le 20, Voltaire était déjà à Lausanne] ; est-il vrai que LL. EE. ont défendu d'y représenter des comédies, même dans des maisons particulières ? » Et c'est tout ; aucune allusion à l'article Genève, dont Du Pan ne parlera que le 27. L'affaire n'est pas encore engagée à fond.

19. DESNOIRESTERRES (V, 174-180) et ROGET (*Etr. gen.*, 4e série) donnent ici tous les faits exacts, dont le détail alourdirait notre exposé.

« rapporté qu'il était fait mention du magistrat dans un article du mémoire,
« l'avis a été que M. le Premier doit être chargé de dire au Sp. Modérateur
« que le Conseil n'estime pas qu'il doive y être parlé du Magistrat et souhaite
« en conséquence qu'on supprime l'article où il en est fait mention [20]. »

La Déclaration est en effet muette sur ce point. Le pouvoir civil continue à s'abstenir, et sa mauvaise volonté évidente n'est qu'un reflet de l'opinion laïque sur l'affaire. Peut-être aussi la réponse des pasteurs était-elle jugée bien faible. Le 25 février, Voltaire écrit à d'Argental : « La déclaration des prêtres de Genève justifie entièrement d'Alembert. » Avait-il raison ? Et surtout quel intérêt avait-il à la question ? Quelle responsabilité avait-il dans l'article ?

Responsabilité de Voltaire.

Les avis sont partagés : tantôt on donne d'Alembert comme seul responsable de l'article [21] ; tantôt on voit entre Voltaire et lui une intime collaboration [22] ; tantôt on présente Voltaire comme ayant « tracé le canevas sur lequel d'Alembert avait exécuté sa broderie » [23]. Mais ces affirmations ne sont jamais étayées de preuves. Essayons d'établir les principales vraisemblances.

En 1756, nous l'avons déjà indiqué, Voltaire en est encore à croire que le christianisme de Genève peut se fondre dans un déisme philosophique. Comme le dit très justement M. Paul Chaponnière, « Voltaire se fait des illusions sur les pasteurs ; il semble avoir vu en eux des alliés dans l'œuvre à laquelle il se sentait pressé de mettre la main » [24]. Et il se laisse influencer dans ce sens par les opinions très libres de la société qu'il fréquente. La correspondance du conseiller Du Pan est à cet égard très édifiante [25]. Il

20. Arch. Genève. *Registres du Conseil*, 1758, p. 74. Séance du 8 février. — Il faut supposer que les pasteurs avaient reçu l'avis officieux plusieurs jours avant.

21. Desnoiresterres, V, p. 171.

22. Gaberel, *Hist. égl. Gen.*, III, 195 : « Voltaire profita d'un séjour que d'Alembert fit aux Délices pour composer avec lui l'article *Genève.* »

23. Roget, *loc. cit.*, p. 133.

24. *Volt. chez les Calv.*, p. 59.

25. Du Pan écrit à Freudenreich le 27 déc. 1757 : « Il [d'Alembert] a cru faire honneur à nos ministres en les représentant comme dégagés des préjugés absurdes du christianisme. » (*loc. cit.*, f° 139 *verso*). En 1756, à propos du désastre de Lisbonne, il note : « De cette affaire, la Providence en a dans le c... » (f° 51).

n'est pas jusqu'aux pasteurs eux-mêmes qui n'aient d'abord encouragé la méprise, moitié sympathie, moitié politesse ; comme l'écrira Vernet, « souvent de jeunes ecclésiastiques, par respect, par timidité [26], ne contredisent pas formellement des discours hardis et d'un certain ton... Un incrédule, qui se pique de finesse, croira aisément qu'ils en pensent plus qu'ils n'en disent... » [27], et, si Vernet vise ici d'Alembert, la remarque est encore plus juste pour Voltaire. C'est le moment où ce dernier entre en rapports avec toute une pléiade moderne de pasteurs ardents et avides de philospohie : Vernes à Genève, Polier à Lausanne, Bertrand à Berne, Allamand à Bex. C'est aussi le moment où il définit publiquement sa position religieuse en éditant ses deux poèmes essentiels, sur *la Religion naturelle* et sur *le Désastre de Lisbonne,* qui constituent sa Profession de foi et comme un don de joyeuse installation dans son nouveau pays, avec lequel il se croit en parfaite communion d'idées. Aussi peut-il écrire, le 12 avril 1756, à Cideville : « Mes libraires se sont donné le plaisir d'assembler dans leur ville les chefs du Conseil et de l'Église, et de leur lire mes deux poèmes ; ils ont été universellement approuvés dans tous les points... Genève n'est plus la Genève de Calvin, il s'en faut beaucoup ; c'est un pays rempli de vrais philosophes. *Le christianisme raisonnable de Locke est la religion de presque tous les ministres; et l'adoration d'un Etre suprême, jointe à la morale, est la religion de presque tous les magistrats.* » (C'est nous qui soulignons.) Une telle phrase est déjà le résumé des thèmes principaux que développera d'Alembert [28].

A partir de ce moment, nous voyons Voltaire occupé à définir d'une façon plus précise la religion de Genève ; il cherche dans l'histoire de l'Église des hérésies analogues et des répondants de poids ; il cite Socin, Origène, qu'il lisait déjà chez dom Calmet, à Senones ; il est heureux de découvrir, datant du second siècle, des *Constitutions apostoliques* rédigées contre Athanase [29] et contenant des déclarations déjà sociniennes qui remplacent le mystère de la Trinité par la prédominance du Père : « Avez-vous lu,

26. Plutôt par goût du risque et du paradoxe.

27. *Lett. crit.*, I, 229.

28. Cf. par exemple dans l'article *Genève* : « Le premier principe d'une religion véritable est de ne rien proposer à croire qui heurte la raison... La religion y est presque réduite à l'adoration d'un seul Dieu... Les prédications se bornent presque uniquement à la morale... »

29. Bibl. Genève, ms suppl. 1.037, f° 49. Lettre à Vernes.

écrit-il à Vernes [30], dans les *Constitutions apostoliques*, cette prière : *O Dieu éternel, Dieu unique, père du Christ et du Saint-Esprit* ? Y a-t-il rien de plus net et de plus décisif ? » Au plus fort de la querelle sur l'article *Genève*, il rappellera à Vernes les mêmes autorités : « Etes-vous bien fâché... qu'on dise dans l'*Encyclopédie* que vous pensez comme Origène, et comme deux mille prêtres qui signèrent leur protestation contre le pétulant Athanase [31] ? » On voit ici la continuité de la pensée de Voltaire sur ce sujet ; il serait difficile de nier sa responsabilité dans la conception de l'article même, pour sa partie religieuse. D'Alembert a pu interroger des pasteurs pendant son séjour ; aucun ne lui a certainement fourni aussi bien que Voltaire l'idée du socinianisme.

Mais dans son zèle pour idéaliser à son gré la religion calviniste, l'hôte des Délices forme un projet machiavélique qui soulèvera une première tempête : il s'agit de condamner l'intolérance de Calvin et de faire accepter cette condamnation à ses successeurs actuels. Le chapitre CXXXIV de l'*Histoire générale* traite du supplice de Servet ; et, après avoir flétri personnellement la rigueur de Calvin, Voltaire essaie d'engager les pasteurs eux-mêmes et revient à son thème favori : « Il semble aujourd'hui qu'on fasse amende honorable aux cendres de Servet : de savants pasteurs des Églises protestantes, et même les plus grands phisosophes, ont embrassé ses sentiments *et ceux de Socin* [souligné par nous]. Ils ont encore été plus loin qu'eux : leur religion est l'adoration d'un Dieu par la médiation du Christ. » Et l'on fait d'une pierre deux coups : d'une part, Calvin renié par son Église au nom de la tolérance, d'autre part, Servet approuvé et dépassé dans son hérésie socinienne [32] par cette même Église ! Quelle ironie de l'histoire ! est-on tenté de conclure.

La malice voltairienne semble d'abord réussir ; l'*Histoire générale* paraît à la fin de 1756, le chapitre sur Servet ne soulève aucune objection. Voltaire triomphe ; il écrit à Vernes, qui est toujours son confident en cette matière : « C'est une chose bien honorable pour Genève, mon cher et aimable ministre, qu'on imprime dans cette ville que Servet était un sot et Calvin

30. *Ibid.*, f° 51.

31. Lettre du 29 déc. 1757.

32. Au début du chapitre, nous lisons : « Il [Servet] adoptait en partie les anciens dogmes soutenus par Sabellius, par Eusèbe, par Arius, qui dominèrent dans l'Orient et qui furent embrassés au XVIe siècle par Lelio Socini. »

un barbare. Vous n'êtes pas calvinistes, vous êtes hommes [33]. » Remarquons que les mots *sot* et *barbare* ne se trouvent pas dans le chapitre imprimé ; Voltaire force ici la portée de sa victoire, et il donne en même temps sa véritable pensée sur les deux théologiens ; le socinianisme n'est pour lui qu'une étape vers le pur déisme.

Mais ce triomphe supposé va devenir trop indiscret : il écrit à Thieriot dans le même sens et avec l'intention de faire publier la lettre : « Ce n'est pas un petit exemple de progrès de la raison humaine, qu'on ait imprimé à Genève, avec l'approbation publique, que Calvin avait une âme atroce aussi bien qu'un esprit éclairé [34]. » Cette *âme atroce*, ainsi enchâssée dans un bulletin de victoire, va tout gâter, et on en reparlera longtemps. En avril, le *Mercure* reproduit la lettre, et les mêmes personnes qui avaient laissé passer le chapitre sur Servet bondissent à la lecture de l'*âme atroce;* le mot, il est vrai, est un mot de combat, et la mention de *l'approbation publique* dépassait la mesure. Voltaire s'inquiète des propos malveillants qui lui parviennent, et il demande à Thieriot de lui envoyer une rectification : « Vous noterez,... et je vous confie tout doucement qu'il y a dans le pays que j'habite trois ou quatre personnes qui sont encore du seizième siècle... Vous me feriez plaisir de me mander qu'on a imprimé cette lettre sur une copie infidèle,... que dans celle que vous avez reçue de ma main il y a *âme trop austère* et non pas *âme atroce* [35]. » Nous saisissons là sur le vif la tactique de Voltaire qui, après un coup d'audace, retire sa griffe si l'adversaire gronde, et tout cela d'un air innocent : « Autant qu'il peut m'en souvenir, ajoute-t-il, c'était là la véritable leçon [36] » !

Puis le bruit s'apaise, et l'on peut croire qu'il n'y aura pas de riposte. Voltaire se rassure : « Ce qu'on m'avait dit de l'*atroce* est une mauvaise plaisanterie qu'on a voulu faire. Nos calvinistes ne sont point du tout attachés à Calvin. Il y a ici plus de philosophes qu'ailleurs [37]. » L'illusion va

33. Le 13 janv. 1757.
34. Le 26 mars.
35. Le 20 mai.
36. Comparer à cette rétractation celle de l'année précédente à propos d'une note sur Bayle, dans le *Poème sur le désastre de Lisbonne*. Voltaire avait taxé d'*injustice* les ennemis de Bayle ; or, le Parlement se mit de ce nombre en condamnant un ouvrage favorable à Bayle. Aussitôt Voltaire rectifie la rédaction en disant à Thieriot : « Celle-ci est aussi forte ; mais elle est mesurée et accompagnée de correctifs qui ferment la bouche à la superstition, tandis qu'ils laissent triompher la philosophie. »
37. A Thieriot, 2 juin 1757.

être de courte durée : au moment même où il vante ses calvinistes, le professeur Vernet lui écrit une lettre publique mais anonyme, datée du 30 mai et qui paraîtra dans le *Journal helvétique* de juillet. C'est une défense de Calvin, où l'on reconnaît sans doute en lui « une sorte de raideur, une humeur austère » [38] ; mais ce tempérament convient aux réformateurs, et l'on ne peut accuser Calvin d'intolérance ni de meurtre. Il n'y a pas à Genève d'*approbation publique* pour Voltaire ; le mot *atroce* doit être réservé au poète de la *Pucelle* [39]. Que Voltaire se borne aux questions de goût : « Ne vous occupez plus, dit-on pour conclure, des matières graves et respectables, que par malheur vous n'aimez ni n'entendez [40]. »

La réponse était vive et peut paraître excessive pour un mot hasardé ; c'est que Vernet, qui professait une doctrine assez proche du socinianisme [41] mais redoutait qu'on la qualifiât trop clairement [42], voulait mettre un terme aux manœuvres du philosophe et éviter de nouvelles indiscrétions [43]. Désireux de prendre Voltaire en défaut sur un point d'histoire, il projette d'écrire un ouvrage sur Calvin et, comme les documents du procès Servet sont dans les archives du Conseil, il en demande communication à De Chapeaurouge, secrétaire d'État. Le 12 septembre, le Conseil délibère et refuse ; le compte rendu dit sèchement : « Le Conseil n'a pas trouvé convenable qu'il lui donnât ladite communication. » Et en surcharge une ligne est ajoutée : « et il désire que l'on n'écrive plus sur cette matière » [44]. Nous connaissons déjà cette prudence et ce désir d'éviter les controverses !

Vernet, très froissé, en appelle au syndic Calandrini ; ce dernier répond de façon énigmatique que « le silence sur ce sujet paraissait préférable à tout ce qu'on en pourrait dire ». Vernet insiste encore, et Calandrini s'explique clairement une bonne fois : « La conduite de Calvin est telle que l'on veut que tout soit enseveli dans un profond oubli. Calvin n'est pas excusable...

38. P. 13 de la lettre.
39. P. 18.
40. P. 24.
41. Voir plus loin, 2e partie, chap. II, *in fine*.
42. Il semble avoir prévu que la venue de Voltaire à Genève attirerait des désagréments, puisqu'au début de 1755 il le mettait en garde et lui demandait de respecter les lois religieuses de la ville. (Cf. réponse de Voltaire, 9 févr. 1755).
43. GABEREL (*Hist. égl. Gen.*, III, 193-194) ne tient pas assez compte de cette situation pour juger Vernet et il réduit trop la question à la simple affaire de l'*atroce*.
44. Arch. Gen., *Registres du Conseil*, 1757, p. 468.

Servez-vous de la raison tirée de votre maladie pour nous dispenser d'un ouvrage qui ne peut qu'être nuisible à la religion, à la réformation et à votre patrie, ou qui serait peu conforme à la vérité [45]. » On le voit, Voltaire n'avait pas entièrement tort quand il se flattait de vivre à Genève parmi des «philosophes » [46].

Malgré tout, les hostilités sont ouvertes. Polier, qui réapparaît ici, a l'intention de répliquer à Vernet, mais Bertrand le devance [47]. L'affaire Servet partage l'Église. Mais l'article *Genève* va regrouper ses forces ; car c'est sur ces entrefaites qu'il paraît. Nous pouvons dès lors nous imaginer exactement l'atmosphère et déterminer la part de responsabilité de Voltaire : l'article *Genève* est anachronique ; par ses éloges sans réserve du clergé calviniste, il représente l'opinion de Voltaire six mois plus tôt, et l'on comprend maintenant ce mot d'une lettre à d'Alembert [48] : « On prétend que vous y louez la modération de certaines gens. Hélas ! *vous ne les connaissez point*... Les agneaux que vous croyez tolérants seraient des loups, si on les laissait faire. » Voilà bien le nouveau ton désabusé, si différent des élans passés ! Quant à d'Alembert, il en est simplement resté à la belle confiance de l'année précédente. A tout prendre, l'article *Genève* est, en 1757, la survivance des espérances genevoises de Voltaire en 1756.

Mais son influence ne se borne pas à cette inspiration générale. Un certain nombre de détails viennent directement de lui. Nous n'insisterons pas sur l'alinéa concernant la comédie et les comédiens, qui est trop évidemment issu du ressentiment de Voltaire contre l'interdiction de monter un théâtre [49]. Nous signalerons surtout les remarques incidentes qui ne sont que des articles détachés du programme voltairien.

45. Arch. Gen., PH suppl. 208. Cf. Galiffe. *Notices généal.*, III, pp. 442-444.

46. Bien entendu, il se réjouira de la décision du Conseil. « Le Conseil, écrit-il le 6 décembre à d'Alembert, a regardé cette demande comme un outrage. Des magistrats détestent le crime auquel le fanatisme entraîne leurs pères, et des prêtres veulent canoniser ce crime ! »

47. Voltaire à Bertrand, 4 et 9 sept.

48. Du 2 déc.

49. Dans l'*Histoire générale*, au chap. CXXXIII, on lit déjà : « S'ils ouvrirent les portes des couvents, c'était pour changer en couvents la société humaine. Les jeux, les spectacles furent défendus chez les réformés ; Genève, pendant plus de cent ans, n'a pas souffert chez elle un instrument de musique. » — A propos de musique, un autre rapprochement est à faire. On lit dans l'article *Genève* à propos de la musique reli-

Voici d'abord l'apologie de l'*inoculation* : « Après l'Angleterre, Genève a reçu la première l'inoculation de la petite vérole, qui a tant de peine à s'établir en France, et qui pourtant s'y établira, quoique plusieurs de nos médecins la combattent encore, comme leurs précurseurs ont combattu la circulation du sang, l'émétique et tant d'autres vérités incontestables ou de pratiques utiles [50]. » Inutile de rappeler tous les efforts que fit Voltaire, depuis la onzième des *Lettres anglaises*, pour populariser en France l'*insertion* ou *inoculation*.

Voici un deuxième détail, amené par l'étude du clergé et de son rôle dans les funérailles : « On enterre dans un vaste cimetière assez éloigné de la ville, usage qui devrait être suivi partout [51]. » Ici encore, on sait avec quelle persévérance Voltaire a dénoncé l'usage malsain des cimetières urbains ; c'est un des reproches habituels qu'il fait à ses Welches.

Voici surtout un passage capital sur les relations de l'État et de l'Église : « Les ecclésiastiques font encore mieux à Genève que d'être tolérants ; ils se renferment uniquement dans leurs fonctions, en donnant les premiers aux citoyens l'exemple de la soumission aux lois. Le Consistoire, établi pour veiller sur les mœurs, n'inflige que des peines spirituelles. La grande querelle du Sacerdoce et de l'Empire, qui dans des siècles d'ignorance a ébranlé la couronne de tant d'empereurs, et qui, comme nous ne le savons que trop, cause des troubles fâcheux dans des siècles plus éclairés, n'est point connue à Genève ; le Clergé n'y fait rien sans l'approbation des Magistrats [52]. » Autant de mots, autant de critiques du clergé catholique ; nous avons là un

gieuse : « Le chant est d'assez mauvais goût ; et les vers français qu'on chante, plus mauvais encore... ». Or, dans la *Guerre civile de Genève* (1767), Voltaire écrira :

> *On hait le bal, on hait la comédie ;*
> *Du grand Rameau l'on ignore les airs :*
> *Pour tout plaisir Genève psalmodie*
> *Du bon David les antiques concerts,*
> *Croyant que Dieu se plaît aux mauvais vers.*

Et en note : « Ces vers sont dignes de la musique ; on y chante les commandements de Dieu sur l'air *Réveillez-vous, belle endormie.* » Le détail de l'article paraît bien avoir été suggéré par Voltaire à d'Alembert, qui n'avait pas dû faire de lui-même la remarque pendant son court séjour.

50. *Mél.*, t. II, p. 377. Nous renvoyons à l'édition des *Mélanges*, in-12, pour plus de précision dans les références.

51. *Ibid.*, p. 380.

52. *Ibid.*, p. 384.

des thèmes favoris de Voltaire : la soumission du pouvoir spirituel au pouvoir temporel, la suppression des persécutions par la suprématie des civils en matière pénale. Ajoutons que, vers le même temps, Polier, écrivant son article *Liturgie*, y insérait cet alinéa suggestif : « Chaque église, ou plutôt chaque état protestant, a sa liturgie particulière. Dans plusieurs pays les magistrats civils ont mis la main à l'encensoir, et ont fait et rédigé par écrit les liturgies, se contentant de consulter pour la forme les ecclésiastiques ; peut-être n'est-ce pas un si grand mal [53]. » Le rapprochement des deux textes semble bien indiquer une source commune, Polier et d'Alembert disciples attentifs du patriarche, et, chose curieuse, d'Alembert plus sérieux dans sa rédaction, Polier plus sensible à l'ironie magistrale. Bref, malgré ses protestations [54], Voltaire nous paraît bien avoir *mis la main à l'encensoir* de l'encyclopède comme à celui du prêtre hérétique : l'article *Genève* a été pour lui une nouvelle *Lettre philosophique*, où l'éloge de Genève, comme celui de l'Angleterre jadis, n'était qu'un prétexte pour critiquer la France, ses institutions et son clergé.

RESPONSABILITÉ DE D'ALEMBERT.

Si les intentions philosophiques de l'article et les principaux détails décèlent l'influence de Voltaire, la rédaction dans son ensemble est certainement de d'Alembert.

Sans doute ne faut-il pas se fier aveuglément aux dénégations de Voltaire à ce sujet. Quand il dit à Vernes après la publication de l'article : « J'ignore absolument de quoi il s'agit » [55], on ne peut s'empêcher de rapprocher, dans une lettre à d'Alembert à propos de l'*atroce* paru dans le *Mercure*, la phrase suivante : « J'ignorais absolument la sottise dont vous me parlez [56]. » Dans ces deux cas il n'ignore absolument rien. De même, dire à d'Alembert d'un air naïf : « Quelques-uns m'accusent d'une confédération impie avec vous : vous savez mon innocence » [57], ne prouve aucune innocence réelle : plus tard, quand il faudra désavouer le *Dictionnaire philosophique*,

53. *Encycl.* t. IX, p. 598.

54. A d'Alembert, 6 juillet 1757 : « Je ne mets pas la main à l'encensoir » (à propos des articles de Polier).

55. Lettre du 24 déc. 1757.

56. Le 6 déc. 1757.

57. Le 12 déc. 1757.

Voltaire, écrivant à d'Argental [58], retrouvera sous sa plume la même expression. De telles dénégations sont au contraire des preuves de complicité [59].

Mais voici qui paraîtra plus intéressant. Pour se disculper, Voltaire invoque une fois le caractère de son disciple : « C'est une calomnie bien maladroite de dire que j'ai conduit la plume de M. d'Alembert... *M. d'Alembert n'est pas homme à se laisser conduire* [60]. » Il y a du vrai dans ce jugement, et l'on connaît bien l'esprit d'indépendance, souvent ombrageux, du mathématicien ; ici pourtant l'appréciation n'est qu'à moitié vraie . Dans toute cette affaire, d'Alembert, visiblement flatté de la confiance du Maître, et engagé sous sa direction, met tout son point d'honneur à revendiquer la paternité de l'article ; un trait de caractère encore plus certain que son indépendance, c'est son obstination, et surtout son obstination par amour-propre. Une fois déclaré, il ne se rétracte pas, et rien n'est plus décidé que son besoin de responsabilité : dès le 17 décembre, il écrit à Vernes : « Vous devez, comme ami de M. de Voltaire, les avertir [les pasteurs] qu'il n'a pas la moindre part à l'article *Genève*, ni directement ni indirectement ; qu'il ignorait même absolument que ni moi ni d'autres travaillassions à cet article. Si la colère théologique doit tomber sur quelqu'un, c'est sur moi seul, et j'en attends tranquillement les effets [61]. »

Le plus amusant, c'est de voir le ton qu'il prend avec Voltaire quand celui-ci a proposé sa médiation : « Je vous prie, en cas de nouvelles plaintes de leur part, de *leur signifier...* [62]. Je n'ai garde, M. le plénipotentiaire de l'*Encyclopédie*, de vous interdire les politesses avec ces sociniens honteux ; mais surtout *ne passez pas les politesses et vos pouvoirs ;* point de rétractation... *Dites-leur bien de ma part...* [63]. » On croirait entendre maintenant l'élève faisant la leçon à son maître. « Je répondrai à toute la terre, s'il le faut, que j'ai dit la vérité... Voilà tout ce qu'ils auront de moi [64]. » Quelle fierté ! Vraiment d'Alembert a fini par croire qu'il était seul à avoir conçu l'article ; ce qui compte pour lui, c'est de l'avoir écrit. Et de cela nous pouvons déjà être sûrs : une telle allure serait impossible dans l'hypothèse

58. Le 1er oct. 1764.
59. Cf. encore à Vernes, 29 déc. : « J'ai appris le dernier toute cette affaire. »
60. A Vernes, 12 janv. 1758. (Bibl. Gen. ms suppl. 1.037, f° 41).
61. Bibl. Gen. ms suppl. 1.036, f° 80.
62. Le 11 janv. 1758.
63. Le 28 janv.
64. Le 20 janv.

d'une collaboration matérielle de Voltaire. Le portrait ébauché tout à l'heure serait tout à fait juste si on le présentait ainsi : M. d'Alembert n'était pas homme à laisser croire qu'il pouvait se laisser conduire ! [65]

Si nous voulons maintenant une preuve décisive que l'article n'a pas été connu de Voltaire dans sa rédaction avant qu'il fût publié, il suffit d'y lire la citation de la fameuse lettre à Thieriot : on y voit l'*âme atroce* dans sa version la plus primitive [66]. C'est que d'Alembert ignorait la rectification de Voltaire, et il cite le texte dans son intégralité sans se douter que la reprise du mot, origine de controverses et d'injures depuis plusieurs mois, était une maladresse énorme à l'égard des pasteurs. Jamais Voltaire ne l'aurait laissé passer s'il avait seulement eu connaissance du manuscrit.

Enfin, l'examen attentif du style nous fait reconnaître très souvent la manière de d'Alembert, et jamais celle de Voltaire. Sans vouloir abuser de ce genre de preuves, disons l'essentiel. Une étude minutieuse nous amène à noter chez d'Alembert le retour fréquent de deux tendances : d'abord une prédilection pour terminer les développements par des phrases dont le sens est piquant ou satirique, mais dont le ton est modéré et sentencieux (Voltaire est en général plus vif et rapide) [67] ; les exemples en abondent dans notre article. En voici deux, dans les premières pages : après avoir dit que le Pape avait été appelé *antechrist* par Calvin : « ...mais dans un siècle tel que le nôtre, il n'est plus d'Antechrist pour personne [68]. » Plus loin, à la fin de l'histoire du duc de Savoie qui avait attaqué Genève sans déclaration de guerre : « Cette politique singulière, qui consiste à faire la guerre sans l'avoir déclarée, n'était pas encore connue en Europe ; et, eût-elle été prati-

65. Ajoutons l'acharnement qu'il mettra à vouloir prouver qu'il avait raison dans son article. En 1758, il écrit une longue lettre en réponse à Rousseau, où il reprend la question des pasteurs. En 1759, dans ses *Mélanges*, il réimprime l'article *Genève* et la lettre à Rousseau (tome II). En 1763, nouvelle réimpression. En 1767, il y ajoute une *Justification de l'article Genève*, qui comprend la *Déclaration des pasteurs* avec des notes critiques, des extraits de la lettre de Rousseau sur les spectacles et les *Lettres de la Montagne*, et un extrait d'un ouvrage de Grosley. D'Alembert n'a pas lâché prise. L'article *Genève* est pour lui un des actes importants de sa vie.

66. *Mélanges*, II, p. 381.

67. Exemples tirés du *Discours préliminaire*. A la fin de l'introduction : « Heureux, si nous nous engageons dans ce labyrinthe, de ne point quitter la véritable route ; autrement les éclairs destinés à nous y conduire ne serviraient souvent qu'à nous en écarter davantage. » *(Ibid.*, I, 42). A la fin de l'éloge de la Logique : « ...par cet esprit philosophique qui remonte à la source de tout,.. elle ne laisse enfin à ce caprice national qu'on appelle usage, que ce qu'elle ne peut absolument lui ôter. » (p. 56), etc...

68. *Ibid.*, II, p. 363.

quée dès lors par les grands États, elle est trop préjudiciable aux petits pour qu'elle puisse jamais être de leur goût [69]. »

Deuxième trait de style, encore plus fréquent que le premier : c'est la construction des phrases en deux parties symétriques, correspondant à un besoin d'équilibre dans la pensée [70]. Citons particulièrement dans le passage sur les comédiens, qui est tout entier animé de cet esprit : « Genève aurait des spectacles et des mœurs, et jouirait de l'avantage des uns et des autres... La littérature en profiterait, sans que le libertinage fît des progrès... Ils cherchent à se dédommager par les plaisirs, de l'estime que leur état ne peut obtenir [71]... » Et plus loin : « ... trop d'écrivains respectent les préjugés qu'ils pourraient combattre avec autant de décence que de sûreté...[72]. En cela s'ils ne sont pas orthodoxes, ils sont du moins conséquents à leurs principes [73] », etc... Mais ce n'est pas par quelques citations que le débat peut être vidé. La lecture suivie de l'article nous persuade qu'il a été écrit par un informateur consciencieux et didactique, épris à la fois de méthode et de prosélytisme, mais le plus souvent monotone et peu brillant : c'est désigner sans hésitation d'Alembert, et non Voltaire.

Notre conclusion se dégage sans peine : il est certain que Voltaire est l'inspirateur de l'article, qui devait être pour lui un moyen indirect de sonder définitivement les esprits genevois, et aussi de les diriger, peut-être malgré eux, dans le sens de la tolérance et du déisme (et, subsidiairement, de leur donner le goût des représentations théâtrales) ; il est très probable aussi qu'il a inspiré tous les détails qui, élogieux pour Genève, tendaient à des réformes dans les mœurs françaises. Il est certain d'autre part que d'Alembert, utilisant à la fois cette *philosophie* voltairienne et le mémoire technique de Vernet, a rédigé l'ensemble de l'article. En somme, nous avons là, avec quelques différences de détail, une production analogue à celle des articles de Polier. Nous sommes toujours dans la période où Voltaire cherche à utiliser l'*Encyclopédie* pour ses fins personnelles, mais sans se découvrir et

69. P. 366.

70. Cf. le plan même du *Disc. prelim.*, exposé dans cette phrase : «...comme l'*Encyclopédie*, il doit exposer..., comme *Dictionnaire raisonné*..., il doit contenir... » (*Ibid.*, I, p. 11). A la page suivante, on lit : « S'il est souvent difficile de réduire à un petit nombre de règles chaque science..., il ne l'est pas moins de renfermer dans un système... » (p. 12), etc..., etc...,

71. *Ibid.*, II, pp. 373-374.

72. P. 381.

73. P. 383.

en engageant dans la bataille des disciples dévoués dont le nom ne risque pas de compromettre la bonne cause.

Conséquences de l'affaire *Genève*.

L'affaire *Genève*, succédant à l'affaire Servet, et bientôt suivie de l'affaire Saurin, dont nous avons déjà parlé à propos de Polier, va avoir des conséquences importantes pour l'état d'esprit de Voltaire. Le 2 décembre, il disait déjà des pasteurs : « Vous ne les connaissez point ! » Le 12, son pessimisme s'est renforcé et il n'excepte plus les protestants de sa haine pour tous les prêtres : « Ces gens-là vont se couvrir de ridicule ; chaque démarche qu'ils font, depuis le tombeau du diacre Pâris, la place où ils ont assassiné Servet, et jusqu'à celle où ils ont assassiné Jean Hus, les rend tous également l'opprobre du genre humain. Fanatiques papistes, fanatiques calvinistes, tous sont pétris de la même m.... détrempée de sang corrompu [74]. » Cette violence et cette grossièreté montrent assez l'étendue de la déception : Voltaire en veut d'autant plus aux calvinistes qu'il avait fondé plus d'espoirs sur eux.

Dès lors, il ne songe qu'à se venger de ces « misérables » [75] et particulièrement de Vernet qui a récidivé [76] ; il demande à d'Alembert de lui confier l'affaire : « Je vous assure que mes amis et moi, nous les mènerons beau train ; ils boiront le calice jusqu'à la lie [77]. » Pour le moment d'ailleurs il se contentera de savourer leur embarras ; il reçoit chez lui, « comme à l'ordinaire », les magistrats et les prêtres de Lausanne [78], moins directement compromis, et il prend un plaisir intense à jouer ce double jeu ; cela lui rend la bonne humeur : « Moquez-vous de tout et soyez gai », écrit-il le 19 janvier à d'Alembert qui est sérieux et dogmatique.

Cette bonne humeur se changera en hostilité irréconciliable quand, l'année suivante, Leresche, rentrant en scène, publiera sa *Guerre littéraire* où se trouvent rassemblées toutes les pièces de l'affaire Servet et de l'affaire Saurin, augmentées de critiques contre l'*Histoire générale* et d'une pièce en

74. A d'Alembert, 12 déc. 1757.
75. Au même, 8 janv. 1758.
76. Il serait intéressant de comparer la rupture avec Vernet et la rupture avec Jean-Jacques. Le fond et l'occasion en sont analogues. Voltaire est furieux de voir des dissidences là où il voudrait des complicités ; et il les traite tous deux de « petits fous ».
77. Le 3 janv.
78. Au même, 19 janv.

vers intitulée : *Les torts de M. de Voltaire.* Puis ce sera au tour de Vernet de reprendre dans ses *Lettres critiques* la question de l'article *Genève.* Voltaire portera toutes ses attaques contre ce dernier, d'abord dans les *Dialogues chrétiens* (1760), plus tard dans l'*Eloge de l'hypocrisie* (1766) et la *Guerre civile de Genève* (1767). Ainsi l'année 1757, couronnée par l'article *Genève,* marque le début d'une ère orageuse dans la république ; Voltaire ne se sent plus à l'aise aux Délices : moins d'un an après, il achètera Ferney [79].

Quant à l'*Encyclopédie,* elle va être touchée indirectement. Nous allons voir qu'en janvier 1758, en pleine période de discussion genevoise, d'Alembert abandonne la direction du *Dictionnaire ;* s'il n'a jamais voulu reconnaître que les reproches des pasteurs avaient joué un rôle dans sa décision, il n'en est pas moins vrai que la coïncidence était malheureuse et que les pasteurs ont considéré cet abandon comme une victoire personnelle [80]. Pour Voltaire, il marquera la fin de l'encyclopédisme militant.

II. La crise de 1758

Les Cacouacs.

Si les récriminations genevoises avaient enlevé à Voltaire ses dernières illusions conciliatrices, elles avaient en même temps exaspéré son désir de propagande philosophique. La lettre du 6 décembre 1757 à d'Alembert, déjà citée, est la plus explicite à cet égard ; elle marque vraiment le début

79. En octobre 1758. — Malgré ses désillusions, et au milieu de ses plus vifs emportements, Voltaire conservera le besoin et le vague espoir de ramener les pasteurs à la philosophie. Par exemple, dans le *Sermon des Cinquante :* « Déjà une foule de théologiens embrasse le socinianisme, qui approche beaucoup de l'adoration d'un seul Dieu, dégagée de superstition... Nous ne prétendons pas dépouiller les prêtres de ce que la libéralité des peuples leur a donné ; mais nous voudrions que ces prêtres qui se raillent presque tous secrètement des mensonges qu'ils débitent, se joignissent à nous pour prêcher la vérité. » (3e *point.*) — Ce *Sermon des Cinquante,* que Bengesco persiste à placer en 1762, malgré la lettre à Mme de Fontaine du 11 juin 1759, où il en est fait mention (il y aurait là, selon lui, une interpolation ultérieure), paraît bien être de 1759 ; Champion (*Voltaire,* p. 175) donne un excellent argument tiré du *Journal* de Barbier (éd. Charpentier, t. VII, p. 284) où l'on lit, à la date d'août 1760 : « Il paraît une pièce *manuscrite* intitulée *Sermon des Cinquante.* » Pourquoi ne pas penser que cette pièce, écrite en 1759, vers mai (en maintenant le texte de la lettre à Mme de Fontaine), s'est répandue en manuscrit l'année suivante, pour n'être finalement imprimée qu'en 1762 ? Elle serait ainsi une réplique à la *Guerre littéraire* de Leresche, parue en février 1759.

80. Voir lettres de Voltaire à d'Alembert, 8 et 29 janv. 1758.

de la grande croisade à laquelle Voltaire va consacrer le reste de sa vie. « ... Je finis toujours ma harangue en disant *Deleatur Carthago*... Il ne faut que cinq ou six philosophes qui s'entendent pour renverser le colosse... Il s'agit d'arracher les pères de famille à la tyrannie des imposteurs et d'inspirer l'esprit de tolérance. Cette grande mission a déjà d'heureux succès. La vigne de la vérité est bien cultivée par des d'Alembert, des Diderot, des Bolingbroke, des Hume... » Retenons l'idée des cinq ou six philosophes qui doivent s'entendre pour le succès de la mission ; ce sera le mot d'ordre permanent du patriarche devant la mésentente d'Alembert-Diderot, la défection de Jean-Jacques, et les attaques de Palissot. Mais à ce moment, l'*Encyclopédie* lui apparaît encore comme un excellent lieu de rassemblement pour toutes les bonnes volontés.

D'ailleurs, ces derniers jours de 1757 voient une reprise de la collaboration directe de Voltaire. D'Alembert lui a commandé l'article *Historiographe*, puis *Habile, Hautain, Hauteur, Hémistiche, Heureux,* tout cela pour le tome VIII, qui est en préparation. Et Voltaire se dépêche de donner satisfaction ; il en envoie trois quelques jours à peine après la commande[81] ; pour *Historiographe* il réclame le texte de son article *Histoire*, déjà remanié, afin de ne pas se répéter. Il demande si Vernes a bien fourni l'article *Humeur*, pour lequel il s'était proposé ; sinon, il le fera lui-même. Bref, voilà à nouveau la plus grande activité ; mais elle n'aura pas de lendemain.

Le 5 janvier, Voltaire, écrivant à Thieriot, emploie pour la première fois le mot *cacouac* [82] ; presque le même jour, il apprend que d'Alembert quitte l'*Encyclopédie*. L'*Histoire des Cacouacs* portait dejà ses fruits.

Dans le *Mercure de France* d'octobre 1757 avait paru, sous le titre d'*Avis utile*, une facétie assez lourde et très violente contre les encyclopédistes ; on les représentait comme des monstres du nom de cacouacs, c'est-à-dire *méchants*, ayant sous la langue une poche de venin qui se déversait à chacune de leurs paroles, et on lisait dans le factum des phrases dans le goût de celle-ci : « Ce sont peut-être les seuls êtres de la nature qui fassent le mal précisément pour le plaisir de faire le mal. » Mais cette satire n'était que l'avant-propos de l'ouvrage principal, qui parut en décembre sous le titre : *Nouveau mémoire pour servir à l'histoire des Cacouacs*. Ce mémoire contenait une série de citations extraites de Diderot, de d'Alembert, de

81. Voir lettres du 29 déc. et du 3 janv.
82. « Le *cacouac* de Lausanne vous souhaite santé et prospérité. »

Rousseau et de Voltaire, tendant à prouver que les philosophes enseignaient une morale pernicieuse et, comme le résumera d'Alembert, avaient « juré la ruine de toute société et de tout gouvernement [83]. » L'auteur anonyme était un certain Jacob Moreau, bibliothécaire de la Reine et historiographe, qui avait déjà rédigé un *Observateur hollandais*, inspiré par le gouvernement.

C'est le signal d'une offensive générale : coup sur coup paraissent une *Religion vengée*, ou *Réfutation des auteurs impies* [84], une satire insérée dans les *Affiches de province* [85] ; un prédicateur (Le Chapelain) attaque les encyclopédistes dans un sermon prêché devant le roi ; enfin, le bruit se répand qu'on va donner à l'*Encyclopédie* de nouveaux censeurs plus sévères que les précédents. C'est alors que d'Alembert prend sa décision.

Ce n'est pas ici le lieu de chercher quelles furent les raisons véritables de cet abandon. On a prétendu qu'il y avait là une question d'argent [86] ; mais rien n'autorise cette interprétation [87]. D'Alembert se retranche surtout derrière le caractère quasi officiel des attaques dirigées contre le *Dictionnaire*, il accuse Bernis, ministre des Affaires étrangères, et même Mme de Pompadour, de favoriser les ennemis des philosophes, et il se moque doucement de Voltaire qui a encore des illusions sur leur bonne volonté [88] ; l'*Encyclopédie* va être baillonnée, et il vaut mieux qu'elle « n'existe pas, que d'être un répertoire de capucinades ». Mais derrière cet argument honorable en apparaît un autre, que d'Alembert avoue sans fausse honte : c'est la peur de la persécution. En excellent disciple de Voltaire, il ne prise guère le martyre et la perspective de la Bastille ne lui sourit pas ; affaire de tempérament. « Si on imprime aujourd'hui de pareilles choses par *ordre exprès* de ceux qui ont l'autorité en main, ce n'est pas pour en rester là ; cela s'appelle *amasser les fagots* au septième volume pour nous jeter dans le feu au huitième [89]. » Il ne croyait pas si bien dire.

83. A Voltaire, 28 janv. 1758.
84. Par Soret et Hayer.
85. De Meusnier de Querlon.
86. Voltaire y fait vaguement allusion le 8 janvier : « ... pour d'autres raisons que les prêtres n'expliquent pas à votre avantage. »
87. Quand Diderot, qui juge sévèrement d'Alembert, fera, l'année suivante, l'historique de toute l'affaire dans une lettre à Mlle Volland (12 oct. 1759), il ne mentionnera aucun fait de cet ordre, bien qu'il n'hésite aucunement à rapporter des détails d'argent et qu'il traite de *vile* l'attitude de d'Alembert. (Lettres à S. Volland, Ed. Babelon, I, p. 102.)
88. Voir lettres de d'Alembert des 20 et 28 janvier, 8 et 15 février.
89. A Voltaire, 28 janv.

Quoi qu'il en soit, nous devons nous attacher à l'attitude personnelle de Voltaire dans cette histoire assez confuse.

VOLTAIRE POUR LA RÉSISTANCE.

Et d'abord il est pour la résistance ; on peut même dire que ce mois de janvier 1758 va voir son maximum de zèle pour l'*Encyclopédie* : fouetté sans doute par le bruit que fait l'article *Genève* [90] et grisé par l'odeur de la poudre, il accueille le libelle des *Cacouacs* avec la frénésie du lutteur qui trouve une bonne occasion de réplique. N'ayant pas reçu de lettre de d'Alembert depuis un certain temps et le croyant trop occupé, il prend l'initiative d'écrire à Diderot, avec qui il n'a échangé jusqu'ici qu'une seule lettre de politesse [91]. Il lui envoie un vibrant appel au combat [92], et ce combat doit s'engager contre les Jésuites, à qui il attribue les *Cacouacs :* « Les nouveaux Garasses devraient être mis au pilori. Mandez-moi, je vous prie, les noms de ces malheureux. Je les traiterai selon leur mérite dans la nouvelle édition qui se prépare de l'*Histoire générale.* » Et il se montre très violent contre eux, laissant s'exhaler sans retenue une haine fébrile ; il les appelle *assassins de nos rois, sodomites prêtres* ; nous le verrons bientôt se repentir de ce débordement.

Sur ces entrefaites il apprend coup sur coup l'abandon de d'Alembert et la demande de rétractation des pasteurs de Genève. Il sent brusquement la victoire s'éloigner et enrage ; il veut retenir d'Alembert coûte que coûte : « Si vous avez quelque dégoût, je vous conjure de le vaincre... Que vous seul renonciez à ce grand ouvrage, tandis que les autres le continueront, que vous fournissiez ce malheureux triomphe à vos indignes ennemis, que vous laissiez penser que vous avez été forcé de quitter, c'est ce que je ne souffrirai jamais.» Cette exhortation est du 8 janvier. En même temps, il s'adresse une deuxième fois à Diderot [93] pour que celui-ci raffermisse d'Alembert, l'empêche

90. « L'article dont on fait semblant de se plaindre est un coup important dont il ne faut pas perdre le fruit. » (2e lettre à Diderot, janvier).

91. En février 1757.

92. Cette lettre (MOL. XXXIX, p. 363) est d'habitude classée vers le 10 janvier. Je la placerais plutôt le 5 ou le 6. En effet, elle ne contient aucune allusion à l'abandon de d'Alembert, que Voltaire a appris au plus tard le 7. D'autre part, elle a plusieurs traits de ressemblance avec la lettre du 5 à Thieriot.

93. Cette 2e lettre (MOL. XXXIX, p. 375), placée d'habitude vers le 20 janvier, me paraît être au plus tard du 10. En effet, elle doit suivre la 1re de peu (« Voilà deux

de se rétracter et de fuir. « Il est de la dernière importance que M. d'Alembert continue à vous aider. » Le ton de cette deuxième lettre est encore plus pressant que celui de la première, c'est un bulletin militaire : « Ne vous laissez entamer par personne, et songez qu'il faut faire justice des Garasses. » Il n'y manque même pas l'encouragement grandiloquent : « On touche à une grande révolution dans l'esprit humain, et on vous en a, monsieur, la principale obligation [94]. » Ainsi, en quelques jours, Voltaire prend l'allure du général qui commande à ses officiers ; si l'on a pu dire, à tort, qu'il avait été le chef des encyclopédistes, ce titre lui convient presque entre le 5 et le 15 janvier 1758 ; encore faut-il ajouter que cette belle autorité s'exerçait en vain : d'Alembert allait en faire à sa tête, et Diderot ne daignait même pas répondre à ses avances.

Jusqu'à la fin du mois, Voltaire persiste à peu près dans son attitude, Le 19 il résiste encore, malgré le refus cassant de d'Alembert [95] ; il lui envoie des conseils plus nuancés mais qui tendent tous à continuer la lutte ; il faut s'adresser au gouvernement, à Malesherbes, exiger le respect pour une entreprise munie d'un privilège. « Ameutez-vous, et vous serez les maîtres. » Le 21, il commence à perdre confiance, et veut encore espérer [96]. Mais aucune réponse de Diderot n'arrive, et, par contre, une nouvelle lettre de d'Alembert [97] donne des précisions sur la *persécution* : « Des brochures, des libelles ne sont rien en eux-mêmes, mais les libelles protégés, autorisés, commandés même par ceux qui ont l'autorité en main, sont quelque chose. » Qui n'écoute qu'une cloche n'entend qu'un son ; Voltaire finit par se rendre aux raisons de d'Alembert ; sa lettre du 29 janvier consacre le changement de tactique.

lettres de suite, Monsieur »), et elle a pour objets la demande de rétractation et l'abandon de d'Alembert, objets de la lettre du 8 à ce dernier.

94. Remarquer aussi que dans la 1re lettre, Voltaire suggérait de suspendre l'*Encyclopédie* « jusqu'à ce qu'on vous ait fait justice. » Maintenant il n'en est plus question ; c'est la guerre à outrance. Le 10 janvier, Voltaire est au plus haut point de l'exaltation.

95. « J'ignore si l'*Encyclopédie* sera continuée ; ce qu'il y a de certain, c'est qu'elle ne le sera pas par moi. » (11 janv.)

96. « Il faut espérer qu'il ne persistera pas dans son dépit ». (A Thieriot).

97. Du 20 janvier.

VOLTAIRE POUR L'ABANDON.

La circonstance principale qui a déterminé ce changement, c'est l'erreur primitive qu'il a faite en attribuant les *Cacouacs* aux Jésuites. Tant qu'il a cru que l'ennemi se cantonnait dans l'Eglise, l'affaire lui a paru ressembler à celle des *prédicants* de Genève, que l'autorité civile laissait se débrouiller, pour la plus grande joie des philosophes. Mais, dès que Versailles se mêle de protéger l'adversaire et paraît même en collusion avec lui, la question prend une autre tournure, et il faut éviter de jouer le rôle du pot de terre contre le pot de fer. D'ailleurs, d'Alembert, qui est sur place, et qui est un homme sérieux, abandonne sans retour, et Diderot, qui seul pourrait fournir d'autres arguments, persiste dans un silence inexplicable ; voici déjà près d'un mois qu'on lui a écrit. D'autre part, ces deux lettres qu'il a reçues et qu'il conserve contenaient des déclarations bien vives et bien compromettantes sur les Jésuites et sur les pasteurs ; il ne faudrait pas, au moment où à Lausanne on s'emploie à radoucir ces derniers et où l'on apprend que les jésuites supposés sont des membres du Gouvernement, que Diderot, que l'on ne connaît pas et à qui on n'a aucune raison de se fier, s'avisât d'utiliser ces lettres et peut-être de les publier.

Telles sont, selon toutes vraisemblances, les réflexions de Voltaire au début de février [98]. Aussitôt il bat en retraite ; pour sauver la face, il maintient, en l'amplifiant et en l'exagérant, un de ses conseils antérieurs : c'est que tous les frères devraient faire bloc ; seulement cette fois il s'agit de faire bloc autour de d'Alembert, qui s'en va ; et il faut donc s'en aller tous ensemble ; le sophisme est bien déduit. Il dit, par exemple, à Tressan : « Voilà le temps où tous les philosophes devraient se réunir... D'Alembert fait bien de quitter, et les autres font lâchement de continuer. [99] » Ce qui est proprement voler et crier au voleur.

Et il donne l'exemple sans tarder. Supposant que ses derniers articles manuscrits ont été laissés par d'Alembert entre les mains de Diderot, il écrit à celui-ci une troisième lettre [100] et lui redemande à la fois ses articles

98. Cf. lettres des 5, 13 et 25 févr. à d'Alembert, des 9 et 25 à d'Argental.

99. Le 13 févr. Cf. à d'Alembert, même jour : « Ceux qui n'agiront pas comme moi sont des lâches. »

100. Cette lettre, dont nous n'avons pas le texte, est sans doute du 6 ou 7 février. Voltaire dit bien à d'Alembert le 5 qu'il a « redemandé ses articles », mais il semble

et ses deux lettres précédentes. Un tel procédé était une insulte, et Diderot aura raison de le prendre ainsi ; reconnaissons simplement qu'il n'avait guère encouragé Voltaire à une compréhension plus large.

Pendant trois semaines, celui-ci ne va pas décolérer contre Diderot ; il le traite comme le plus douteux des commis [101] : « Je veux absolument que Diderot remette mes lettres et mes articles chez M. d'Argental en un paquet bien cacheté. Je ne sais pas ce qui peut autoriser son impertinence de ne point me répondre ; mais rien ne peut justifier le refus de me restituer mes papiers [102]. » D'Alembert l'informe alors qu'il a toujours ses articles, mais le vieillard s'obstine à réclamer ses deux lettres [103]. Pour comble, Diderot trouve le temps d'écrire au docteur Tronchin, qui en informe Voltaire. Ce n'est donc point « paresse », c'est « impolitesse grossière » [104].

Ce malentendu allait tout de même se dissiper. Le 26 février arrivait à Lausanne une longue lettre de Diderot, datée du 19. C'était surtout une condamnation circonstanciée de d'Alembert, moitié sévère (« Abandonner l'ouvrage, c'est tourner le dos sur la brèche »), moitié conciliante (« Je ne négligerai rien pour le ramener ») ; Voltaire était même spécialement qualifié pour faire le rapatriement (« Je sais tout ce que vous pouvez sur lui »). Suivaient des considérations sur la nécessité d'être « utile aux hommes », et la lettre se terminait par le seul mot mordant : « Ne me redemandez plus vos lettres ; car je vous les renverrais, et n'oublierais jamais cette injure. Je

que ce soit là une prétérition destinée à montrer qu'il a pris déjà le parti de d'Alembert depuis longtemps. En effet, le même jour, il n'en parle pas à d'Argental, à qui pourtant Diderot devait remettre les manuscrits. Ce n'est que le 9 que d'Argental est informé de son rôle éventuel. Une autre hypothèse serait que vers le 1er février Voltaire avait déjà redemandé ses articles ; puis, ne recevant pas de réponse, il aurait écrit une 4e lettre vers le 8 en désignant cette fois d'Argental comme dépositaire ; en effet, dans sa lettre du 26 à ce dernier, il parle de « quatre ou cinq ordinaires » pour ses lettres à Diderot. Mais il faut se méfier des exagérations probables (il parle de deux mois d'intervalle depuis sa 1re lettre, et il n'y a manifestement qu'un mois et demi).

101. On retrouve ici chez Voltaire le souvenir des vieux démêlés avec Thieriot. Diderot lui produit alors une impression analogue, celle d'un homme sans exactitude et peu sérieux. Cette opinion ne se dissipera jamais complètement, malgré les congratulations de surface.

102. A d'Alembert, 13 févr.

103. A d'Argental, 25 févr. « [Les articles] sont à présent entre les mains de d'Alembert ; il s'agit de papiers que Diderot a entre ses mains, au sujet de l'article *Genève*, et des *Cacouacs*. » On voit que c'était bien là ce qui tracassait Voltaire dans ses deux lettres à Diderot.

104. A d'Alembert, 25 févr.

n'ai pas vos articles, ils sont entre les mains de d'Alembert, et vous le savez bien [105]. »

Cette lettre, tant attendue, va produire un effet lénifiant. Le jour même où il la reçoit, Voltaire, en manière de réplique, écrit à d'Argental ; encore sous le coup de l'indignation, il rabâche ses griefs : « Quand j'écris au roi de Prusse et à M. l'abbé de Bernis sur des choses peu importantes, ils m'honorent d'une réponse dans la huitaine... » ; il réclame encore le « billet sur les *Cacouacs* » (ce sera la dernière fois, il n'insistera plus désormais) ; il dresse tout un plan de combat inspiré de d'Alembert, mais d'un d'Alembert antérieur, jadis plein d'optimisme [106] : se retirer tous ensemble, faire attendre le public et rentrer en scène triomphalement, à la demande générale. Et malgré tout Voltaire ne maltraite pas trop Diderot, il l'appelle même *grand homme* et il estime que Mme de Pompadour doit lui donner une pension. Il termine par une de ces formules où il sait si bien exprimer les nuances d'une situation : « J'aime M. Diderot, je le respecte, et je suis fâché [107] ». La manière même dont il le dit indique qu'il ne le sera pas longtemps ; ce n'est qu'une piqûre d'amour-propre. Le 12 mars, le ton s'est déjà bien radouci : « Si vous voyez ce bon Diderot, dites à ce pauvre esclave que je lui pardonne d'aussi bon cœur que je le plains. »

Voltaire et Diderot.

Une telle mansuétude de la part de Voltaire est assez rare pour que nous nous arrêtions un instant sur cette question : les rapports de Voltaire et de Diderot. Les deux hommes ne se sont jamais engagés à fond dans leur correspondance, ils en sont restés aux démonstrations de politesse, avec toujours plus de mauvaise volonté de la part de Diderot, plus d'empressement de la part de Voltaire. Pouvons-nous dégager de là l'opinion qu'ils avaient l'un de l'autre ?

Pour Voltaire, Diderot est d'abord et restera un être mystérieux et comme d'une autre race. Cette besogne de compilateur et d'éditeur à laquelle il le

105. Voltaire ne le savait pas au moment où il les avait demandés à Diderot, puisqu'il l'avait appris par la lettre de d'Alembert datée du 15 février.

106. En 1752, lors de la première crise, d'Alembert se flattait d'avoir réussi par la méthode de la démission : « J'ai refusé pendant six mois... et je puis dire que je ne me suis rendu qu'à l'empressement extraordinaire du public. » (A Voltaire, 24 août 52).

107. A d'Argental, 26 févr.

voit attaché pendant vingt ans ne lui paraît pas tout à fait digne d'un *philosophe* [108] ; en tout cas elle lui est étrangère. Tantôt il fait de lui un croquis humoristique : « Diderot entouré de sacs comme Perrin Dandin et accablé du fardeau » [109] ; tantôt il le plaint d'être l' « esclave des libraires » et le traite de naïf, il voit en lui un maladroit qui ne sait pas se débrouiller : « Un homme qui est capable de passer deux mois sans répondre sur des choses si essentielles, est-il capable de se remuer comme il faut dans une telle affaire [110] ? » Tantôt aussi, il semble comprendre et approuver le travail encyclopédique : « Diderot ne m'a point écrit ; c'est un homme dont il est plus aisé d'avoir un livre qu'une lettre. Il est vrai qu'il n'a pas trop de temps et qu'on peut lui pardonner [111] ».

En effet, après la bourrasque de ce début d'année, il s'établit entre eux un *modus vivendi*. Voltaire se résigne à ne pas recevoir de réponse régulière, et il communique désormais par intermédiaire ; c'est d'abord d'Argental, qui a été le conciliateur dans le malentendu, puis à nouveau d'Alembert, et plus tard Damilaville ; et désormais le ton est invariablement bénisseur ; Diderot devient *frère Platon*, ce qui est flatteur puisque d'Alembert n'est que *frère Protagoras*, et l'on ne perd pas une occasion de faire passer quelque compliment à l'adresse du grand homme. De loin en loin, frère Platon consent à envoyer quelques lignes ; le patriarche répond chaque fois avec empressement, comme par coquetterie, semble-t-il, et en laissant à peine affleurer l'humeur moqueuse. Par exemple, en 1772, Diderot, s'étant défendu d'avoir écrit un libelle, effectivement composé par un nommé Le Roy, reçoit un mot aimable : « Je suis charmé que la petite leçon que M. Le Roy m'a faite m'ait valu une de vos lettres ; vous n'écrivez que dans les grandes occasions... [112] » Ce ton bonhomme et légèrement cavalier est la seule trace qui soit restée de la colère de jadis [113]. Enfin, quand Diderot ira en Russie, Voltaire se plaindra d'être négligé par lui [114], mais il ne lui en

108. Voir dans notre *Conclusion* l'opposition des deux tactiques.

109. A d'Argental, 9 févr. 1758.

110. A d'Argental, 26 févr. Cf. au même, 12 mars ; à d'Alembert, 7 mars 1758 et 15 oct. 1759.

111. A d'Argental, 15 juin 1758.

112. Le 17 mai 1772.

113. Cf. encore lettre du 8 déc. 1776.

114. A Mme d'Epinay, le 8 juill. 1774 : « J'ai reçu des nouvelles d'un de vos philosophes [Grimm], datées du pôle arctique, mais rien de l'autre, qui est encore en Hollande. »

tiendra pas rigueur et s'excusera presque : « Mon grand malheur a été que Ferney ne fût pas précisément sur votre route, quand vous revîntes de chez Catherine » [115]. On ne peut être plus courtois.

Au contraire, Diderot manque de mesure. Tantôt il se laisse aller à des flatteries énormes : « Si je veux de vos articles, Monsieur et cher Maître, est-ce qu'il peut y avoir de doute à cela ? Est-ce qu'il ne faudrait pas faire le voyage de Genève et aller vous les demander à genoux [116] ? » Tantôt il n'écrit pas de plusieurs années et ne rompt le silence que pour un détail insignifiant, tel que l'envoi des *Fables* de Boisard en 1773 [117]. Et il a beau multiplier les termes laudatifs pour compenser leur rareté [118], on sent sous l'hyperbole le manque de spontanéité ; telle lettre n'a été enfin consentie par lui qu'après les invitations pressantes de ses amis [119].

Qu'y a-t-il derrière cette double façade ? Pour Voltaire, il est assez facile de se faire une opinion ; ce prétendu hypocrite se laisse le plus souvent deviner. Un passage d'une lettre à Palissot nous donnera l'essentiel de la solution : « Vous me faites rougir quand vous imprimez que je suis supérieur à ceux que vous attaquez [les encyclopédistes]. Je crois bien que je fais des vers mieux qu'eux, et même que j'en sais autant qu'eux en fait d'histoire ; mais, sur mon Dieu, sur mon âme, je suis à peine leur écolier dans tout le reste [120] ». Fausse modestie évidente, à éclairer encore mieux par cette phrase adressée à d'Argental : « Entre nous, il est plus aisé de faire le métier de Diderot que celui de Racine » [121]. De telles confidences sont

115. Le 8 déc. 1776. Et il l'invite quand même : « Si jamais vous retournez en Russie, daignez donc passer par mon tombeau. » (14 août 1776).

116. Le 14 juin 1758. Voir aussi l'éloge dithyrambique de *Tancrède*, le 28 nov. 1760 ; il est vrai que Diderot croyait y reconnaître l'influence de ses propres drames : le 5 septembre, il rapportait à Mlle Volland les propos tenus à Grimm par Voltaire à propos de Tancrède : « Vous voyez, mon cher, que j'ai fait bon usage des préceptes de votre ami ». Et Diderot d'ajouter : « et il disait la vérité. » (BABELON, *L. à Volland*, t. I, p. 166).

117. Cf. la réponse de Voltaire le 20 avril.

118. Par exemple en 1766 : « Illustre et tendre ami de l'humanité, je vous salue et vous embrasse. Il n'y a point d'homme un peu généreux qui ne pardonnât au fanatisme d'abréger ses années, si elles pouvaient s'ajouter aux vôtres. » (MOL. T. XLIV, p. 371).

119. « C'était bien mon dessein de ne pas écrire... Voilà-t-il pas que Damilaville et Thieriot m'ont mis dans la nécessité de lui faire passer mes observations sur *Tancrède.* » (A Volland, 25 nov. 1760. Ed. ASSÉZAT, t. XIX, p. 35). Remarquer que cette lettre ainsi arrachée sera une des plus hyperboliques.

120. Le 23 juin 1760.

121. Le 24 mai 1758.

significatives. Diderot n'est pas pour Voltaire un concurrent, il lui laisse la suprématie en matière artistique ; dès lors on peut lui passer quelques rusticités, d'autant plus que la direction de l'*Encyclopédie* suppose une influence sur l'opinion parisienne, ce qui n'est pas négligeable. Des aptitudes littéraires de Diderot on n'a pas en effet très haute opinion et on préfère d'Alembert : « Ce que j'aime passionnément de M. d'Alembert, c'est qu'il est clair dans ses écrits comme dans sa conversation, et qu'il a toujours le style de la chose. Il y a des gens de beaucoup d'esprit dont je ne pourrais en dire autant » [122]. Et il n'est pas étonnant que Mme d'Epinay ait trouvé chez son hôte des Délices un tel état d'esprit : « M. Diderot n'est pas vu ici comme il le mérite. Croiriez-vous qu'on ne parle que de d'Alembert, lorsqu'il est question de l'*Encyclopédie* ? J'ai dit ce qui en était et ce que j'ai dû dire [123]». Quant aux idées philosophiques de Diderot, Voltaire ne les connaît guère ; il sait simplement qu'ils diffèrent à propos du déisme, mais ne cherche pas à discuter : « Damilaville savait que nous n'étions pas si éloignés de compte, et qu'il n'eût fallu qu'une conversation pour nous entendre [124]. » Si ce n'est pas là naïveté, c'est légèreté et manque d'attention. Pour nous résumer, Voltaire a classé Diderot dans une catégorie littéraire de deuxième zone, il le respecte sans doute pour son travail et son dévouement à la cause encyclopédique, il aura même pour lui, nous allons le voir, des mouvements de vraie sympathie, mais ce sera toujours avec l'arrière-pensée du protecteur à l'aise pour l'ouvrier aux abois [125], du génie indiscuté pour le talent laborieux.

Diderot est plus difficile à comprendre. Il semble bien avoir admiré chez Voltaire l'homme de goût et le poète [126] ; et peut-être est-il en partie sincère quand il écrit à Grimm : « Dites-lui que, s'il fait une édition générale de ses ouvrages, l'homme de France, sans exception, qui en sent le mieux le mérite en retient un exemplaire [127]. » Il s'incline toujours devant les tragédies de Voltaire comme devant un autel consacré, mais cette admiration est préci-

122. A Condorcet, 1re sept. 1772.

123. Lettre à Grimm, 1758. *Mémoires*, t. II, p. 421.

124. A Diderot, 8 déc. 1776.

125. Voir les exclamations de Voltaire quand il apprend que Diderot travaille pour un total de 30.000 livres : « Vous en auriez eu deux cent mille si vous aviez voulu... J'aurais de quoi vous loger tous... » (A d'Alembert, 7 mars 1758).

126. Cf. dans le *Neveu de Rameau* : « Un poète, c'est Voltaire ; et puis qui encore ? Voltaire ; et le troisième ? Voltaire, et le quatrième ? Voltaire. »

127. Le 1er mai 1759. (BABELON, *Corr. inéd.*, I, p. 29).

sément trop traditionnelle et n'implique pas d'élan ; pour Diderot, Voltaire représente littérairement le passé, qu'on respecte sans y trouver d'inspiration. Les seuls moments d'enthousiasme vrai que le vieillard ait provoqués chez lui sont contemporains de l'affaire Calas : « Oh ! mon amie, dit-il à Sophie Volland, le bel emploi du génie ! Il faut que cet homme ait de l'âme, de la sensibilité, que l'injustice le révolte,et qu'il sente l'attrait de la vertu... Quand il y aurait un Christ, je vous assure que Voltaire serait sauvé »[128]. On ne saurait suspecter ici la sincérité du philosophe, mais comme il arrive souvent avec lui, cette belle déclaration est sans lendemain, et nous ne le verrons pas par la suite se rapprocher davantage de celui à qui il décerne de tels éloges. C'est qu'il subsistera toujours en lui la méfiance primitive ; Voltaire est un homme «dangereux» avec lequel on peut faire «à frais communs des imprudences »[129] ; il n'est pas « assez sûr », ni discret : « Qui est-ce qui peut se promettre de la discrétion de celui qui ne s'est jamais tu, et qui ne risque rien à parler »[130] ? Il se mêle constamment de ce qui ne le regarde pas : son insistance en 1760 pour faire présenter Diderot à l'Académie, ses propositions en 1766 pour transporter l'*Encyclopédie* à Clèves, seront très mal vues du principal intéressé : « Et qui diable l'a prié de plaider ma cause »[131] ? Bref, c'est un caractère désagréable et parfois nuisible, qu'il vaut mieux laisser à l'écart[132] ; une fois qu'on a utilisé tout ce qu'il pouvait donner, le plus sage est de ne pas continuer les relations. Diderot aurait certainement pu écrire ces lignes de Grimm : « Il faut tâcher d'être bien avec lui, et d'en tirer parti comme de l'homme le plus séduisant, le plus agréable et le plus célèbre de l'Europe ; pourvu que vous n'en vouliez pas faire votre ami intime, tout ira bien »[133]. Nous pourrions ajouter pour

128. Le 8 août 1762 (Ed. Assézat, t. XIX, p. 97). Cf. dans le *Neveu de Rameau :* « C'est un sublime ouvrage que *Mahomet*, j'aimerais mieux avoir réhabilité la mémoire de Calas. »

129. A Landois, 29 juin 1756 (Assézat, t. XIX, p. 434) : « Je ne connais point V...; je l'aurais connu, que je ne vous aurais point adressé à lui. »

130. A S. Volland, 20 oct. 1759. (C'est M. Babelon qui applique avec vraisemblance ces propos à Voltaire. *Corr. Voll.*, I, p. 117).

131. A S. Volland, 10 nov. 1760 (Assézat, t. XIX, p. 24).

132. « On ne saurait arracher un cheveu à cet homme sans lui faire jeter les hauts cris. » (Même lettre). La célèbre lettre à Naigeon résume bien la double appréciation de Diderot : « Ce jaloux... tint toute sa vie son fouet levé sur les tyrans... Cet ingrat... a vengé l'innocence opprimée... » etc... (1772).

133. A Mme d'Epinay (*Mém.* de Mme d'Epinay, II, p. 424).

Diderot : « Et pourvu que vous n'engagiez aucune discussion sérieuse avec lui » [134].

C'est certainement à cette prudence, à cette abstention de la coterie Grimm-Diderot à l'égard de Voltaire, que nous devons cette paix artificielle et la continuation des bons rapports entre le patriarche et les encyclopédistes. Il y avait assez de divergences entre eux pour amener une controverse à la moindre occasion, et Rousseau n'eut pas fort à faire, dans des circonstances analogues, pour déclencher l'orage sur sa tête. Diderot fut plus habile, ou plus heureux (fût-ce en effet habileté voulue ou négligence profitable ?) : il se contenta, sans beaucoup de frais, avouons-le, d'« être bien » avec le dangereux ermite et d'éviter tout rapprochement plus intime. De son côté, l'ermite se laissa faire et resta sur le terrain neutre où on l'avait conduit ; fut-il ainsi la dupe de frère Platon ? On ne saurait l'affirmer. A bien considérer ces échanges de politesses et d'éloges, on peut se demander si les deux philosophes n'ont pas poussé plus loin leur connaissance tout simplement parce qu'ils avaient peur l'un de l'autre.

REGAIN.

Le reste de l'année 1758 marque une accalmie et même une reprise fugitive de la collaboration. En juin, d'Alembert accepte de continuer la partie mathématique, tout en refusant définitivement de diriger à nouveau l'entreprise [135]. Dès le mois précédent, Voltaire s'informait de la situation auprès de d'Argental : « Je voudrais bien savoir où l'on en est, afin de m'arranger pour mes petits articles » [136]. En effet, ces articles, si âprement redemandés et que d'Alembert a fini par renvoyer, sont en souffrance à Lyon, dans les bagages de Mme de Fontaine [137]. On sent à ce moment chez Voltaire la crainte de voir son travail écarté ; puisque l'*Encyclopédie* continue, il faut utiliser les morceaux tout prêts, et particulièrement *Histoire* et *Idolâtrie* qui ont exigé des « recherches très pénibles » [138] ; et comme d'Alembert est toujours

134. Diderot reprochait aussi à Voltaire son déisme, qu'il trouvait néfaste (voir lettre à Damilaville du 12 septembre 1765. BABELON, *Corr. inéd.*, I, pp. 278-279) ; mais jamais il ne chercha à en discuter.

135. « Je suis tout prêt depuis deux mois », écrit-il le 14 août à Morellet (*Corr. inéd.*, p. 26). Cf. lettre de Diderot à Voltaire, du 14 juin.

136. Le 4 mai.

137. Au même, 15 mai.

138. Au même, 19 mai.

suspect de froideur, on s'adresse à d'Argental pour raccommoder l'affaire. Au milieu de juin, tous les articles retirés ont été à nouveau expédiés. Comme on le voit, Voltaire n'a pas attendu la décision personnelle de d'Alembert pour reprendre confiance. Il se fait même pourvoyeur de « travailleurs » en présentant Elie Bertrand, le pasteur de Berne, qui désire collaborer pour l'histoire naturelle [139].

Mais ce regain, qui est aussi palinodie, sera de courte durée ; en réalité, le charme est rompu. Le 26 juin, Voltaire prend pour prétexte un voyage à la Cour palatine pour avertir Diderot qu'il ne pourra plus écrire d'articles ; il lui demande même de ne pas mettre son nom aux précédents [140]. Il montre en même temps un peu d'humeur de ce que les libraires n'ont pas voulu envoyer un exemplaire de l'ouvrage à Polier et à Bertrand, qui étaient pourtant deux bons « aides-maçons » [141]. Et, à partir de ce jour, l'*Encyclopédie* s'efface des préoccupations de Voltaire. En septembre et octobre, toute son attention se tourne vers Rousseau et Helvétius, dont les deux ouvrages récents font scandale : la *Lettre sur les spectacles* et le livre *de l'Esprit*. Le 16 novembre, il annonce à Diderot l'achat de Ferney et déclare qu'il va se consacrer désormais aux travaux de la campagne. Il promet vaguement des articles, mais ce n'est que par politesse. La collaboration est bien terminée. Le regain était surtout liquidation.

139. A Bertrand, 9 mai.
140. Il reviendra sur cette décision le 16 novembre.
141. Cet exemplaire leur sera envoyé en octobre.

Quatrième période : Le grand assaut contre l'Encyclopédie. La suppression du privilège et l'affaire Palissot (1759-1760)

I. — Suppression du privilège (1759)

Si Voltaire ne doit plus collaborer, il va tout de même rester mêlé aux aventures de l'*Encyclopédie*, au point d'y jouer parfois un rôle assez important. Il nous faut donc suivre de près les péripéties qui marquent la fin de cette histoire.

En octobre 1758 paraissent les deux premiers tomes des *Préjugés légitimes*, par Abraham Chaumeix ; c'est la grosse machine de guerre montée contre le Dictionnaire et qui aura raison de lui. Le livre II surtout attaque dangereusement : on y relève les erreurs de métaphysique et de morale, on y condamne le matérialisme et le sensualisme ; notons aussi qu'il s'y trouve une curieuse critique de l'article *Genève* du point de vue catholique [1] et une utilisation malicieuse et complaisante des arguments de Rousseau dans sa lettre à d'Alembert [2] ; Chaumeix conclut ainsi : « M. Rousseau confond les prétentions de l'*Encyclopédie.* »

Les autres tomes de cet énorme réquisitoire paraissent en novembre 1758 et en janvier 1759 [3]. Le résultat ne se fait pas attendre : le 6 février, le Parlement condamne l'*Encyclopédie* en même temps que le livre d'Helvétius ; le

1. Tome II, pp. 160-183.
2. *Ibid.*, pp. 184-207.
3. Tomes III-IV d'abord, V-VIII ensuite.

8 mars, le privilège est supprimé. C'est la catastrophe. Selon le mot de d'Alembert, qui a la joie méchante de voir justifier par les faits son abandon passé, « le chancelier donne à Diderot la paix malgré lui » [4]. Mais qu'en pense Voltaire ?

Son attitude est ici assez complexe. Nous pouvons trouver chez lui de l'indignation : « Il me semble que je vois l'inquisition condamner Galilée [5] », mais aussi de la légèreté et de la résignation : « Vous avez travaillé à l'*Encyclopédie ?* Eh bien ! vous n'y travaillerez plus... Laissons aller le monde comme il va [6] ». En réalité, s'il est touché par cette défaite des philosophes (et nous verrons qu'il l'est beaucoup, dans la *Note de Morza*), il y recueille aussi la confirmation de cette idée déjà ancienne chez lui : impossible de faire du bon travail de propagande avec un ouvrage muni d'un privilège ; le seul recours est dans l'édition clandestine faite à l'étranger. « Diderot n'est-il pas fou d'avoir voulu continuer l'*Encyclopédie* en France [7] ? » « L'aventure de l'*Encyclopédie* est le comble de l'insolence et de la bêtise [8]. » Insolence du Parlement, bêtise de Diderot. Et il n'est pas exagéré d'avancer que cette *aventure* est à l'origine du *Dictionnaire philosophique,* beaucoup plus que le fameux souper du roi de Prusse. En 1759, Voltaire se tourne de plus en plus vers la production secrète ; c'est le moment de *Candide* et de *Frère Berthier* [9] ; en octobre il sera question d'*Entretiens chinois*, qui deviendront le *Catéchisme chinois* du *Portatif* [10]. Ce n'est pas la peine de perdre son temps à l'*Encyclopédie,* qui, si elle continue, « finira encore plus mal qu'elle n'a commencé, et ne sera jamais qu'un gros fatras » [11]. Aussi les nouvelles propositions de Diderot vont-elles être fort mal reçues.

4. A Voltaire, 24 févr. 1759.
5. A Thieriot, 7 févr.
6. A Formey, 3 mars.
7. A d'Alembert, 19 févr.
8. Au même, 4 mai.
9. Mars et mai.
10. A Mme d'Epinay (MOL., XL, p. 189). — Noter cette confidence à Mme du Deffand (le 17 sept.) : « Vous voulez que je vous envoie les ouvrages auxquels je m'occupe... En vérité, Madame, il n'y a pas moyen, tant je suis devenu hardi avec l'âge. Je ne peux plus écrire que ce que je pense, et je pense si librement qu'il n'y a guère d'apparence d'envoyer mes idées par la poste ».
11. A Bertrand, 22 mars.

PROPOSITIONS DE DIDEROT.

Diderot ne s'est pas laissé abattre par la rude secousse ; avec un beau courage, il conçoit immédiatement la revanche. Il ne peut s'agir pour le moment de continuer la publication, mais on va continuer à amasser les documents et les articles, au point de pouvoir tout publier d'un seul coup quand les circonstances le permettront. L'essentiel est de tenir ; et en effet c'est ainsi que Diderot finira par aboutir, six ans plus tard. Pour la deuxième fois d'ailleurs, d'Alembert se dérobe ; une discussion orageuse en avril n'aboutit pas ; ce sera seulement en octobre que le mathématicien consentira à fournir sa partie [12].

Mais maintenant que d'Alembert boude et se désintéresse de l'ouvrage, comment obtenir des articles de Voltaire, dont le nom serait toujours une bonne réclame ? On va essayer par l'intermédiaire de Grimm ; celui-ci, en effet, fait un long séjour à Genève, où il est venu rejoindre Mme d'Epinay, et il a souvent l'occasion de venir aux Délices et à Tournay. Il reçoit la mission de confier les nouveaux projets encyclopédiques au patriarche, mais avec discrétion, « cela est délicat » ; Diderot se souvient même de Polier, « un ecclésiastique qui travaillait pour nous », et cela lui donne une idée encore plus audacieuse : « N'y aurait-il pas moyen d'enrôler à Genève un petit nombre d'hommes savants et discrets [13] ? » Grimm sonde le terrain, mais sans succès ; il croit même discerner chez Voltaire une sourde animosité contre Diderot [14] ; probablement est-il choqué, comme l'a été Mme d'Epinay [15], du peu de cas qu'on fait de Diderot aux Délices, en comparaison de d'Alembert.

Mais frère Platon ne se rebute pas ; en juillet, il récidive, non pas directement [16], mais toujours par Grimm. Cette fois, la demande est pressante

12. Cf. Diderot à Grimm, 1er mai 1759 (*Corr. inéd.*, I, p. 21), et à Volland, 12 octobre (*Corr. Voll.*, I, pp. 100-104). Diderot n'est pas tendre pour d'Alembert : « L'*Encyclopédie* n'a point d'ennemi plus décidé que cet homme-là... »

13. A Grimm, 1er mai 1759 (*Corr. inéd.*, I, p. 29).

14. Cf. Diderot à Grimm, 5 juin (*Ibid.*, p. 40) : « Je suis fâché que l'ami des Délices soit une aussi mauvaise tête... Je n'ose croire que la considération dont je suis honoré par vos Genevois soit à charge à quelqu'un qui regorge de gloire. »

15. Voir 3e période, note 123.

16. Il est assez curieux de voir qu'écrivant à Voltaire le 13 juillet (chose rare !) à propos d'une gazette étrangère, il ne souffle pas mot de l'*Encyclopédie*.

et circonstanciée : « Obtenez de lui une liste des articles qu'il enverra pour chaque lettre ; fixez-lui le temps pour chaque envoi ; et qu'il se charge de hâter, d'obtenir et d'envoyer la besogne de son prêtre de Lausanne. » Diderot ignorait que, depuis près d'un an, les suites de l'affaire Saurin avaient interrompu le commerce amical Polier-Voltaire ; notons en tout cas qu'il avait pris goût aux articles du prêtre philosophe, qui ne devaient paraître qu'avec les tomes de 1765. Et, pour amadouer le vieillard méfiant : « Dites-lui, pour le mettre à son aise, que les libraires et moi et tous nos collègues ont résolu d'achever..., que tout paraîtra à la fois, soit ici avec permission toute, soit en Hollande, soit à Genève où j'irai... [17] » Et encore de nouvelles recommandations pour l'exactitude des envois. De toute évidence, Diderot tient beaucoup à cette collaboration, et le fait est d'importance, puisque c'est la seule fois que nous le verrons solliciter Voltaire avec sincérité[18]. C'est qu'en 1759, il est obligé de tenir tête à la débâcle et il essaie de raccrocher tous les fuyards, même ceux qu'il n'a jamais considérés comme les ouvriers essentiels de la grande fabrique.

Grimm s'acquitta-t-il mal de sa tâche ? Voltaire était-il décidé à ne plus rien donner ? Toujours est-il que les propositions de Diderot restèrent sans réponse.

La note de Morza et Socrate.

Cette abstention de Voltaire ne veut pas dire qu'il se désintéresse de la lutte encyclopédique ; s'il ne combat plus dans les rangs réguliers, il accentue par ailleurs ses attaques.

La princesse de Bareith, sœur de Frédéric II, venait de mourir. Voltaire compose en son honneur une ode à grand panache et, célébrant l'esprit éclairé de cette femme illustre, il trouve le moyen d'écrire deux strophes, dont la dernière, contre les « vils tyrans des esprits », les *Zoïles*, les *Séjans* et les *délateurs*. Puis, trouvant l'allusion trop affaiblie par la contrainte du vers et le sujet, il ajoute à l'ode une longue note en prose, véritable déclaration de guerre à tous les ennemis de la philosophie ; cette note, non signée dans la première édition, sera signée ensuite du pseudonyme Morza et rema-

17. A Grimm, 18 juillet 1759 (*Corr. inéd.*, I, p. 52).
18. Les gros compliments de l'année précédente (cf. 3e période, note 116) ne sont que des formules creuses.

niée, mais ce pseudonyme ne déguise nullement l'auteur, qui s'y découvre à plusieurs reprises [19].

La note est à la fois une charge violente contre les Jésuites et les Jansénistes, frère Berthier avec son *Journal de Trévoux* et *Monsieur* des *Nouvelles ecclésiastiques* [20], et une apologie des encyclopédistes, parmi lesquels Voltaire se range délibérément :

« Il y a eu un peu de jalousie de métier entre les ignorants qui ont fait « pour de l'argent le *Dictionnaire* de Trévoux, et les savants qui ont entre- « pris le *Dictionnaire de l'Encyclopédie*, je ne sais pourquoi [21]. Outre ces « terribles savants, nous sommes une cinquantaine d'empoisonneurs, lieute- « nants généraux des armées du roi, commandants d'artillerie, prélats, « magistrats, professeurs, académiciens, de belles dames même, et moi, « cultivateur de la terre et partisan séditieux de la nouvelle charrue, qui « tous avons conspiré contre l'Etat, en envoyant au magasin encyclopé- « dique d'énormes articles... »

Après cette défense humoristique vient le portrait du *philosophe*, dont il nous faut extraire quelques passages :

« Le fanatique allume la discorde, et le philosophe l'éteint. Il étudie en « paix la nature... Bon mari, bon père, bon maître, il cultive l'amitié, il sait « que, si l'amitié est un *besoin de l'âme*, c'est le plus noble besoin des âmes « les plus belles ; que c'est un contrat entre les cœurs, contrat plus sacré « que s'il était écrit, et qui nous impose les obligations les plus chères : il « est persuadé que les méchants ne peuvent aimer. Ainsi le philosophe, « fidèle à tous ses devoirs, se repose sur l'innocence de sa vie ; s'il est « pauvre, il rend la pauvreté respectable ; s'il est riche, il fait de ses « richesses un usage utile à la société... Il meurt en pardonnant à ses « ennemis et en implorant la miséricorde de l'Etre suprême. »

On remarquera dans cette dernière phrase les idées et presque la forme de la fameuse déclaration de 1778 [22] ; et dans l'ensemble du texte on verra

19. MOL. VIII, 467-473.

20. Je ne sais pourquoi Beuchot, à propos d'une phrase de Voltaire (lettre à d'Argental du 3 juin) sur « l'avis à frère Berthier et à *Monsieur* des *Nouvelles ecclésiastiques* », prétend qu'il ne s'agit pas de la note de Morza. Ces deux destinataires sont pourtant juste les deux victimes de la Note, et on ne voit pas quel autre libelle mériterait ce titre.

21. Allusion au profit médiocre que Diderot retirait de l'entreprise.

22. « Je meurs en adorant Dieu, en aimant mes amis, en ne haïssant pas mes ennemis, en détestant la superstition ».

la source très probable de l'article *Philosophe*, que Diderot écrira pour l'*Encyclopédie* [23].

C'est qu'en effet Diderot admira fort la note de Morza par laquelle Voltaire prenait si énergiquement position [24] ; il en apprécia surtout le style, qui prenait des allures oratoires et enthousiastes, et certainement aussi la pensée vertueuse et sentimentale, très rare dans la prose de Voltaire, et qui soudain rapprochait de l'ami de Dorval aux élans inépuisables le sceptique trop malicieux dont on appréciait seulement les talents tragiques.

La note de Morza est à peine publiée (fin mai) que Voltaire essaie de frapper un grand coup ; il compose trois actes satiriques sous le titre de *Socrate*, mettant en scène le grand-prêtre Anitus et le juge Mélitus qui complotent la mort du philosophe [25]. La scène du jugement est la plus remarquable (acte III, scène I) ; Socrate y fait une profession de foi déiste, après quoi il est condamné à mort, même par les juges qui étaient de son avis : « Entre nous, Socrate a raison ; mais il a tort d'avoir raison si publiquement... Il ne devait pas dire devant tout l'aréopage ce qu'il ne faut dire qu'à l'oreille. » Entendez : on a eu tort d'imprimer le Dictionnaire avec privilège, car le grand public ne mérite pas d'être instruit. Puis un des juges fait une suggestion : « Ne ferions-nous pas bien, tandis que nous avons la main à la pâte, de faire mourir tous les géomètres qui prétendent que les trois angles d'un triangle sont égaux à deux droits ? Ils scandalisent étran-

23. Par exemple : « Notre philosophe qui sait se partager entre la retraite et le commerce des hommes est plein d'humanité... C'est un honnête homme qui veut plaire et se rendre utile... Il est pétri, pour ainsi dire, avec le levain de l'ordre et de la règle ; il est rempli des idées du bien et de la société civile, etc... etc... (ASSÉZAT, XVI, 274-277).

24. « Son papier fera une peine incroyable à nos ennemis ; moins par ce qu'il leur dit, que par l'aveu qu'il en fait [Voltaire avait écrit dans la 1re édition : « J'avoue donc hautement ce petit ouvrage... »] On trouve que c'est une des choses les plus vigoureuses qu'il ait écrites. » (A Grimm, 5 juin, *Corr. inéd.*, I, p. 40). — M. Babelon pense que Diderot parle ici de *Socrate*, mais c'est impossible puisque le 13 juillet Diderot ne l'avait pas encore lu (il en demande un exemplaire) ; et, le 2 septembre, il juge sévèrement cette pièce.

25. En 1761, il ajoutera une scène (II, 7) où l'on verra paraître *Nonoti*, *Chomos* et *Bertios*, « folliculaires et gazetiers de controverse. » Chomos surtout [Chaumeix] fait une allusion très nette à la condamnation de l'*Encyclopédie* : « N'ayant rien trouvé à reprendre dans les écrits de Socrate, je l'accuse adroitement de penser tout le contraire de ce qu'il a dit ; et je montre le venin répandu dans tout ce qu'il dira. » Cf. lettre à Palissot, 23 juin 1760 : « [Chaumeix] fait dire aux auteurs ce qu'ils n'ont point dit, empoisonne ce qu'ils ont dit, et argumente contre ce qu'ils diront. » Cette présentation des *Préjugés légitimes* sera souvent reprise par Voltaire.

gement la populace occupée à lire leurs livres [26]. » L'allusion aux encyclopédistes est transparente. L'ensemble de la pièce critique sur ce ton léger, qui est plutôt celui de *Candide* que d'une pièce de théâtre, la collusion de la Sorbonne et du Parlement.

Socrate, publié, semble-t-il, fin juin, ne fut pas bien accueilli par le groupe encyclopédique. Diderot se moqua de la pièce, n'y voyant que « du Vadé un peu redressé » et même « une chose mauvaise » [27]. Peut-être n'était-il pas satisfait du déisme affiché par Socrate ; peut-être aussi restait-il vexé du refus de Voltaire à ses demandes de collaboration. Grimm critiqua l'œuvre par deux fois [28], condamnant particulièrement le mélange du pathétique et du familier, et le personnage de Xantippe, qui était trop dans le goût anglais ; Voltaire avait fait du drame une « pasquinade ».

Les rapports Voltaire-*Encyclopédie* se sont donc assez refroidis sur la fin de l'année 1759 [29]. Tout de suite après, l'affaire Palissot va les soumettre à la plus rude épreuve.

II. — L'affaire Palissot (1760)

L'année 1760 est le point culminant de la lutte entre les philosophes et leurs adversaires. En deux mois, du 10 mars au 10 mai, les coups les plus éclatants se succèdent. C'est Le Franc de Pompignan qui rouvre les hostilités le 10 mars par son discours de réception à l'Académie française, où il prend à partie le clan philosophique, encore en minorité très faible dans cette assemblée. Le malheureux va déclencher sur sa tête une grêle de projectiles, la plupart venus de Ferney, et l'on sait qu'accablé de ridicule il ne reparaîtra plus à l'Académie. C'est d'abord la satire du *Pauvre diable*, où il est tympanisé en compagnie de Fréron, de Gresset, de Trublet et de Chaumeix ; c'est ensuite la satire de la *Vanité* où il a l'honneur d'être attaqué tout

26. Mol., V, 391-392.
27. Le 2 sept. (*Corr. inéd.*, I, p. 72).
28. En juillet et en décembre. *Corr. litt.* IV, pp. 123 et 173.
29. A noter que si Voltaire combat sans liaison réelle avec l'*Encyclopédie* et comme en franc-tireur, l'opinion anti-philosophique le considère de plus en plus comme le chef de la bande (peut-être parce que c'est un bon moyen de compromettre les encyclopédistes). Ainsi, en 1759, Guyon publie l'*Oracle des nouveaux philosophes ;* cet oracle, c'est Voltaire, dont on condamne la religion naturelle et le *tolérantisme* par une critique détaillée de ses ouvrages.

seul ; et puis la série des monosyllabes humoristiques [30], les *Quand*, en prose, parus en mars comme les deux satires précédentes, et en avril les *Pour*, les *Que*, les *Qui*, les *Quoi*, les *Oui*, les *Non*, quatrains octosyllabiques qui achèvent d'écraser l'imprudent.

La réplique ne se fait pas attendre : le 2 mai, sur le Théâtre français, Palissot fait représenter la comédie des *Philosophes*, annoncée depuis plus d'un mois déjà. Mais vers le 10 mai paraît imprimée une contre-réplique, le *Café* ou l'*Ecossaise*, comédie en cinq actes que Voltaire venait d'écrire en quelques jours [31], depuis que d'Alembert l'avait informé du coup de Palissot [32] et qui devait être jouée à la place de So*crate*, dont il reconnaissait la faiblesse scénique (cette représentation de l'*Ecossaise* n'eut lieu d'ailleurs que le 26 juillet). Enfin, vers le même moment [33], Morellet lance la *Vision de Charles Palissot*, qui allait le conduire à la Bastille le 11 juin.

Tels sont les principaux faits extérieurs. On voit que Voltaire n'était pas en retard pour apporter aux philosophes ses précieuses munitions ; et pourtant il se trouvait engagé dans une situation fort délicate qui allait bientôt le rendre suspect : Palissot, le principal adversaire des encyclopédistes, était de ses amis.

VOLTAIRE ET PALISSOT AVANT 1760.

Leurs relations dataient de plus de quatre ans. En 1755, Charles Palissot, alors âgé de vingt-cinq ans, était venu aux Délices en compagnie de Pierre Patu, inaugurant par là l'interminable série de visites que recevra dans sa retraite le *Suisse* Voltaire. Thieriot avait présenté ainsi les deux pèlerins : « Voilà deux jeunes gens que vous devez regarder comme deux de vos disciples que vos ouvrages ont formés, mais à qui il manque d'avoir vu et entendu leur maître [34]» . Patu venait de faire représenter une comédie

30. Morellet composa de son côté les *Si* et les *Pourquoi*.

31. Cf. Lettre à Mme d'Epinay, 19 mai. — L'*Ecossaise* n'a qu'un lointain rapport avec l'*Encyclopédie*. La partie satirique de la pièce est entièrement dirigée contre Fréron, sous le nom de Frélon ou Wasp, qui est représenté comme un écrivain à gages, médisant sur commande et dénonçant sur de faux rapports. C'est ce dernier trait, surtout marqué à l'acte IV, scène I, qui peut le plus faire penser à la condamnation de l'*Encyclopédie :* Frélon est appelé *délateur*, et c'est le mot dont se sert Voltaire contre Chaumeix et tous les ennemis du Dictionnaire.

32. Le 14 avril.

33. M. Delafarge donne la date du 29 mai.

34. A Voltaire, le 14 octobre 1755 (R H L, 1908, p. 135).

littéraire, les *Adieux du goût*, dont le sujet ne pouvait que plaire au critique des Welches. De plus, Palissot connaissait assez bien la comtesse de la Marck, sœur du duc d'Ayen, et par elle la princesse de Robecq, fille du maréchal de Luxembourg et amie intime de Choiseul. De tels protecteurs ne pouvaient que disposer très favorablement Voltaire, qui ne manquait pas une occasion de resserrer les liens avec le monde de la cour, surtout avec les gens qui avaient une influence sur le théâtre ; or, le duc d'Ayen était un personnage important du *tripot;* en 1747, il avait soutenu Crébillon contre Voltaire, et il pouvait être utile d'obtenir sa neutralité. De fait, Palissot, les années suivantes, va être un intermédiaire de courtoisie entre Voltaire et Mmes de la Marck et de Robecq[35]; en 1759, Mme de Robecq fera même, après Palissot, le pèlerinage des Délices [36].

La vocation anti-philosophique de Palissot se dessina dès 1755 : il faisait jouer à Nancy[37] une comédie en un acte, le *Cercle* ou *Les Originaux;* on y voyait, à la scène VIII, un philosophe sous le nom de Blaise-Gille-Antoine le Cosmopolite, qui prétendait caricaturer Jean-Jacques Rousseau, mais la satire n'était pas bien méchante. Palissot avait-il parlé de ce croquis à Voltaire pendant son séjour tout récent aux Délices ? C'est possible, et Voltaire, qui était alors en bons termes avec Jean-Jacques, mais le traitait avec assez d'ironie [38], n'avait pas dû y voir grand mal.

L'année suivante, Palissot, installé en Lorraine, fit reprendre le *Cercle* à Lunéville ; mais il eut maille à partir avec le comte de Tressan [39], qui lui suscita des tracasseries. Palissot écrivit à Voltaire pour obtenir son intervention ; sans résultat, car Tressan était cher à Voltaire et celui-ci ne se souciait pas de prendre parti ; il se borna à répondre : « Je me regarde comme votre ami après votre pèlerinage. Je suis l'ami des personnes dont vous me parlez, et vous êtes tous dignes de vous aimer les uns les autres » [40]. Ce renvoi dos à dos, où se mêlent le désir d'être bien avec tout le monde et le

35. A Palissot, 1er déc. 1755, 30 nov. 1756, 16 févr. et 15 août 1757.

36. Patu y était revenu en 1756 avec d'Alembert, avant de mourir phtisique.

37. Le 26 novembre.

38. C'est l'époque de la célèbre lettre (30 avril 1755) où se trouve le trait : « ... il prend envie de marcher à quatre pattes... » Noter que Palissot s'en inspirera dans la comédie des *Philosophes*.

39. Il était alors gouverneur de Toul, mais venait souvent à la cour de Stanislas.

40. Lettre datée du 27 août 1756. Mais cette date me paraît douteuse, car Voltaire n'y fait aucune allusion à Patu, qui était à ce moment aux Délices. Or, Voltaire parlera de lui dans une autre lettre à Palissot, datée du 30 novembre. (Cette dernière date est douteuse aussi).

besoin de maintenir unis tous les *frères*, est un aperçu de l'affaire de 1760.

Voltaire, dès cette époque, paraît bien avoir été inquiet de l'humeur dissidente de Palissot ; il va s'employer à lui inculquer de meilleurs sentiments. En 1757, nous le voyons occupé à lui faire la leçon : « Les philosophes sont un petit troupeau qu'il ne faut pas laisser égorger... S'ils pouvaient se réunir tous contre l'ennemi commun, ce serait une bonne affaire pour le genre humain ». Et parlant spécialement de Diderot : « Il est très savant, il a été persécuté ; il est au nombre de ceux dont il faut prendre le parti contre les ennemis de la raison et de la liberté » [41]. La réponse de Palissot sera des plus impertinentes : en octobre 1757, au moment même des *Cacouacs*, il fait paraître ses *Petites lettres sur de grands philosophes*, nettement plus âpres que le *Cercle* ; car si la première *Lettre* est encore assez bénigne et relève surtout des travers et quelques ridicules sans gravité, la deuxième, entièrement dirigée contre Diderot et le *Fils naturel*, est beaucoup plus violente et va va jusqu'à la grossièreté. Voltaire y était ménagé et flatté : on le qualifiait d' « homme bien supérieur encore à Montesquieu, parce qu'il est plus universel » ; et à propos des théories dramatiques de Diderot on ajoutait : « Ce qu'il y a de mieux dans ces réflexions est tiré mot à mot de M. de Voltaire. » Enfin l'ouvrage était dédié à la princesse de Robecq.

Voltaire reçut le factum en janvier ou février 1758[42], au milieu de sa belle colère contre Diderot. Il ne semble pas néanmoins avoir répondu. Un silence de deux ans interrompt sa correspondance avec Palissot. Ce dernier lui parut sans doute dangereux et inconvenant ; mais ses protecteurs le couvraient de leur autorité, et, dans cet embarras, mieux valait s'abstenir.

Malheureusement en 1760 la comédie des *Philosophes* compliquait la situation ; Diderot, sous le nom transparent de Dortidius, y était de nouveau la principale victime, et cette fois lui et ses amis étaient représentés non seulement comme des sots mais comme des bandits, enseignant des doctrines immorales. Venant d'un *disciple* de Voltaire, un tel portrait était tout à fait opportun !

Pour comble, on apprend aux Délices que la princesse de Robecq patronne la pièce, et que malgré une maladie mortelle qui la ronge, elle a voulu assister à la première représentation. Pourquoi cet acharnement ? C'est que, quelques mois avant, en tête d'une traduction de Goldoni par Deleyre, avaient été imprimées deux *Epîtres dédicatoires* où Mme de Robecq

41. Cette lettre est classée en mars (MOL. XXXIX, p. 192).
42. Il le réclame à Palissot le 12 janvier.

et Mme de la Marck, précisément les deux protectrices de Palissot, étaient ridiculisées ; or, ces *Epîtres*, en réalité de Grimm, étaient attribuées à Diderot, qui n'avait pas démenti.

La vendetta n'allait pas s'arrêter là : Morellet, le plus exalté des encyclopédistes, écrit, aussitôt après la première représentation, la *Vision de Charles Palissot*, et, parmi les versets prophétiques de cette facétie, s'en trouvaient deux où l'on voyait Mme de Robecq, clairement désignée par « une grande Dame bien malade », se rendre à la comédie pour se venger « avant de mourir ». Le plus cruel de l'affaire, c'est que Mme de Robecq mourut en effet deux mois après, et l'on prétendit que la *Vision* lui avait donné le coup de grâce.

Or, le 6 mai, d'Alembert, qui pour l'occasion avait repris une ardeur encyclopédique depuis longtemps éteinte, envoyait à Voltaire un communiqué de bataille extrêmement vif, accusant, outre Mme de Robecq, Mme de Villeroi et Mme du Deffand, l'amie fidèle du patriarche, et les traitant toutes de « p..... en fonctions » ou de « p..... honoraires ». Il réclamait les secours du Suisse : « C'est à vous, qui n'avez rien à craindre, à venger l'honneur des gens de lettres outragés » ; et particulièrement, pour marquer sa réprobation, Voltaire était tenu d'enlever aux comédiens la pièce de *Médime* [43], alors en répétition.

Après ce coup d'œil sur les intérêts en jeu et les personnages en présence, on peut se rendre compte du véritable embarras de Voltaire : d'un côté les philosophes, auxquels il est attaché, et spécialement Diderot, qu'il estime et respecte ; de l'autre Palissot, à la vérité peu intéressant et admirateur de deuxième zone, mais aussi des gens influents dont personnellement on n'a eu qu'à se louer, de l'entourage de Choiseul, ami bienveillant et précieux pour l'organisation de Ferney ; le tout aggravé par la maladresse de Morellet, que Choiseul considère comme un outrage [44]. Comment Voltaire va-t-il s'en tirer ?

43. Refonte de *Zulime*.

44. La correspondance publiée par Calmettes (dans *Choiseul et Voltaire*) confirme les dires de Voltaire à ce sujet. Voir surtout la lettre de Choiseul du 16 juin (p. 99). C'est bien l'injure à Mme de Robecq qui fit emprisonner Morellet, mais l'initiative des poursuites n'est pas de Choiseul ; elle est de Malesherbes. (Cf. DELAFARGE, *Morellet*, pp. 15 et 23-24).

PREMIÈRE ATTITUDE : ARBITRAGE (4 juin).

Il débute par une rouerie : il retire *Médime* de la Comédie, comme le lui demandait d'Alembert ; mais ce sacrifice ne lui coûte guère, car d'Argental le lui conseille pour réviser la pièce, qui n'est pas au point. « Très bonne idée, dit alors le poète, de reculer *Médime*, elle n'en vaudra que mieux... et j'aurai la gloire de n'avoir pas voulu que les comédiens profitassent de ma pièce après s'être déshonorés » [45]. Mais, comme d'habitude, Voltaire, ayant la franchise de son hypocrisie, ne trompe personne, et on ne lui saura pas gré d'un geste dont il dévoile l'artifice.

Le 28 mai, Palissot lui envoie les *Philosophes* avec une lettre habile où il essaie de le séparer du gros de la troupe : « Je sais, Monsieur, que quelques-uns de ces philosophes vous ont nommé leur chef, à peu près comme des corsaires arborent le pavillon d'une nation respectée, pour exercer leurs brigandages. C'est un piège qu'ils ont osé vous tendre. » Suivait une dénonciation de Diderot, accusé d'avoir fait les *Epîtres* contre Mmes de la Marck et de Robecq.

Cette accusation va tourmenter Voltaire, qui s'informe immédiatement auprès de d'Argental [46]. En attendant il répond à Palissot, le même jour. Cette première lettre, admirablement écrite, est un des chefs-d'œuvre de sa correspondance étudiée. Après une longue introduction cauteleuse où il revendique lui aussi le titre de *philosophe*, mais en profitant de l'occasion pour réfuter diverses assertions de Guyon [47] qui avait fait de lui l'*Oracle* de l'*Encyclopédie*, il concède à Palissot le droit de critique et même de raillerie (notamment sur J.-J. Rousseau mangeant sa laitue sur scène), pourvu que les convenances soient observées ; « mais, pardieu, la raillerie est trop forte. » Et ici, Voltaire hausse le ton et prend parti : « Je vous parle net ; ceux que vous voulez déshonorer passent pour les plus honnêtes gens du monde, et je ne sais même si leur probité n'est pas encore supérieure à leur philosophie. » (Notons cette restriction imperceptible par laquelle Voltaire ne se livre pas tout entier et marque une distance entre eux et lui). Puis il défend Helvétius [48], Duclos, et enfin Diderot ; pour celui-ci il reprend, et

45. A d'Argental, 25 mai.
46. Le 4 juin.
47. Voir note 29.
48. Avec restriction : il a « avancé une demi-douzaine de propositions téméraires et malsonnantes. » Voltaire ne saurait présenter une défense intégrale et sans nuances. Est-ce pour faire preuve d'impartialité ?

c'est un reproche sous-entendu à Palissot, les termes de sa lettre de 1757 [49] : « Il a été malheureux et persécuté ; cette seule raison devait vous faire tomber la plume des mains. » Quant à l'affaire Robecq-La Marck, il demande un supplément d'information, ne pouvant pas croire que Diderot ait été « assez abandonné de Dieu pour outrager deux dames respectables. »

Des formules de cet ordre devaient déplaire fort à Diderot et à Grimm [50]. En effet, le vieil ermite avait beau se poser en arbitre impartial, dire même son fait à Palissot en termes assez énergiques, il avait beau faire de l'*Encyclopédie* un très bel éloge [51], l'ensemble de la lettre ménageait visiblement le pamphlétaire et surtout ses protecteurs. C'était une admonestation paternelle au lieu de la contre-attaque, semblable aux libelles contre Le Franc, qu'on aurait attendu. Aussi d'Alembert, le 16 juin, est-il très dur : « ...Il faut que le chef reste à leur tête, et il ne faut pas que la crainte d'humilier des polissons protégés l'empêche de parler haut pour la bonne cause. »

Deuxième attitude : Manœuvre (23 juin).

Sentant bien où le bât le blesse [52], Voltaire multiplie les démarches pour protester de sa bonne foi : il en informe Thieriot [53], Mme d'Epinay [54], Duclos [55], Mme Belot [56], sans compter ses multiples lettres à d'Alembert. Mais Palissot le compromet encore davantage : dans une *Préface* à sa comédie, il fait un éloge complet du poète et le distingue soigneusement de ses faux compagnons ; de plus, il reprend ce thème dans sa réponse à la lettre de Voltaire du 4 juin [57].

Celui-ci ne peut plus en rester à l'arbitrage olympien. Précisément, d'Argental vient de lui affirmer que Diderot n'est pour rien dans l'affaire de Robecq. Le 23 juin part la deuxième lettre à Palissot ; elle est beaucoup

49. Voir note 41.

50. La lettre que Voltaire avait faite, comme les suivantes, pour être publiée, le fut à la fois par d'Argental, qui en avait un double, et par Palissot.

51. « Le plus beau monument qu'on pût élever à l'honneur des sciences... Un ouvrage devenu nécessaire à l'instruction des hommes et à la gloire de la nation. »

52. A d'Argental par exemple, le 4 juin : « Je dois craindre qu'on ne me reproche d'être complice de la comédie des *Philosophes*. »

53. Le 9 juin.

54. Le 13.

55. Le 20.

56. Le 20.

57. Sans date.

plus catégorique que la précédente. Déclinant les compliments intéressés du *disciple*, Voltaire retrace les épisodes de la persécution et de la suppression du privilège, et brutalement : « C'est dans ces circonstances odieuses que vous faites votre comédie contre les philosophes ; vous venez les percer quand ils sont *sub gladio.* » Il prouve que tous les traits attribués aux encyclopédistes leur sont étrangers. « Certainement, si vous y réfléchissez de sang-froid, vous devez avoir des remords ». Enfin il suggère carrément à Palissot une rétractation : supposant avec complaisance que de faux rapports ont pu l'induire en erreur, il lui conseille de rejeter la faute sur ces informateurs supposés, et de « rendre au travail immense [des encyclopédistes], à la morale sublime répandue dans leurs ouvrages, à la pureté de leurs mœurs, toute la justice qu'ils méritent. »

C'était pousser un peu loin la fausse naïveté ; mais Voltaire ne se faisait, semble-t-il, aucune illusion sur la *rétractation* de Palissot ; ce n'était d'abord pour lui qu'une manœuvre destinée à mettre Palissot « fortement et honnêtement dans son tort » [58], et à satisfaire ainsi Diderot et d'Alembert en restant sur le terrain de la controverse sérieuse [59]. Le même jour, il annonce sa manœuvre simultanément à d'Argental, à Thieriot et à d'Alembert ; il souligne la demande de rétractation et ajoute : « Il n'en fera rien, et alors j'aurai l'honneur de vous envoyer ma lettre [pour la publier] ; je la crois hardie et sage. » Manifestement il est tout fier de son stratagème et pense avoir trouvé la meilleure conciliation de tous les intérêts.

Sans désemparer, il écrit une note pour une satire qu'il venait de composer et qui était une revue générale de tous les grotesques et de tous les folliculaires : *Le Russe à Paris* [60]. Cette note, accrochée au nom de Palissot cité au coin d'un vers, reproduisait sa lettre du 23 juin dans ses grandes lignes : Palissot trompé par de faux mémoires, éloge nominal des encyclopédistes, rétractation ; mais, malice supplémentaire, celle-ci n'était plus présentée comme souhaitable et prochaine : on la donnait pour accomplie : « L'auteur des *Philosophes*... a des remords d'avoir imputé des maximes et des vues pernicieuses aux plus honnêtes gens qui soient en France... En

58. A d'Argental, 27 juin.

59. Il est juste d'ajouter qu'il venait de recevoir une lettre de Choiseul (du 16 juin, CALMETTES, p. 99), où celui-ci, irrité seulement contre Morellet, disait de Palissot : « Je l'abandonne à la malédiction de la philosophie et des philosophes, et même aux coups de bâton qu'il pourra mériter. » Cet *abandon* a pu influer sur l'attitude de Voltaire.

60. MOL. X, 124-125.

qualité de citoyen, il souhaite que le *Dictionnaire encyclopédique* se continue... » C'était maintenant essayer de forcer la main au fâcheux, au risque de se brouiller avec lui.

Une telle ruse paraît finalement si maladroite qu'on peut se demander dans quelle mesure Voltaire se rendait compte de sa portée. Et ce qui nous donne encore plus à réfléchir, c'est le dernier alinéa de la même note, où il vante les mérites de l'*Encyclopédie* du point de vue *officiel*, signalant l'article *Roi* en manuscrit (« des étrangers ont pleuré de tendresse au portrait qu'on fait de Louis XV »), et l'article *Reine*, où l'on trouve « les plus justes louanges », et *Siège*, où l'on célèbre la prise de Port-Mahon par Richelieu, etc. A lire ces platitudes. on se convainc que Voltaire croyait à leur efficacité et s'imaginait hâter par là la restitution du privilège ; pourquoi n'aurait-il pas cru au fond, malgré sa fausse désinvolture, que Palissot allait se rétracter ou tout au moins se taire et accepter qu'on se rétractât pour lui ? Nous l'avons déjà laissé entendre : avec son air roublard et ses manœuvres compliquées, Voltaire est très souvent un grand naïf.

Troisième attitude : Zèle indiscret (juillet-août)

Cependant la situation s'est aggravée : Morellet est à la Bastille depuis le 11 juin [61], et d'Alembert ne tarit pas de reproches contre Choiseul. C'est entre lui et Voltaire un échange d'arguments pour et contre, qui laissent chacun sur sa position ; sans doute Voltaire est-il trop porté à excuser le ministre et à ménager « ce qu'on appelle les puissances », il le reconnaîtra lui-même [62] ; mais d'Alembert ne veut pas admettre la « grossièreté impitoyable » [63] de Morellet dans son attaque contre Mme de Robecq, grossièreté que Voltaire allègue sans cesse, parce que Choiseul lui en a parlé comme de l'unique cause de son ressentiment [64].

Néanmoins, cette affaire Morellet ne doit pas ici jouer un grand rôle. Le 16 juin, d'Alembert ne demandait aucune intervention à ce sujet ; il était au contraire très optimiste : « ...Il est traité à la Bastille avec beaucoup d'égards et de ménagements... Il y a apparence que sa captivité ne sera ni

61. Voltaire l'apprend par une lettre de d'Alembert du 16.
62. A Thieriot, 20 août.
63. Expression de M. Delafarge (*Morellet*, p. 10).
64. Voir note 59.

longue ni fâcheuse. » C'est seulement le 18 juillet que, voyant la captivité se prolonger, il prie Voltaire d'intercéder auprès de Choiseul. Le 25, on écrit de Ferney à d'Argental : « Un petit mot de l'abbé Morellet. Ne le protégez-vous pas ? Ne parlez-vous pas pour lui à M. le duc de Choiseul ? » Et le 3 août : « N'avez-vous pas grondé M. le duc de Choiseul... de ce que l'abbé *Mords-les* est encore sédentaire ? » Et c'est tout ; d'ailleurs Morellet était libéré depuis le 30 juillet. L'intervention de Voltaire en sa faveur fut donc insignifiante, et c'est une vantardise de sa part que de la présenter à d'Alembert comme décisive [65] ; mais on ne peut dire qu'il se fit prier longtemps pour intervenir [66] : au début la captivité de Morellet parut à tout le monde une simple formalité, et on ne commença à s'inquiéter qu'au bout d'un mois [67].

Encore moins faut-il voir de sa part une suggestion dérisoire quand il se met dans la tête de faire entrer Diderot à l'Académie. On a pu croire [68] que c'était là un expédient pour se montrer partisan à peu de frais, parce que, dit-on, Voltaire a eu cette idée après avoir reçu la lettre du 16 juin où d'Alembert le poussait un peu vivement. Mais on oublie que dans les réponses qui suivent immédiatement, ni le 20, ni le 23, Voltaire ne parle à d'Alembert de ce projet, qui pourtant, à en croire la thèse de l'expédient, était de nature à apaiser les reproches. Or, le 19 déjà, il s'en ouvre à d'Argental [69], puis il se tait et il ne reprendra le thème que trois semaines plus tard, pour l'exploiter cette fois avec la dernière énergie. Quelle est donc son intention profonde ?

C'est avant tout de justifier Choiseul aux yeux des encyclopédistes ; il n'est pas de lettre où d'Alembert n'accuse le ministre d'être un ennemi juré de la philosophie, et Voltaire se tue de répondre qu'il a de lui des assurances prouvant le contraire (ce qui était en partie vrai) ; mais comment en convaincre ces obstinés ? Voici le moyen : pressentir Choiseul pour une candi-

65. Le 13 août.

66. DELAFARGE, *Morellet*, pp. 53-55.

67. D'Alembert terminait sa lettre du 16 juin par ces mots : « Le meilleur parti est toujours de finir par la phrase académique : Je m'en f... »

68. DELAFARGE, *ibid.*

69. Faut-il prendre au pied de la lettre cette phrase de Voltaire : « Vous vous moquez un peu de moi quand vous me dites de proposer à M. de Choiseul l'entrée de M. Diderot à notre Académie ; c'est bien à vous à rompre cette glace. » Serait-ce d'Argental qui aurait eu le premier cette idée ? Il semble plutôt que Voltaire utilise ce détour de style pour le ranger immédiatement à son avis. Comparer la façon dont il le présente à d'Alembert, le 9 juillet : « J'ai la vanité de croire que vous avez la même idée que moi. Vous voulez que Diderot entre à l'Académie, vous le voulez... »

dature éventuelle de Diderot [70], obtenir son appui, obtenir le consentement du principal intéressé, et peut-être réussir simultanément la réconciliation générale et un progrès éclatant de la bonne cause. « C'est le plus beau coup qu'on puisse faire [71] ! »

Car dans toute cette histoire, le vieillard n'a qu'un souci : réconcilier les philosophes avec le pouvoir (il faut toujours être bien avec le pouvoir) et réconcilier les philosophes entre eux. Chemin faisant, il tente, et réussit d'ailleurs à peu près, le raccommodage de d'Alembert et de Duclos [72]. La candidature Diderot devient pour lui soudain la clef de la situation ; il se démène sans arrêt, accablant de recommandations non seulement d'Argental et d'Alembert, mais Duclos, Mme d'Epinay, Thieriot [73]. Il suppute les chances de l'élection et, devant les objections soulevées et l'impossibilité évidente d'avoir la majorité, il se rabat sur la recherche d'un triomphe moral, d'une manifestation de sympathie, et il déclare à tous ses correspondants, qu'il fera le voyage de Paris pour apporter sa voix. Il fait passer à Diderot, surtout par Mme d'Epinay, des conseils moitié sérieux, moitié humoristiques pour mener la brigue ; il lui écrira même directement [74]. Et le refrain revient pendant deux mois : « Il faut qu'il entre ; qu'il entre, vous dis-je ! » Mais il manquait l'essentiel à cette campagne : l'adhésion de Diderot ; or celui-ci a pris tout de suite cette initiative pour une mauvaise plaisanterie ; il se méfie de plus en plus de Voltaire depuis le début de l'affaire Palissot, et l'insistance innocente mais indiscrète du « méchant enfant des Délices » [75] finit par l'exaspérer. Il refuse de se prêter à cette comédie, et c'est à grand peine que ses amis obtiennent qu'il réponde poliment à son protecteur indiscret [76]. En octobre, la candidature entre en sommeil.

70. La lettre du 19 juin à d'Argental est bien le coup de sonde ; il s'agit tout le temps de Choiseul. « ...Les gens de lettres le béniront... Il est important pour lui de faire sentir au public qu'il n'a point persécuté les philosophes. »

71. A d'Argental, 11 juillet.

72. Cf. à Duclos, le 11 août : « Je prends la liberté de vous exhorter tous deux à vous aimer de tout votre cœur ; le temps est venu où tous les philosophes doivent être frères. »

73. Voir la correspondance avec ces cinq destinataires en juillet, août et septembre.

74. La lettre manque. Cf. à Damilaville, 3 sept.

75. A Volland, 25 nov. 1760 (Assézat, T. XIX, p. 35).

76. Voltaire s'était un peu vexé, disant qu'il était « au moins de la politesse de remercier son avocat. » Mais dès que Diderot lui écrit, pourtant très en retard (en novembre), il lui répond avec exaltation : « ...Je vous regarde comme un homme nécessaire au monde... »

Ce projet était-il tellement fantaisiste? On a dit [77] que c'était non seulement une naïveté, mais une maladresse, en reprenant par là les raisons données par d'Alembert pour le refus définitif [78] : « guerre civile » en perspective, opposition de Versailles, triomphe certain des dévots. Mais on oublie que ces raisons de d'Alembert couvraient le véritable motif du refus : la mauvaise volonté de Diderot. En effet, le 3 août, d'Alembert était parti en campagne : « Je verrai Diderot, je reparlerai à Duclos, et nous nous concerterons avec vous, et je vous rendrai compte de la suite de nos démarches. » Le 2 septembre, il n'est plus question de rien, et on invoque les difficultés d'ordre général, qui avaient été mises en avant le 18 juillet, puis négligées. Il est évident que d'Alembert veut cacher la mauvaise humeur du candidat malgré lui [79]. Il ne faut donc pas se fier à ses arguments.

Or, si nous examinons les élections de l'Académie en 1760, nous constatons que les deux premières qui suivent l'affaire Palissot sont celles de La Condamine et de Watelet, *tous deux encyclopédistes*. Leur succès, qui sera d'ailleurs suivi d'une réaction « dévote » avec l'élection de Coëtlosquet, Batteux et Trublet [80], montre qu'il pouvait y avoir à l'Académie, dès 1760, une majorité libérale. Evidemment, le nom de Diderot devait paraître autrement subversif, mais il pouvait tout de même se présenter sans risquer de se déconsidérer [81]. Notons en effet que Duclos, le secrétaire perpétuel, en froid avec d'Alembert, se rapprocha de lui à cette occasion, sur les instances de Voltaire, et lui dit « qu'on pourrait le tenter » ; d'Alembert lui-même, avant d'en revenir à son pessimisme, pensait que « Mme de Pompadour et même M. de Choiseul seraient favorables » [82], ce qui est assez significatif de sa part, après les nombreuses diatribes qu'il avait lancées contre eux.

Ces détails suffisent pour montrer que Voltaire ne cherchait pas à « mystifier » [83] Diderot. Mais ce qui est non moins certain, c'est que Voltaire s'en-

77. BRUNEL, *Les Philosophes et l'Académie*, pp. 91-98.
78. Voir surtout lettre du 2 septembre.
79. L'affaire Palissot avait rétabli les rapports amicaux entre Diderot et d'Alembert.
80. Les deux *philosophes* seront reçus en janvier 1761, les trois dévots en avril. (Cf. BRUNEL, *loc. cit.*, p. 367).
81. D'Alembert grossit à plaisir les difficultés quand il dit : « La guerre civile... a son mérite ; mais il ne faut pas que Pompée y perde la vie. » (2 sept.)
82. Le 3 août.
83. BRUNEL, *loc. cit.*, p. 97. — On pourrait seulement s'étonner que Voltaire ait fait pressentir Choiseul par l'intermédiaire de d'Argental et n'ait pas écrit directement.

thousiasmait à l'excès de son initiative et menait autour d'elle un tapage irritant. Nous retrouvons là son caractère impulsif et souvent chimérique, se donnant tout de suite à une entreprise séduisante, et toujours disposé à prêter aux autres des sentiments généreux ou complaisants, ou désintéressés [84]. En tout cas, cette idée de candidature l'a mis en gaîté ; il n' « enrage » plus ; il « rit comme un fou », il « crève de rire » pendant les deux mois de juillet et d'août, « en se levant et en se couchant » [85] ; et c'est à cette humeur diabolique qu'il faut rattacher la troisième lettre à Palissot.

Cette lettre [86] n'a plus le savant équilibre de la première, ni l'énergie calculée de la deuxième. C'est un exquis bavardage où il semble que le vieillard se penche malicieusement à l'oreille d'un confident pour lui dire sans façon et une bonne fois le secret des initiés, dans un mélange de facéties et de choses très sérieuses : « Je suis très fâché qu'on accuse mes amis et moi de n'être pas bons chrétiens ; je tremble toujours qu'on ne brûle quelque philosophe [87] sur un malentendu. Je suis comme Mlle de Lenclos, qui ne voulait pas qu'on appelât aucune femme p.... [88] .... Mes curés rendent bon témoignage de moi ; et je prie Dieu tous les jours pour l'âme de frère Berthier. J'étais même assez bien auprès du défunt pape, qui avait beaucoup de bontés pour moi, parce qu'il était goguenard... » La lettre se termine par l'anecdote de la femme et de sa marmite : « Je te casserai la tête avec ma marmite. — Qu'as-tu dans ta marmite ? dit la voisine. — Il y a un bon chapon gras. — Eh bien ! mangeons-le ensemble, dit l'autre. » On devine le conseil : « Que reste-t-il à faire après qu'on s'est bien harpaillé ? A mener une vie douce, tranquille, et à rire. »

Mais il ne faut pas oublier qu'il s'agissait encore de négociations préliminaires, et le consentement de Diderot était tout de même nécessaire pour autoriser les démarches officielles. D'Argental était beaucoup plus lié que Voltaire avec les Choiseul.

84. Il suffit de se rappeler ses châteaux... en Prusse, et tout particulièrement ses négociations diplomatiques avec Frédéric, où s'étale toute la candeur du plénipotentiaire improvisé. — Ce caractère chimérique devient subitement vindicatif après les déceptions, et souvent pour les plus légères blessures.

85. Voir, par exemple, à Thieriot, 11 août.

86. Du 12 juillet, en réponse à une lettre de Palissot du 7.

87. On voit quelle sera pour Voltaire l'importance du supplice de La Barre.

88. Palissot, dans une réédition postérieure de cette lettre, mettra ici une note : « L'aveu qui échappe à M. de V. est singulier... M. de V., aussi connaisseur en philosophes que Ninon de Lenclos était connaisseuse en femmes, demande pour eux les mêmes égards ; il ne veut pas qu'on les appelle par leur nom. » Palissot fait-il la bête, ou ne comprend-il pas vraiment la tactique voltairienne ? Avouons cependant que le mot était malheureux.

A la fin de juillet, Palissot publiait les trois lettres de Voltaire, avec ses réponses, et malgré les représentations de l'*Ecossaise*, qui allait se jouer tout le mois d'août, et où Fréron était fort malmené, Diderot, d'Alembert et toute la coterie se montraient fort mécontents du cynisme et de la légèreté de la troisième lettre [89]. Zèle intempestif, propos inconsidérés, Voltaire se discréditait de plus en plus.

DERNIÈRE ATTITUDE : TRAVAIL SOUTERRAIN (juillet-octobre).

Parallèlement à ses tentatives d'arbitrage, de manœuvre et de diversion, il préparait de longue main de nouvelles facéties anonymes qu'il allait lancer bientôt dans la bataille, et dont il a si bien dissimulé l'origine qu'on a longtemps contesté sa part de responsabilité à leur égard.

Mettons de côté le *Plaidoyer de Ramponeau*, où il n'y a qu'une allusion incidente à l'*Encyclopédie* [90], et signalons d'abord les deux *Dialogues chrétiens* (ou *Préservatif contre l'Encyclopédie*) parus en août [91]. Le premier *Dialogue* met en scène un encyclopédiste et un prêtre ; celui-ci a « déclaré une guerre éternelle à tous ceux qui examinent, qui discutent, qui approfondissent, qui raisonnent, qui écrivent, et surtout aux encyclopédistes » ; il condamne ces derniers et voudrait rétablir l'inquisition contre eux parce que dans leur ouvrage « la théologie n'est point celle de la Sorbonne, la morale n'est point celle des jésuites, la médecine n'est point celle de la faculté de Paris, l'art militaire est composé sur des mémoires prussiens, la marine et le commerce sur des mémoires anglais : en un mot, tout en est détestable. »

89. Pour ces opinions défavorables, voir Grimm (*Corr. litt.* IV, pp. 258 et 274, août), d'Alembert (à Volt., 3 août), Thieriot (à Volt., 13 août), Diderot (à Volland, 20 oct.).

90. Ramponeau, plaidant grotesquement sa mauvaise cause, critique son adversaire : « Il aura recours même à l'*Encyclopédie*, ouvrage d'un siècle que j'ai entendu nommer de Trajan... Je me joins à maître Palissot, à maître Le Franc de Pompignan, et maître Fréron, contre ce livre abominable... » (MOL., XXIV, p. 119). *Ramponeau* paraît en juillet.

91. Publiés pour la première fois dans les Œuvres de Voltaire par les éditeurs de Kehl. Voltaire les a toujours désavoués, à cause de la violente attaque contre Vernet. Bengesco (n° 1.650) penche pour l'authenticité. Celle-ci nous paraît des plus probables, surtout à cause de la façon dont l'*Encyclopédie* est défendue ; par exemple : « L'Europe entière demande avec tant d'empressement la continuation de cet ouvrage, qu'ils seront forcés de se rendre à ce cri général. » (MOL., XXIV, p. 132). Voltaire emploie constamment cet argument pendant la période de crise.

L'*Encyclopédiste* du dialogue répond avec calme et ironie, et il paraît bien s'appeler Voltaire quand il nous confie : « Je ne m'attendais pas, en travaillant innocemment à cet ouvrage, où j'ai inséré quelques articles sur les arts, de travailler pour la Grève et pour l'enfer. » Dans le second *Dialogue*, un pasteur vient au secours du prêtre et lui conseille moins de violence, et plus de fourberie ; ce pasteur, qui avoue des abus de confiance et des indélicatesses, n'est autre que Vernet ; et nous avons là une nouvelle répercussion de l'affaire Servet et de l'article *Genève*.

Mais le geste le plus important de Voltaire, et qui va faire le dernier épisode de la querelle Palissot, c'est, en septembre, la publication du *Recueil des Facéties parisiennes* [92]. Dès le début, il avait pensé à réunir les « pièces du procès » en une sorte de pot-pourri amusant et philosophique : le 19 mai, demandant à Thieriot de lui envoyer les *Si* et les *Pourquoi* de Morellet, il ajoute : « Cela pourra faire un petit recueil à faire pouffer de rire ». Le 10 juin, il encourage d'Alembert à l'entreprendre et y revient dans la plupart de ses lettres [93]. Mais d'Alembert n'a aucun zèle pour ce genre de travail. En attendant, Voltaire entasse les documents, que lui procure le *diacre* Thieriot avec plus ou moins d'exactitude [94], et bientôt il est à même de publier un ensemble assez complet.

Le *Recueil* reproduit toutes les facéties de Voltaire parues dans l'année, de Berthier à Ramponeau, avec tous les monosyllabes et les satires en vers, puis les libelles de Morellet et de La Condamine, et plusieurs autres opuscules,

92. Ici encore, il y a contestation, et la plupart des éditeurs (Beuchot, Avenel, Moland) ont attribué le recueil à Morellet. Bengesco (nº 1.649) est catégorique pour l'attribution à Voltaire. Nous sommes de cet avis, à la fois pour les raisons tirées des intentions avouées de Voltaire (voir la suite de notre récit et la note 94) et pour les raisons données par Diderot à Sophie Volland quand il lui dit avec beaucoup de clairvoyance (le 28 oct., ASSÉZAT, t. XVIII, p. 523) : « La *Vision* y est, mais on a supprimé les deux versets de Mme de Robecq. Voilà, ou je me trompe fort, la raison pour laquelle l'édition a été faite ; peut-être aussi l'envie d'expier un peu sa honte du commerce épistolaire avec Palissot... Il a apostillé les lettres de Palissot de petites notes très cruelles. » C'est bien cela : Voltaire avait le double désir de réparer l'injure à Mme de Robecq et par suite à Choiseul, et de dire son fait à Palissot sans se découvrir.

93. Ex. le 20 juin : « N'aurons-nous point l'histoire de la persécution contre les philosophes, un résumé des âneries de maître Joly, un détail des efforts de la cabale, un catalogue des calomnies, le tout avec les preuves ? Ce serait là le coup de foudre. »

94. « Thieriot m'abandonne, tirez-lui les oreilles. » (A d'Alembert, 20 juin). Thieriot fournissait à Voltaire les ouvrages nouveaux (Cf. lettres de Voltaire du 22 févr., du 26 avril). — Le 7 juillet, le *Recueil* prochain est désigné pour la première fois : « *Ramponeau* n'est point si plaisant que le *Pauvre diable ;* mais *Ramponeau* peut tenir son coin dans le *Recueil.* »

enfin la correspondance Voltaire-Palissot et la préface de la comédie des *Philosophes*, avec des avertissements et des notes.

Les notes à la correspondance sont très âpres et, comme le dira Diderot, « très cruelles » ; c'est le mot de *délateur* qui revient le plus souvent, et qui est bien la critique habituelle de Voltaire : « M. Palissot s'est rendu le délateur de M. d'Alembert, il devait donc au moins ne pas se tromper dans sa délation... M. Palissot insère douze chefs d'accusation, douze corps de délit, douze délations criminelles, qui toutes sont fausses, et il en est quitte pour dire que ce sont des fautes de copiste... M. Palissot, qui a été délateur, veut être délateur encore. Voilà un joli métier... » Mais les notes à la Préface des *Philosophes* sont encore plus dures ; Voltaire y répète dix fois : « Vous mentez ! », il se laisse aller aux exclamations indignées : « Quelle insolente délation ! Quelle fureur ! Quelle calomnie publique et atroce !... » ; et en épigraphe il inscrit : *Castigas non turpia turpis.*

C'est ainsi que Voltaire décharge sa bile, et il ne s'agit pas d'excuser sa dissimulation, que Grimm et Diderot ont sévèrement jugée [95]; nous en avons exposé les raisons particulières. Observons seulement son attitude ouverte avec Palissot au mois de septembre. Répondant à une lettre du 13, Voltaire écrit ceci le 24 : « La patience m'a échappé... J'ai donné quelques petits coups de patte à mes ennemis, pour leur faire sentir... que je ne suis pas paralytique... Vous avez fait des estafilades à des gens qui ne vous attaquaient pas, et malheureusement je suis l'ami de quelques personnes à qui vous avez fait sentir vos griffes. Je me suis donc trouvé entre vous et mes amis, que vous déchirez ; vous sentez que vous me mettiez dans une situation très désagréable... Votre commerce a fini par m'attirer les reproches les plus vifs de la part de mes amis ; ils se sont plaints de ma correspondance avec un homme qui les outrageait... » On ne peut mieux dire, et voilà un résumé parfait de toute l'histoire. Mais voici plus ambigu : « Pour comble de désagrément, on m'a envoyé des *notes* imprimées en marge de vos lettres ; ces notes sont de la plus grande dureté. Vous ne devez pas être étonné que des esprits offensés ne ménagent pas l'offenseur... » Si l'on rapproche ces deux phrases de la façon dont Voltaire présentait la *note* du *Russe à Paris* dans sa lettre précédente du 12 juillet [96], quand Palissot ne pouvait douter

95. Cf. DELAFARGE, *Palissot*, pp. 196-198.

96. « Il y a une note qui vous regarde ; on y dit que vous vous repentez... pardonnez à ce pauvre Russe qui veut absolument que vous ayez tort d'avoir insinué que mes chers philosophes... »

que Voltaire en fùt l'auteur, on verra que celui-ci emploie ici le même procédé pour laisser entendre d'où vient le coup ; il ne veut pas se fâcher ouvertement mais se solidarise avec cet *on* qui a été si sévère ; et cela fait passer la leçon. D'ailleurs, la fin de la lettre contient une menace à peine déguisée : « Ce qui me console, c'est qu'enfin on rend justice. L'Académie entière a été indignée du discours de Le Franc ; vous auriez pu un jour être de l'Académie, si vous n'aviez pas insulté publiquement deux de ses membres. » A bon entendeur, salut.

Tels sont les derniers échos de l'affaire de 1760. En octobre, la querelle est entrée « en quartier d'hiver ». Les passions s'apaisent ; à l'*Encyclopédie* en finit par oublier l'incartade du *méchant enfant* de Ferney ; quant à celui-ci, il restera dans la même attitude envers Palissot ; en 1764, il lui dira encore : « Je ne peux vous pardonner d'avoir attaqué mes amis [97]. » Grondeur mais toujours attentif, il regrettera jusqu'au bout de n'avoir pu ramener Palissot dans les rangs des encyclopédistes : « Tout son recueil [98] est contre les pauvres philosophes, et cependant il pense comme eux ; cela fait saigner le cœur » [99]. Naïveté ? Plutôt sens très réel du personnage, puisque M. Delafarge termine aujourd'hui sa solide étude sur Palissot par une conclusion qui reprend exactement la pensée de Voltaire : « Antiphilosophe, il ne le fut jamais. Impossible de le confondre avec un Abraham Chaumeix ou un Lefranc de Pompignan. » Et M. Delafarge propose d'intituler son portrait : *Palissot ou l'Antiphilosophe malgré lui.*

* * *

Cette longue querelle est précieuse à plus d'un titre. Retenons-en, pour le moment, d'une part les éléments si variés de la psychologie de Voltaire, qui se développe ici dans ses multiples détours et ses contradictions, d'autre part la révélation plus complète des divergences qui l'empêchent de se livrer sans restriction à l'*Encyclopédie*, divergences précisément fondées avant tout sur le caractère.

97. Juillet 1764. Cf au même, 16 juillet 1762, 18 août 1763 et 4 avril 1764 ; et à Damilaville, 9 et 24 août 1764.

98. Palissot faisait publier ses *Œuvres*.

99. A Marmontel, 25 mai 1763.

Cinquième période : Autour du Dictionnaire philosophique

(1761-1772)

ENTR'ACTE (1761-1763).

Les incidents de 1759 et 1760 ont achevé d'orienter Voltaire vers le travail souterrain et la production clandestine. Tandis que le gros fatras encyclopédique continue à s'imprimer tant bien que mal en attendant la publication définitive, le nouveau châtelain de Ferney entasse les 73 articles qui constitueront le *Portatif* de 1764 ; c'est son occupation favorite mais secrète pendant trois ans [1].

Avec le milieu encyclopédique les relations sont calmes. On reste sur les positions précédentes de courtoisie un peu distante. Les politesses de Voltaire ne se comptent plus ; tantôt, écrivant à Deodati de Tovazzi pour défendre la langue française, il cite à l'appui de sa thèse d'Alembert, Diderot, Buffon et Helvétius [2]; tantôt, composant une *Suite* à son *Essai sur l'Histoire (Essai sur les Mœurs)*, il réserve un chapitre à la « persécution » contre l'*Encyclopédie* [3] et commence en ces termes :

« Des hommes pleins de génie, et remplis d'une véritable science, qui « ne peut subsister sans la véritable philosophie, entreprirent, vers l'an 1752,

1. A peine trouve-t-on une ou deux allusions dans la Correspondance : à d'Alembert le 1er nov. 1762 et à Damilaville le 30 nov. : il propose à celui-ci de communiquer à Diderot l'article *Moïse* en manuscrit si Diderot veut bien en échange envoyer quelque article à paraître dans l'*Encyclopédie*. Enfin, le 32 mai 1763, il réclame, par l'intermédiaire de Damilaville, son article *Idolâtrie*, dont il a « un besoin pressant » ; c'est certainement pour le faire imprimer dans le *Portatif*, où il figure dès l'édition de 1764.

2. Le 24 janvier 1761.

3. Sous le titre : *D'un fait singulier concernant la littérature.* C'était le chapitre LXI de la *Suite*; après avoir été classé dans les *Fragments sur l'Histoire, XXII* (éd. AVENEL), il a été ensuite imprimé séparément (MOL., XXIV, pp. 469-471).

« le Dictionnaire immense des connaissances humaines ; connaissances dont « quelques-uns d'entre eux ont encore reculé les bornes. »

Envers Diderot il se montre toujours complaisant et bénisseur : « O mon cher frère Diderot, dit-il à propos du *Père de famille*, je vous cède la place de tout mon cœur, et je voudrais vous couronner de lauriers [4]. » Il n'a pas renoncé à une candidature académique pour le cher frère et en parle encore deux fois au début de 1761 [5]. Il y aura même l'année suivante un nouveau projet utopique : celui de transporter l'*Encyclopédie* en Russie et d'achever là-bas la publication. Catherine II fait cette proposition par l'intermédiaire du comte de Schowalow, et Voltaire la transmet à Diderot, sans grand espoir [6]. La proposition est naturellement repoussée, mais Voltaire, retrouvant là ses idées primitives, conserve encore une illusion, puisque six mois plus tard, à l'occasion de difficultés entre Diderot et l'éditeur Lebreton, il reprendra le projet : « Ne pourrait-on pas renouer avec l'impératrice de Russie ? Après tout, si les auteurs sont en possession de leurs manuscrits, ils n'ont qu'à aller où ils voudront. La véritable manière de faire cet ouvrage en sûreté était de s'en rendre entièrement le maître, et d'y travailler en pays étranger [7] ». Par sa dernière phrase, il montre bien qu'il n'est pas dupe, et il sait donc que les auteurs ne sont pas maîtres de l'ouvrage ; mais il aime se bercer de chimères.

De ces trois ans nous n'avons pas autre chose à signaler, si ce n'est le début de l'active correspondance avec Damilaville, qui non seulement sert à Voltaire de boîte aux lettres, mais, grâce à son amitié avec Diderot, devient, de préférence à d'Alembert, le lien le plus solide entre Ferney et l'*Encyclopédie*. Ajoutons-y la reprise des relations avec Helvétius. Avant 1750, Voltaire avait été le guide littéraire du jeune fermier général, son « confrère en Apollon » ; avec le livre *De l'Esprit*, Helvétius était entré dans la lutte philosophique avec fracas, trop de fracas même selon son ancien maître, qui, nous l'avons vu, critiquait son imprudence. A partir de 1760, celui-ci le prend à nouveau sous sa protection et se met en tête de diriger ce zèle maladroit ; c'est à Helvétius qu'il envoie ses conseils les plus détaillés sur la

4. A Thieriot, 25 janvier 1761.

5. A d'Olivet, 22 janvier ; à d'Alembert, 9 février.

6. Cf. à Schowalow et à Diderot, 25 sept. 1762 ; de Diderot, 29 sept. ; à Damilaville, 10 oct.

7. A Damilaville, 5 mars 1763.

tactique [8], il médite de faire de lui un disciple direct et essaie d'obtenir ce qu'il n'a pas encore pu obtenir de d'Alembert : des ouvrages anonymes et clandestins. Peine perdue ! Helvétius ne donnera rien [9], et ce sera d'Alembert qui se risquera enfin, en 1764, avec son mémoire *Sur la destruction des Jésuites.*

LE PORTATIF (1764).

Le *Dictionnaire philosophique portatif* parut à Genève (avec la fausse indication de Londres) en juin 1764. Personne ne se trompa sur l'auteur ni sur son intention. C'est ainsi que Vernet, dans sa troisième édition des *Lettres critiques*, résume l'impression générale : « M. de Voltaire prend le ton tragique sur la suspension du *Dictionnaire encyclopédique* jusqu'à dire que *cette suspension fait gémir l'Europe* [10]. Serait-ce pour consoler l'*Europe gémissante* qu'on vient de donner le *Dictionnaire philosophique portatif*, qui peut-être en contient l'esprit ? [11] »

Tel devait apparaître le *Portatif* : comme un résumé et un concentré de l'*Encyclopédie*, qui tardait à revoir le jour. Il est probable que Voltaire comptait sur cette curiosité pour le succès du petit livre ; aucun moment n'était mieux choisi pour le lancer : depuis bientôt sept ans on attendait le suite du gros *Dictionnaire*; les esprits étaient à la fois lassés et avides ; le *Portatif*, paraissant le premier, recueillait toute l'attention en suspens et gardait tout le bénéfice de son format, de sa brièveté, de sa nudité ; c'était soudain le coup le plus violent porté à l'*infâme*.

On sait avec quelle obstination Voltaire chercha à détourner les soupçons publics, ou plutôt l'attribution quasi certaine. De juillet à septembre, pendant trois mois, il se borne à nier ; c'est seulement le 19 septembre qu'il recourt à l'artifice de la pluralité des auteurs : « On doit regarder cet ouvrage comme un recueil de plusieurs auteurs » [12]. Mais il n'a pas encore réparti

8. Les 2 janv. 1761, 13 août 1762, 25 août, 15 sept. et 4 oct. 1763. Voir notre *conclusion*.

9. Cf. à d'Alembert, 25 mars 1765 : « Il me paraît que le réquisitoire composé par Abraham Chaumeix lui a donné une paralysie sur les trois doigts avec lesquels on tient la plume. Est-ce qu'il ne savait pas qu'on peut mettre l'inf... en pièces, sans graver son nom sur le poignard dont on la tue ? »

10. Dans la *Préface* de l'*Ecossaise*.

11. *Lettres crit.*, 3e éd., t. I, p. 22, *note*.

12. A Damilaville, à d'Alembert.

les rôles. Cette troisième phase commencera le 12 octobre [13] et fera surgir les collaborateurs supposés : Polier, Abauzit, Middleton, Warburton. Mais de ces quatre complices, seul Polier, avec le fameux article *Messie*, a une certaine réalité ; Voltaire prétend avoir chez lui l'original de l'article, « tout entier de la main de l'auteur » [14]. Et l'on voit bien que c'est la seule *preuve* qu'il peut avoir de son allégation générale, car il l'utilise à satiété et mène autour de cet article un tapage infatigable ; il renvoie ses correspondants à l'*Encyclopédie* où *Messie* doit paraître, il engage Damilaville à retrouver la copie transmise en 1758 à Diderot : « Vous verrez la vérité de vos propres yeux, et vous serez en droit de la persuader aux autres » [15].

Notons que Voltaire reconnaît bien dans le *Portatif* un certain nombre d'articles comme venant de lui, mais, pour les rendre innocents, il déclare qu'ils étaient destinés à l'*Encyclopédie*, par exemple *Idolâtrie*, qui, effectivement y figurera l'année suivante, au tome VIII, mais aussi *Amour*, *Amitié*, *Guerre*, qui n'y ont jamais paru [16]. C'est un des épisodes curieux de cette histoire que de voir l'*Encyclopédie* devenue un chaperon pour Voltaire, quand depuis longtemps il ne lui est plus fidèle.

Le public continue d'ailleurs à ne pas le séparer du troupeau. Vers le même temps que le *Portatif* paraissent les *Lettres sur l'Encyclopédie* de l'abbé Saas. C'est une critique détaillée et érudite des sept volumes, considérés à trois points de vue : *Géographie*, *Mythologie*, *Bibliographie* ; dans ce dernier groupement Voltaire a sa place, à propos de son article *François*, et l'abbé Saas en profite pour rappeler d'autres critiques faites à l'auteur et se lancer dans une charge à fond contre le *Traité sur la Tolérance* [17]. Et l'on sent dans ces pages, plus violentes que la plupart des autres, que pour les adversaires le vieillard suisse est resté l'*Oracle des nouveaux philosophes*, selon le mot de l'abbé Guyon.

13. Aux mêmes. La simultanéité de ces lettres et des précédentes marque bien deux trouvailles, que Voltaire communique aussitôt à ses deux lieutenants.

14. A Damilaville, 19 octobre. L'allégation est reprise maintes fois en octobre et novembre : à d'Alembert, à d'Argental, à Hénault, à Bordes, etc...

15. Le 12 oct.

16. La lettre A de l'*Encyclopédie* ayant paru en 1752, il n'y a pas d'apparence que *Amour* et *Amitié* aiant jamais été destinés au grand Dictionnaire, pas plus que *Amour-propre* et *Amour socratique* (à d'Argental, 20 oct. 1764). Quant à *Guerre*, la chose est possible, mais il ne reste aucune trace de cette destination.

17. SAAS, Lettres..., pp. 165-168.

LES DERNIERS TOMES DE L'ENCYCLOPÉDIE (1765-1766).

Et voici enfin, d'un seul bloc, les dix derniers tomes de l'*Encyclopédie* (VIII à XVII), le tome VIII contenant huit articles de Voltaire, qui restaient à paraître, de *Habile* à *Imagination*, et les tomes IX et X contenant les articles de Polier, de *Kijun* à *Malachbelus* dans le tome IX, de *Manes* à *Messie* dans le tome X.

Voltaire, qui sait par Damilaville que la publication en est imminente, se montre assez impatient de recevoir les volumes : « Je soupire après l'*Encyclopédie* », dit-il à plusieurs reprises [18] ; « je peux mourir cet hiver et je ne veux point mourir sans avoir eu entre les mains tout le *Dictionnaire encyclopédique* » [19]. Cette attente ranime même son zèle de partisan ; il écrit à Richelieu, au sujet duquel il entretient toujours des illusions : « Je voudrais bien que vous protégeassiez les encyclopédistes. Ce sont pour la plupart des hommes infiniment estimables... Votre protection... les encouragerait ; la plus saine partie de la nation vous en saurait beaucoup de gré [20]».

C'est seulement en janvier 1766 que le « ballot Briasson » arrive à Genève [21] ; selon sa coutume, Voltaire fait relier immédiatement tous les volumes et, vers le 15 février, il en commence la lecture [22]. Mais ici nous allons avoir une déception ; cette lecture ne provoque chez lui que des remarques insignifiantes. Par politesse, il félicite Damilaville pour ses articles *Population* et *Vingtième*; il lit quelques articles qui l'intéressent directement pour son *Portatif*, par exemple *Unitaire*, de Naigeon, dont il insérera un fragment dans l'édition de 1767 du *Dictionnaire philosophique* [23], et *Langue hébraïque*, que lui a signalé Marmontel [24]. Et c'est à peu près tout ce que nous saurons. Aucune appréciation d'ensemble, aucune réflexion pertinente, même dans ses lettres à d'Alembert. Il faut croire que ces derniers volumes lui ont paru plus *fatras* encore que les premiers ; il semble surtout qu'après avoir attendu de Diderot quelques pages marquantes il les ait cherchées en

18. A Damilaville, 11 mai 1765, 20 mai,...4 nov. Damilaville séjournera à Genève de juillet à octobre.
19. Au même, 19 nov. Cf. le 2 et le 4 déc.
20. Le 13 mai 1765.
21. A Damilaville, 4 févr. 1766.
22. Cf. au même, 12, 21 et 26 févr.
23. A l'article *Baptême*. Cf. à Damilaville, 12 mars 1766.
24. A Marmontel, 23 avril.

vain au milieu de cette énorme production [25] ; c'est ce qu'il confie discrètement à Damilaville : « En lisant le *Dictionnaire*, je m'aperçois que le chevalier de Jaucourt en a fait les trois-quarts. Votre ami était donc occupé ailleurs ? [26] »

Bref, cet événement si prometteur doit presque passer inaperçu dans notre récit. Voltaire est bien tourné dans un tout autre sens ; l'*Encyclopédie* lui paraît désormais dépassée et inoffensive.

LE PROJET DE CLÈVES (juillet-décembre 1766)

Le projet de Clèves confirme cette interprétation. Le 1er juillet 1766 a lieu le supplice de La Barre ; Voltaire en est atterré ; c'est sans doute le coup le plus sensible qu'il ait reçu pendant tout son séjour à Ferney. L'*infâme* a redressé la tête et apparaît terrible. Quelle réponse au *Portatif*, brûlé sur le bûcher avec le malheureux enfant ! Décidément, on ne saurait trop se cacher pour attaquer le fanatisme encore tout-puissant. « Mon cœur est flétri... Je suis tenté d'aller mourir dans une terre où les hommes soient moins injustes » [27].

Or, depuis deux mois déjà, Voltaire entend dire que la distribution des tomes de l'*Encyclopédie* est suspendue à Paris [28]. Comment ! On fait des difficultés même pour une œuvre aussi anodine ! A quoi sert alors d'affaiblir la bonne parole sous prétexte de la faire passer plus aisément ? Il n'est qu'une conduite possible et cela devient de plus en plus évident : imprimerie clandestine, installation à l'étranger, anonymat. La sécurité et l'efficacité le commandent. De là sort le projet de Clèves.

Dès le 21 juillet, il s'agit d'entraîner les encyclopédistes dans la même émigration : « Le prince qui favorisera cette entreprise vous ferait un sort agréable si vous vouliez être de la partie... J'ai commencé déjà à prendre des mesures; si vous me secondez, je ne balancerai pas » [29]. Le 23, on pressent

25. On sait que Diderot a brouillé à plaisir les signes qui pouvaient révéler sa collaboration, et, aujourd'hui encore, le travail sérieux de discrimination reste à faire.

26. Le 4 avril. — On ne peut considérer comme une appréciation nouvelle le passage des *Lettres à S. A. Mgr le prince de* [Brunswick] (Lettre VIII : *Sur l'Encyclopédie*. MOL., t. XXVI, p. 513) parues en 1767, où Voltaire reprend ses éloges habituels et son historique de la persécution. La lecture des derniers tomes ne lui a rien appris.

27. A Damilaville, 7 juill.

28. A Damilaville, 28 avril ; à d'Alembert, 13 juin.

29. A Damilaville, 21 juill.

Diderot ; le 25, le projet se précise : « On y établirait une imprimerie... Vos amis viendraient y vivre avec vous... on quitterait tout pour vous joindre. Il se ferait alors une grande révolution dans les esprits... » [30]. Et Clèves est nommée. Pourquoi Clèves ? Voltaire, depuis longtemps, n'a plus confiance dans Genève, et, tout compte fait, les terres prussiennes sont encore les plus hospitalières en ces temps d'intolérance. Il y aurait bien Neuchâtel, ou Frédéric II est souverain, mais la lapidation de Rousseau à Motiers est toute récente [31] et ne fait rien présager de bon. Or, à part Neuchâtel, c'est Clèves qui est le plus près de la France ; et c'est près de Clèves, à Moyland, que jadis Frédéric et Voltaire se sont rencontrés pour la première fois ; le souvenir est doux au vieillard, et Frédéric est alerté sur-le-champ [32].

Ce qui passionne le philosophe dans cette affaire, c'est qu'on pourrait ainsi reprendre toute l'*Encyclopédie* selon la conception voltairienne : « réduire l'ouvrage » , et bien entendu, l'aiguiser ; c'est de nouveau l'idée du *Portatif* qui cherche à s'imposer [33]. Et pendant trois mois ce sont lettres sur lettres à Damilaville [34], correspondant tout désigné pour négocier l'affaire; les encouragements pleuvent: « Il n'y a qu'à vouloir... Tout est prêt...», et les rêves et les effusions : « Oh ! qu'il serait doux de vivre ensemble et de se rassembler cinq ou six sages loin des méchants et loin des obstacles ! » Mais il faudrait décider Diderot qui, selon sa coutume, ne répond pas à la lettre du 23 juillet ; et ce sont alors des cajoleries que Damilaville doit lui transmettre : « Ah ! que je serais heureux de me trouver entre Tonpla [Platon-Diderot] et vous ! »

Tonpla répond enfin, avec près de trois mois de retard [35]; c'est un refus

30. Au même.
31. Du 7 sept. 1765.
32. Réponse de Frédéric en juillet (Mol., XLIV, p. 341).
33. A Damilaville, 4 août.
34. Voir les 6, 8, 9, 16, 18, 25 et 31 août; les 8, 15 et 16 septembre; les 10 et 15 octobre.
35. Cette lettre (Mol. XLIV, pp. 369-371), placée d'habitude fin juillet, ne peut être antérieure au 10 octobre. Voltaire la reçoit seulement le 7 novembre, le paquet qui la contenait étant allé directement à Genève au lieu de s'arrêter à Meyrin ; elle était annoncée depuis trois semaines environ par Damilaville. Cf. Voltaire à celui-ci, le 15 oct. : « M. Boursier attend le mémoire de M. Tonpla. » Selon Brière (note reproduite par Assézat, *Œuvres* de Diderot, t. XIX, p. 485), la lettre de Diderot répondrait à une deuxième lettre de Voltaire « en forme de mémoire », qui n'a pas été retrouvée, et qui pressait Diderot d'abandonner Paris. Raison de plus pour retarder la date de la réponse de Diderot et ne pas la laisser à la fin du mois de juillet, comme Assézat persiste à le faire. M. Vézinet (*Autour de Voltaire*, p. 76, n. 2) par contre la retarde trop en la plaçant fin octobre.

enrubanné : « Illustre et tendre ami de l'humanité... » Diderot se rend compte de tous les dangers de Paris et des avantages de la fuite, mais il ne peut quitter sa femme, sa fille, ses amis ; et puis il croit que tout s'apaisera. Il encourage Voltaire à « écraser la bête », tout en lui demandant de différer la publication du *Bolingbroke* [36], qu'on a annoncé et qui pourrait compromettre les *frères*.

Le projet de Clèves échoue donc comme celui de Russie [37] ; et pourtant cette fois Voltaire s'y était donné avec un véritable enthousiasme. On ne peut en effet contester sa sincérité dans cette occasion ; les circonstances la ustifient suffisamment. Sans doute a-t-on pu dire que le territoire de Clèves n'était guère sûr et que Frédéric ne souhaitait pas cet établissement [38]. En effet, le roi, tout en ne « s'opposant point » à la colonie philosophique, donne comme condition : « qu'ils ménagent ceux qui doivent être ménagés et qu'en imprimant ils observent de la décence dans leurs écrits » [39]. Mais une telle réserve est assez naturelle chez un monarque qui n'avait pas oublié les incartades d'Akakia ; ce n'est pas la réserve qu'il faut souligner, mais l'acceptation ; Frédéric savait fort bien refuser et même assez brutalement (Voltaire l'avait éprouvé dans ses tentatives de diplomatie) ; s'il accepte la colonie, c'est sans arrière-pensée : « Il ne dépend que des philosophes de partir, dit-il en août. » Il avertit le baron de Werder, président de la Chambre à Clèves, d'avoir à les « favoriser dans leur établissement » [40].

Ainsi, ce projet n'était pas irréalisable ; je ne dis pas que la réalisation en eût été heureuse. En tout cas, Voltaire, qui rêva toujours de diriger une république de *sages*, garda longtemps le regret de n'avoir pu convaincre les lointains disciples de Paris ; il le dit à d'Etallonde l'année suivante [41], à

36. *L'examen important de Milord Bolingbroke ou le Tombeau du Fanatisme* paraîtra en avril 1767 dans le *Recueil nécessaire*.

37. Voir au début de cette période, et notes 6 et 7. — Cette idée de réunir à l'étranger une colonie de philosophes est déjà ancienne chez Voltaire : on peut déjà la trouver en 1752, au moment où il invite à Potsdam Yvon et de Prades, avec force détails d'installation : « Si votre ami [Yvon] veut venir avec vous, il pourrait loger dans le petit entresol qui est auprès de votre chambre... Il n'y a point de lit, j'en chercherai un... Enfin *nous vivrions tous ensemble.* » (Cf. Gazier, *Mélanges*, p. 203.)

38. Notes de G. Avenel aux lettres de Frédéric.

39. A Voltaire, 7 août. Cf. les 1er et 13 sept.

40. Frédéric renouvelle ses offres de service à propos des fugitifs de Genève (à Voltaire, 16 janv. et 10 févr. 1767) et à propos de Morival d'Etallonde (28 févr.).

41. Le 10 févr. 1767.

Frédéric en 1769 [42], et encore en 1770 [43]. Trois ans avant sa mort, le souvenir lui en restera [44] comme d'une des entreprises qu'il aurait le plus aimées : « C'était là où je devais achever ma vieillesse. »

YVERDUN, PANCKOUCKE, QUESTIONS SUR L'ENCYCLOPÉDIE (1769-1772).

Nous arrivons au dernier épisode de notre histoire. Après deux ans d'éclipse, l'*Encyclopédie* revient à l'ordre du jour en 1769. Simultanément, deux éditeurs pensent à réimprimer l'ouvrage, avec des modifications et des suppléments, et même de nouveaux collaborateurs ; l'un s'installe en Suisse, à Yverdun (ou Yverdon), au nord du pays de Vaud, c'est Félice ; l'autre, à Paris, c'est Panckoucke.

L'*Encyclopédie* d'Yverdun est tout de suite considérée par Voltaire comme une concurrence de celle de Paris, qu'à tort ou à raison il prend pour l'héritière légitime du grand Dictionnaire primitif ; il n'est pas tendre pour Félice, qu'il traite de « polisson imposteur » [45]. D'Alembert est exactement du même avis ; pour lui, Félice veut « élever autel contre autel » avec l'aide de « quelques polissons d'écrivailleurs » [46] ; parmi ces écrivailleurs se trouvaient tout de même Haller et Lalande. Ce qui l'irritera le plus, c'est de voir les volumes de Félice se succéder à partir d'octobre 1770 quand ceux de Panckoucke moisiront à la Bastille. En 1771, Voltaire y fait encore une allusion méprisante : « On a déjà six volumes de l'*Encyclopédie* d'Yverdun ; personne ne la lit, mais on l'achète [47] ».

L'entreprise de Panckoucke l'occupe davantage. Depuis le début de 1768, il était en relations assez suivies avec Panckoucke, qui allait vendre à Paris l'édition in-4° de ses Œuvres, achetée à Cramer. Ayant entendu parler de son nouveau projet encyclopédique, il lui écrit pour lui donner les conseils habituels : raccourcir l'ouvrage, supprimer les déclamations, etc... [48]. Puis

42. En novembre : « J'ai été si fâché et si honteux du peu de succès de la transmigration de Clèves... Quand je songe qu'un fou et qu'un imbécile comme saint Ignace a trouvé une douzaine de prosélytes qui l'ont suivi, et que je n'ai pu trouver trois philosophes... »
43. Le 12 oct.
44. Le 1er mai 1775.
45. A d'Alembert, 4 juin 1769. Cf. VUILLEUMIER, t. IV, p. 303.
46. A Voltaire, 8 juin 1770.
47. A d'Alembert, 19 août 1771.
48. Le 13 février 1769.

il reçoit une offre de collaboration payée [49] : Panckoucke propose dix-huit mille francs pour six cents pages environ ; à elle seule, cette offre était beaucoup plus considérable que toutes celles de d'Alembert, et il ne tenait qu'à Voltaire d'être l'un des personnages essentiels, et même le porte-drapeau du nouveau Dictionnaire : en effet, le projet de Panckoucke est de le mettre au premier plan à titre de réclame ; en décembre 1769, il lance le *Prospectus* et imprime le nom de Voltaire avant celui de Diderot et de d'Alembert.

Mais l'auteur du *Portatif* refuse cet honneur et ce service. Au début, il paraît s'être laissé tenter : déclinant seulement l'offre pécuniaire, il a promis de commencer un certain nombre d'articles, qu'il énumère complaisamment en marquant d'un mot son intention sur chacun d'eux [50]. Mais dès ce moment il a dû imaginer une nouvelle ruse, qu'il va utiliser bientôt après : sous le couvert du *Supplément* de Panckoucke et dans l'attention générale suscitée par lui, faire paraître un autre *Supplément* qui sera en réalité une suite du *Dictionnaire philosophique* [51], et pourra, comme lui, se permettre toutes les hardiesses. Nous retrouvons là l'inspiration habituelle de Voltaire, et cette loi qui veut que l'*Encyclopédie* soit à l'origine de ses divers *Alphabets* militants.

En octobre, il cache encore son jeu et fait croire à d'Alembert qu'il va composer la « partie littéraire » du *Supplément* Panckoucke [52], auquel d'Alembert a donné son consentement pour la partie mathématique et physique. Mais en décembre, il vient de travailler d'arrache-pied à une centaine d'articles qui sentent un peu le fagot et il laisse entendre à Panckoucke, à mots très couverts, qu'il s'agit maintenant d'une « sottise » à éditer séparément [53]. En janvier 1770, il commence à s'expliquer [54], présentant son *Supplément* comme une œuvre collective : entre la publication de Paris et celle d'Yverdun, celle de Genève doit aisément se faufiler. En février, le titre définitif est trouvé : *Questions sur l'Encyclopédie*, titre bien modeste et effacé ; et de même que pour le *Portatif*, l'*Encyclopédie*, après avoir suggéré l'ouvrage, finit par lui servir de paravent.

Mais Panckoucke a lancé le *Prospectus*, et Voltaire y trouve son nom

49. En septembre 1769.
50. A Panckoucke, 20 sept. 1769.
51. Celui-ci, depuis 1764, avait eu déjà 8 éditions, et contenait maintenant 118 articles.
52. Le 28 oct.
53. Le 6 déc.
54. A d'Argental, à Christin, 5 janv. ; à d'Alembert, 12 janv.

bien en évidence. C'est alors qu'il se récuse avec netteté, dans une lettre à d'Alembert [55], où il développe son point de vue mieux qu'il ne l'a jamais fait : « Je déclare d'abord que je ne souffrirai pas que mon nom soit placé « avant le vôtre et celui de M. Diderot dans un ouvrage qui est tout à vous « deux. Je déclare ensuite que mon nom ferait plus de tort que de bien à l'ou- « vrage et ne manquerait pas de réveiller des ennemis qui croiraient trouver « trop de liberté dans les articles les plus mesurés...

« Je déclare enfin que, si mes souffrances continuelles me permettent « l'amusement du travail, je travaillerai sur un autre plan qui ne conviendra « pas peut-être à la gravité d'un *Dictionnaire encyclopédique*.

« Il vaut mieux d'ailleurs que je sois le panégyriste de cet ouvrage, que « si j'en étais le collaborateur.

« Enfin ma dernière déclaration est que, si les entrepreneurs veulent « glisser dans l'ouvrage quelques-uns des articles auxquels je m'amuse, ils en « seront les maîtres absolus, quand mes fantaisies auront paru [56]. Alors ils « pourront corriger, élaguer, retrancher, amplifier, supprimer tout ce que le « public aura trouvé mauvais. »

Voilà bien tout le programme de Voltaire, dont les *déclarations* éclairent beaucoup de moments dans ses relations antérieures avec les encyclopédistes. Et immédiatement, les faits lui donnent raison : les trois premiers volumes de Panckoucke, sur le point de sortir, sont saisis et mis sous clef à la Bastille ; il faudra attendre plus de six ans pour que l'entreprise puisse se poursuivre.

Pendant ce temps, les *Questions sur l'Encyclopédie* s'impriment ; le 3 mars 1770, Voltaire en envoie la première feuille à d'Alembert, et cet énorme travail en neuf volumes ne cessera pas de paraître jusqu'en 1772. Ce n'est plus maintenant le *Portatif* si mince et abrégé ; selon le mot de d'Alembert [57], Voltaire refait l'*Encyclopédie* à lui tout seul !

55. Du 31 janv. 1770.

56. La *Préface* qui va paraître bientôt après reprend ce thème : « C'est à eux [les directeurs de l'*Encyclopédie*] que nous dédions notre essai, dont ils pourront prendre et corriger ou laisser les articles, à leur gré, dans la grande édition que les libraires de Paris préparent, etc... »

57. A Voltaire, 22 févr. 1770.

EPILOGUE.

Des dernières années nous n'avons plus à extraire qu'un aimable croquis, suprême cadeau du vieillard à ceux qui avaient construit le grand Dictionnaire : c'est ce « petit chiffon » intitulé *De l'Encyclopédie*, qui fut d'abord imprimé à la suite de *don Pèdre*, dont la dédicace était consacrée à d'Alembert [58].

Ces quelques pages sont célèbres, et rien n'est plus savamment dessiné que ces personnages du souper de Trianon, le roi maussade, Mme de Pompadour curieuse et coquette, le comte de C... persuasif et philosophe ; les grands *in-folio* injustement confisqués y triomphent sans peine, et chacun admire leurs richesses universelles : « Sire, vous êtes trop heureux qu'il se soit trouvé sous votre règne des hommes capables de connaître tous les arts, et de les transmettre à la postérité. Tout est ici, depuis la manière de faire une épingle jusqu'à celle de fondre et de pointer vos canons ; depuis l'infiniment petit jusqu'à l'infiniment grand. »

Avec cet opuscule, on sent que l'*Encyclopédie* entre dans la légende, et Voltaire continue, au seuil de cette nouvelle carrière, à jouer à son égard le rôle qu'il s'était assigné : non pas tant collaborateur que panégyriste.

58. Début de 1775.

DEUXIÈME PARTIE

VOLTAIRE ENCYCLOPÉDISTE

La théorie et la critique. — La collaboration L'influence exercée et subie

---

Chapitre premier : La théorie et la critique

LA THÉORIE.

Les idées de Voltaire sur le genre encyclopédique sont peu nombreuses, mais obstinées ; aucune variation au cours de vingt années ; simplement une différence d'éclairage pour quelques-unes d'entre elles.

Avant d'être en présence du grand ouvrage, il n'en avait guère imaginé la forme, mais il en connaissait déjà l'esprit, fait à la fois d'érudition et de vulgarisation, du besoin de connaître avec exactitude et complètement, et du besoin de faire connaître cette science au public non compétent, en lui facilitant l'effort par la méthode et la clarté.

L'érudition pure n'est pas d'habitude le fait de Voltaire ; néanmoins, malgré ses dédains affichés à cet égard [1], il y trouve un certain plaisir. Si les

1. Voir particulièrement ses réflexions pendant son séjour à Senones (correspondance, mai-juillet 1754). Par exemple, à d'Argental, le 16 mai : « Gardez-vous de lire ce fatras [les *Annales de l'Empire*] ; il est d'un ennui mortel ; rien n'est plus malsain.. J'ai été entraîné dans ce précipice de ronces par ma malheureuse facilité ; on ne m'y rattrapera plus... La duchesse de Gotha m'a transformé en pédant en *us*, comme Circé changea les compagnons d'Ulysse en bêtes. »

Annales de l'Empire, avec leur chronologie rigoureuse, leur « Catalogue des empereurs, papes, rois de Bohême et électeurs », et leurs « Vers techniques » consciencieusement alignés du IXe au XVIIIe siècles, peuvent passer pour un *pensum* imposé par la duchesse de Saxe-Gotha, que dire de la *Liste raisonnée* des grands personnages et du *Catalogue* des écrivains, qui figurent en tête du *Siècle de Louis XIV* ? Si Voltaire s'est astreint à cette besogne minutieuse, c'est certainement par goût ; il a le souci du détail précis et du travail bien fait ; rien n'est trop petit pour lui, à condition que l'esprit sache en profiter. « Si vous savez quelque source où je doive puiser quelques anecdotes..., indiquez-la moi. Tout peut trouver sa place [2]. » S'il se moque lui-même de ses travaux de bénédictin, c'est par coquetterie ; mais au fond il a toujours eu, entre autres passions, celle de l'exactitude ; c'est elle qui lui fit plus tard entreprendre le *Commentaire sur Corneille* [3].

Quant au besoin de vulgariser, il est encore plus manifeste. L'*Essai sur les Mœurs*, selon les déclarations de Voltaire [4], fut entrepris pour faciliter les études historiques de Mme du Châtelet ; et Mme du Châtelet n'est ici que le symbole du lecteur profane, pour qui l'on doit tracer « l'histoire de l'esprit humain », en la dégageant de la poussière des faits [5]. Mais ce sont surtout les *Eléments de la philosophie de Newton* qui nous montrent le mieux Voltaire vulgarisateur. Dans l'*Avant-propos* de 1738 [6], il s'agit de « mettre ces *Eléments* à la portée de ceux qui ne connaissent de Newton et de la philosophie que le nom seul. » Mais ces lecteurs sont des gens d'esprit : ils feront comme ce ministre qui « se forme une idée juste du résultat des opérations que lui-même n'a pu faire; d'autres yeux ont vu pour lui, d'autres mains ont travaillé, et le mettent en état, par un compte fidèle, de porter son jugement » [7]. N'est-ce pas l'ambition même de Diderot qui, dans le

2. A d'Olivet, 24 août 1735.

3. Voir, à ce sujet, notre thèse principale, pp. 186 et suiv.

4. *Préface* de 1754 (MOL. XI, 157).

5. Voltaire dit, dans cette *Préface*, qu'il avait entassé de nombreux matériaux concernant les arts, et que ces matériaux ont été perdus à la mort de Mme du Châtelet. Il ajoute : « Ce travail se trouve heureusement exécuté par des mains plus habiles, manié avec profondeur et rédigé avec ordre dans l'immortel ouvrage de l'*Encyclopédie*. » Ce texte montre au moins une communauté d'intention entre l'auteur de l'*Essai sur les Mœurs* et les encyclopédistes. — M. F. Caussy a publié (Voltaire, *Œuvres inédites*, 1914) la plus grande partie de ce *chapitre des Arts*, sur un manuscrit de Leninegrad.

6. MOL., XXII, 400.

7. Cf. dans les *Eclaircissements nécessaires* sur le même ouvrage : « J'ai écrit pour ceux qui, n'ayant pas le loisir de s'appesantir sur ces matières, ont un esprit assez juste pour en sentir le résultat. »

Prospectus de l'Encyclopédie, écrira : « Cet ouvrage pourra tenir lieu de bibliothèque dans tous les genres à un homme du monde... En multipliant le nombre des vrais savants, des artistes distingués et des *amateurs éclairés*, il répandra dans la société de nouveaux avantages [8]. »

Ainsi, malgré l'ignorance du milieu encyclopédique que Voltaire a conservée jusqu'en 1755, son esprit n'est pas resté étranger à ce genre d'activité, et quand il va avoir à exprimer directement son opinion sur le *Dictionnaire*, il n'improvisera pas, il reprendra simplement sa pensée primitive en la développant.

Ce qui frappe le plus dans ses premières déclarations, c'est le sérieux qu'il y met. Sans doute savons-nous que le travail de compilation lui paraît nettement inférieur à l'invention poétique et même à l'effort de l'historien [9] ; mais son principe est que tout travail doit être bien fait, et, du moment qu'il a l'occasion de dire son mot sur la confection d'un dictionnaire, il le dit, et avec vivacité ; il en fait bientôt sa chose.

Observons d'autre part qu'il ne s'est guère intéressé à toute la partie technique de l'*Encyclopédie*, à tout ce qui concerne les métiers [10], et même, malgré les encouragements de d'Alembert, à la partie scientifique ; il n'essaie pas de parcourir ce domaine, qui lui est étranger, et ses conseils ne vaudront que pour les matières traditionnelles : grammaire, morale, belles-lettres. Le modèle qu'il a devant les yeux et qu'il corrige, ce n'est pas l'*Encyclopédie* avec ses premiers tomes déjà parus, c'est le *Dictionnaire de Trévoux*.

Dans ces limites, voici les principales idées. D'abord l'importance de la documentation. Il s'agit d'instruire le lecteur, et pour l'instruire, on doit lui fournir le plus de faits possible, et des faits incontestables : « Pour moi, je tremble toutes les fois que je vous présente un article. Il n'y en a point qui ne demande le précis d'une grande érudition [11]. » Et Voltaire se plaint continuellement de manquer de livres [12] : « Il n'y a que les gens qui sont à Paris qui puissent travailler avec succès au *Dictionnaire encyclopédique* [13]. » Loin de

8. Ed. ASSÉZAT, t. XIII, p. 145.
9. Voir plus haut, p. 59.
10. Nous verrons plus loin qu'il faut faire une exception pour l'Agriculture, pour laquelle il pensa avoir quelque compétence après son installation à Ferney.
11. A d'Alembert, 13 nov. 1756. C'est dans cette lettre que pour la première fois Voltaire exprime clairement ses conseils.
12. Dès la première lettre de 1754 concernant l'*Encyclopédie* (MOL. XXXVIII, 125) : « Il faudrait que j'eusse des livres espagnols et italiens, et je n'en ai pas un. »
13. A Briasson, 13 fév. 1756. Cf. à d'Alembert, 28 déc. 1755.

se laisser aller à improviser, il veut s'entourer de documents; au moment de rédiger l'article *Français*, il écrit à Briasson de chercher à la Bibliothèque royale si le mot *français* a bien remplacé le mot *franc* vers le xe siècle, et de vérifier par exemple dans le roman de *Philomena* : « Ce point, quoique frivole en lui-même, devient important dans un dictionnaire [14]. » Voilà Voltaire devenu pour un moment linguiste et s'appliquant à son nouveau métier. Reconnaissons que c'est là un trait isolé ; il est cependant l'expression extrême d'un état d'esprit permanent.

Après la documentation, l'objectivité : chaque article doit être impersonnel : « Je ne voudrais dans votre *Dictionnaire* que vérité et méthode... On ne lit point ces petites déclamations dans lesquelles un auteur ne donne que ses propres idées, qui ne sont qu'un sujet de dispute [15]. » Au lieu de déclamations, on doit trouver essentiellement des « définitions et des exemples »; c'est le thème qui revient le plus souvent sous la plume de Voltaire [16]. Et quand d'Alembert trouve que c'est là une matière bien maigre et peu suggestive [17], on lui répond : « Je suis bien loin de penser qu'il faille s'en tenir aux définitions et aux exemples ; mais je maintiens qu'il en faut partout, et que c'est l'essence de tout dictionnaire utile. » Que peut-on y ajouter alors ? Nous le voyons un peu plus loin : des développements historiques quand l'objet en vaut la peine ; ainsi, à l'article *Comédie*, « je veux qu'on m'en apprenne la naissance et les progrès chez chaque nation » ; à l'article *Enthousiasme*, on aimerait « savoir d'où vient ce mot, pourquoi les anciens le consacrèrent à la divination, à la poésie, à l'éloquence, au zèle de la superstition ». Bref, faire le tour des divers éléments de curiosité que contient le mot, pourvu que la réponse s'appuie sur des faits linguistiques, historiques ou littéraires.

La troisième condition d'un bon article, c'est la brièveté [18], ou du moins la facilité de lecture ; il faut savoir distinguer les détails utiles des détails oiseux. Il y a particulièrement toute une série de sujets *in medio*

14. *Ibid.* Il semble que Briasson n'ait pas fourni le renseignement. L'article *Français* mentionnera bien *Philomena*, mais sans la précision souhaitée.

15. A d'Alembert, 13 nov. 1756.

16. Voir par exemple : à d'Alembert, 9 oct., 13 nov. et 22 déc. 1756 ; et déjà le 28 déc. 1755.

17. Nous n'avons pas cette lettre de d'Alembert, mais le sens en est clair par la réponse qu'y fait Voltaire le 13 nov. 1756.

18. Voir p. ex. à d'Alembert, 29 nov. 1756 · « J'ai fait ce que j'ai pu pour n'être point long. »

positi « qui sont si connus, si rebattus, sur lesquels il y a si peu de doutes » qu'on doit les traiter « un peu sommairement »[19]. Les articles plus neufs méritent plus d'ampleur, mais il faut éviter de tomber dans la dissertation ordonnée, qui endort le lecteur ; ne pas écrire des traités complets, qui encombreraient le dictionnaire. Voici justement Bertrand, le pasteur de Berne, qui envoie à Voltaire un gros travail sur le *Droit canonique*[20] ; il faudra résumer et extraire : « Mon cher philosophe, on peut tirer une très bonne quintessence de la grosse bouteille que vous m'avez envoyée. Sans précision et sans sel, on ne tient rien. Le monde est rassasié de dissertations sur le monarchique, le démocratique, le état physique, le poétique et le narcotique[21].» C'est ainsi que, sur les sujets qui lui tiennent le plus à cœur, Voltaire veut à tout prix éviter le développement complaisant ; quand Deleyre aura écrit son magistral article *Fanatisme,* le vieux philosophe s'en emparera pour le remanier et l'abréger[22], et c'est le même sort qu'aura entre ses mains le *Vicaire savoyard* de Jean-Jacques[23].

Enfin, et cette dernière condition couronne les précédentes, il faut de la clarté ; non pas seulement la clarté dans le détail des explications et dans le raisonnement, mais la clarté fondamentale qui s'attaque à l'essence même du mot à traiter et supprime toute équivoque dans l'usage qu'on va en faire. De ce point de vue, une telle qualité prend soudain une valeur philosophique, et il est assez significatif que Voltaire l'ait plus tard mise au premier plan dans ses *Questions sur l'Encyclopédie :* parmi les tout premiers articles que présente l'ordre alphabétique, on trouvera plusieurs fois cette idée[24], qui, ainsi soulignée au seuil du nouveau Dictionnaire, paraît en être le mot d'ordre principal : « On trouve l'équivoque partout, elle confond tout. Il faut, à chaque mot, dire : Qu'entendez-vous ? Il faut toujours répéter : *Définissez les termes*[25]. » Et c'est par là que nous retrouvons la ligne directrice de tous ces conseils ; il s'agit d'ouvrir l'esprit du lecteur ; or, sans aucun

19. Lettre à d'Alembert, 1754 (MOL. XXXVIII, 125).

20. Il s'agit d'une collaboration aux *Questions sur l'Encyclopédie*; mais la méthode voltairienne n'a pas changé, et l'anecdote est typique.

21. A Bertrand, 3 déc. 1770.

22. Les éditeurs de Kehl ont fait de cet abrégé la 1re section de l'article dans le *Dictionnaire philosophique.*

23. Un extrait, représentant environ un cinquième de l'ensemble, paraîtra en 1765 dans le *Recueil nécessaire.*

24. Dans les articles *Abus des mots, Adorer, Alexandre.*

25. Article *Adorer* (MOL. XVII, p. 63).

geste de propagande, par la simple probité du texte, par sa valeur scientifique et son exactitude, il est déjà possible de dissiper les ténèbres.

Telles sont les idées encyclopédiques de Voltaire ; elles visent moins à la diffusion d'un savoir multiple et minutieux qu'à l'éducation de l'esprit ; les défauts à éviter dépendent surtout du caractère : ce sont l'improvisation, la déclamation, le penchant à la dissertation et l'équivoque. L'œuvre qui serait sortie de là, si Voltaire avait dirigé l'entreprise, aurait été assez nue, concentrée, sans nomenclatures, éclairée d'une lumière continue et diligente, en somme le contraire de ce qu'a été l'*Encyclopédie* de Diderot.

Nous ne serons donc pas étonnés des critiques assez abondantes et souvent graves que Voltaire adresse à l'œuvre réalisée en dehors de lui. Ce n'est pas sans raison qu'il suggère à d'Alembert une méthode de direction plus effective pour coordonner les efforts dispersés : « Pourquoi n'avez-vous pas recommandé une espèce de protocole à ceux qui vous servent : étymologies, définitions, exemples, raison, clarté et brièveté [26] ? » Mais ce *protocole*, qui rassemble si heureusement toutes les qualités du bon Dictionnaire, n'a aucune chance d'être accepté de la masse inorganique des collaborateurs, et l'*Encyclopédie* perdra encore par là le mérite suprême des grandes œuvres classiques : l'unité.

La Critique.

A se fier aux déclarations et aux réflexions de Voltaire, surtout dans sa correspondance, on ne sait pas trop si les dix-sept in-folio ont été pour lui un pur *fatras* dont on ne lit que de brefs échantillons choisis en laissant dormir tout le reste, ou si au contraire ils représentaient à ses yeux une œuvre importante quoique imparfaite, à laquelle on revient avec plaisir et curiosité. Nous avons déjà souligné [27] la rareté de ses remarques en 1766, après la publication des dix derniers tomes ; et pourtant, deux ans plus tard, nous le surprenons plongé en plein dictionnaire : « On me lit l'*Encyclopédie* tous les soirs [28]. » Où est la vérité ? Cette confidence serait-elle feinte, et destinée seulement à flatter d'Alembert ?

Eh bien ! non. Si l'on scrute attentivement ses ouvrages pendant cette période et, en première ligne, le *Dictionnaire philosophique* et les *Questions*

26. A d'Alembert, 22 déc. 1756.
27. P. 90.
28. A d'Alembert, 7 nov. 1768.

sur l'Encyclopédie, on s'aperçoit qu'ils supposent une connaissance assez détaillée du grand monument collectif [29]. Sans prétendre épuiser la recherche, dont la matière est immense, nous avons pu déterminer nommément 149 articles de l'*Encyclopédie* que Voltaire a *certainement* lus, et 68 autres articles *probablement* consultés ; et il faut y ajouter tous ceux qu'il aura lus sans qu'il en reste trace dans son œuvre. Bien que ces derniers ne soient pas sans doute très nombreux (car Voltaire était homme à utiliser les moindres détails de ses lectures), il n'est pas exagéré d'affirmer qu'il a pris connaissance d'au moins deux cents à deux cent cinquante articles [30] ; et si ce n'est là qu'une faible partie de l'ensemble, c'est du moins une documentation sérieuse [31] (surtout de la part d'un homme si occupé), qui dénote dès l'abord beaucoup de curiosité et qui permet d'attendre des appréciations autorisées.

Les 150 articles certainement lus par Voltaire se répartissent entre 38 auteurs. Au premier plan nous devons inscrire d'Alembert, Diderot, le chevalier de Jaucourt, Mallet et Boucher d'Argis.

De D'ALEMBERT[32], Voltaire ne dit presque exclusivement que du bien ; ses articles sont « faits de main de maître » [33] ; « si on les rassemblait, ils feraient le traité le plus complet et le plus clair que nous ayons eu » [34] sur l'Astronomie. Bien entendu, ce n'est pas seulement le spécialiste, le savant qui est loué, c'est aussi le directeur du *Dictionnaire*, et sa méthode « inconnue à l'antiquité » [35] ; c'est même l'écrivain, dont le style est toujours « propre au sujet, clair, précis et vrai » [36]. Nous savons déjà [37] que Voltaire

29. Quand je dis qu'ils « supposent », cela signifie que l'on trouve dans les pages de Voltaire soit des souvenirs du texte encyclopédique, soit des réfutations, soit des arguments précis qu'il s'approprie, soit même des passages qu'il recopie sans toujours le signaler. Voir plus loin l'étude de l'*influence subie*.

30. Nous en indiquerons le plus grand nombre à propos de chaque auteur.

31. D'autant plus que ces articles sont pour la plupart des articles importants ou caractéristiques.

32. Articles de d'Alembert lus par Voltaire : *Air, Ame, An, Anneau de Saturne, Apparence, Apparition, Astronomie, Chronologie, Climat, Dictionnaire, Genève, Figure de la terre, Fleuves, Infini, Intérêt, Kalendrier, Précession des équinoxes*, et certainement beaucoup d'autres articles d'astronomie. Ajoutons-y le *Discours préliminaire*, et l'*Eloge de Dumarsais*, paru en tête du tome VII ; Voltaire cite favorablement ces deux morceaux pour leur hardiesse philosophique (Cf. *Dict. phil.*, art. *Ame*, sect. II ; et lettre à Thieriot, 7 déc. 1757).

33. Cf. *Dict. phil.*, art. *Almanach*.

34. *Ibid. Astronomie*.

35. *Ibid. Dictionnaire*. Cf. encore *Etats, Intérêt, Ame*.

36. *Ibid. Fleuves*.

37. Cf. plus haut, p. 59.

préfère le style de d'Alembert à celui de Diderot, du moins pour l'usage encyclopédique, et ceci se rattache à son horreur de la *déclamation*. — A côté de ces éloges, à peine une trace de critique, à propos de l'*Anneau de Saturne*, d'Alembert ayant cru bon de répéter la « rêverie » de Maupertuis, hypothèse hasardée sur une mer primitive qui aurait formé l'anneau. Voltaire déteste les hypothèses scientifiques et déteste aussi Maupertuis.

DIDEROT [38] est en général bien traité. Tantôt il s'agit de ses articles techniques, qui doivent « éterniser tous les arts » [39] ; tantôt il s'agit du philosophe, « le savant presque universel, l'homme même de génie, qui joint la philosophie à l'imagination » [40] ; et ce n'est pas un mince éloge pour Voltaire que de parler d'homme de génie à propos de l'auteur principal d'un dictionnaire. C'est qu'il semble avoir été particulièrement séduit par les articles d'histoire de la philosophie, pour lesquels Diderot avait fourni un travail considérable; Voltaire cite seulement *Eclectisme* [41] et *Hobbisme* [42], mais il est vraisemblable qu'il en a lu d'autres, et par là Diderot lui apparaissait avec plus d'envergure que de coutume ; enfin n'oublions pas qu'il recommande aussi son article *Intolérance* [43]. — Mais nous rencontrons aussi des critiques assez mordantes ; sans parler de celles qui proviennent d'une animosité personnelle contre un tiers [44], voici Diderot blâmé pour avoir méprisé Boileau [45], et c'est en mesurant bien les termes que Voltaire ajoute : « Il serait triste que les philosophes fussent les ennemis de la poésie [46]. » Voici surtout une attaque ironique à propos d'une apostille que Diderot avait ajoutée à l'article *Certitude*, de l'abbé de Prades ; celui-ci, réfutant Diderot

38. Articles lus par Voltaire : *Adorer, Age, Ame, Agriculture, Anatomie, Apis, Argent, Aristotélisme, Asphalte, Chinois, Christianisme, Chronologie sacrée, Croire, Eclectisme, Encyclopédie, Fonte, Génie, Hobbisme, Intolérance, Jésuites, Ligature* (cet article est-il de Diderot ?), *Pain bénit, Prophéties, Résurrection, Théocratie* et probablement aussi les grands articles généraux *Philosophe, Philosophie*, et *Epicurisme, Malebranchisme, Manichéisme*, et *Jésus-Christ, Juifs, Mosaïque, Préadamite*, etc... etc...

39. *Dict. phil., Fonte.* Cf. *Agriculture, Arbre à pain.*

40. *Ibid., Art poétique.* Cf. *Cartésianisme, Génie.*

41. *Ibid., Hypatie.*

42. A d'Alembert, 5 avril 1765.

43. *Dict. phil.*, même titre.

44. Quand Diderot reproduit une opinion de Montesquieu sur François Ier (art. *Argent*) ou quand il s'exclame : « O mon cher Rousseau ! » dans l'article *Encyclopédie* (cf. lettre de Voltaire à d'Alembert, 28 oct. 1769).

45. Dans l'art. *Encyclopédie.*

46. *Dict. phil., Art poétique.*

lui-même [47], avait voulu montrer qu'un miracle doit être cru suivant les circonstances du témoignage [48], et à la fin de l'article, Diderot, faisant l'éloge de l'abbé de Prades, écrivait diplomatiquement : « C'est ainsi qu'il convient de défendre la religion... Si quelqu'un avait donné lieu à un si bel écrit par les objections qu'on y résout, il aurait rendu un service important à la religion... Mais qu'il serait mécontent de M. l'abbé de Prades, s'il n'aimait infiniment la vérité ! [49] » Ce pathos exaspéra Voltaire, qui ne put se retenir de remarquer : « Apparemment que l'auteur de cet article voulait rire, et que l'autre auteur, qui s'extasie à la fin de l'article et écrit contre lui-même, voulait rire aussi [50]. » Bref, Diderot est critiqué à la fois pour son béotisme poétique et pour une capitulation sur le terrain philosophique [51]. Cela amoindrit un peu l' « homme de génie presque universel » qui nous était présenté tout à l'heure.

Le chevalier de Jaucourt [52] qui, avec Diderot, fit la majeure partie des dix derniers tomes, est toujours traité avec beaucoup de respect et de sympathie ; Voltaire n'oublie pas qu'il est « d'une très grande maison » et d'ailleurs « beaucoup plus respectable par ses mœurs que par sa naissance» [53]; c'est pour lui le type du noble éclairé, à la fois « homme de qualité et bon citoyen» [54], et on ne peut trop encourager un tel exemple. Sans doute, malgré d'énormes louanges, où Jaucourt est assimilé à Cicéron, à de Thou et à Gro-

47. Qui, dans ses *Pensées philosophiques*, avait écrit (Ed. Assézat, I, 146 ; pensée XLVI) : « Un peuple entier, me direz-vous, est témoin de ce fait ; oserez-vous le nier ? Oui, j'oserai... Moins un fait a de vraisemblance, plus le témoignage de l'histoire perd de son poids... Tout Paris m'assurerait qu'un mort vient de ressusciter à Passy, que je n'en croirais rien. »

48. *Encyclopédie*, t. II, p. 851.

49. *Ibid.*, p. 862.

50. *Dict. phil.*, *Certain* (Mol. XVIII, 121). Cf. à d'Alembert, 28 déc. 1755.

51. Si l'article *Ligature* est de Diderot, comme le donne l'éd. Assézat (mais c'est bien improbable), il faudrait ajouter ici l'opinion de Voltaire sur cet article : « L'auteur croit aux sortilèges. Comment a-t-on laissé entrer ce fanatique dans le temple de la vérité ? » (A Damilaville, 16 oct. 1767.)

52. Articles lus par Voltaire : *Charlatan*, *Conscience*, *Eglogue*, *Existence*, *Faculté*, *Figure* (belles-lettres), *Généalogie*, *Génie*, *Gouvernement*, *Idée*, *Labarum*, *Lois*, *Mariage*, *Péché originel*, *Paradis*, *Patrie*, *Père*, *Sommeil*, *Samothrace*, *Scandale*, *Sicles*, *Vampires*, *Vie*, et probablement beaucoup d'autres articles, particulièrement ceux où Jaucourt fait allusion à Voltaire, tels que *Ecole*, *Enfer*, *Superstition*, etc... Voir plus loin le chapitre sur l'*Influence exercée*.

53. A Palissot, 23 juin 1760.

54. A Panckoucke, 13 févr. 1769.

tius [55], Voltaire sait bien que son travail est surtout compilation [56], et il le sait d'autant mieux que Jaucourt a découpé des pages entières de Voltaire lui-même pour en faire des articles importants [57]. Mais d'abord il lui est reconnaissant de cet hommage, et puis il discerne vraiment chez lui des qualités *philosophiques* sérieuses ; Jaucourt est un homme très sûr à cet égard, et, en dehors d'une alerte à propos de l'article *Enfer* [58], Voltaire ne trouve chez lui que d'excellentes idées et des connaissances solides [59].

L'abbé MALLET [60], qui écrivit pour les premiers tomes de l'*Encyclopédie* tant d'articles d'histoire religieuse et d'histoire des mœurs, est lu de près par Voltaire, qui s'intéresse tout spécialement à ces deux ordres de recherches. Mais c'est le sujet, et non l'auteur, qui est ici essentiel ; Mallet lui reste à peu près inconnu. Quand un éloge personnel semble se dessiner, il tombe à côté [61], ou bien il se réduit à une politesse [62]. Par contre, Voltaire saisit plusieurs occasions de relever chez Mallet des erreurs ou des « absurdités » ; il lui en veut surtout d'accréditer des opinions trop favorables à l'unité de pensée du peuple juif [63] ; il le reprend aussi pour avoir rapporté des histoi-

55. A propos de l'art. *Gouvernement*. (A Palissot, 23 juin 1760).

56. On le voit au ton de sa réponse à Panckoucke (13 févr. 1769) : Gardez-vous bien de retrancher *tous* les articles de M. le chevalier de Jaucourt... » Le mot *tous* est significatif.

57. Voir plus loin le chapitre sur l'*influence exercée*.

58. Jaucourt a bien écrit la partie « poétique » de l'art. *Enfer*, mais la partie théologique est de Mallet. Voltaire, attribuant d'abord cette dernière à Jaucourt, le critiquait fortement. (A d'Alembert, 24 mai 1757 ; réponse le 21 juillet.) Voir plus loin ses jugements sur Mallet.

59. Cf. *Dict. phil.*, articles *Age*, *Charlatan*, *Eglogue*, *Figure*, etc., et les lettres à Panckoucke et à Palissot déjà citées.

60. Articles lus : *Abbaye*, *Allégories*, *Ange*, *Annates*, *Anthropomorphite*, *Anthropophages*, *Antiquité*, *Apocalypse*, *Apocryphes*, *Apôtres*, *Arianisme*, *Arot et Marot*, *Asmodée*, *Augure*, *Bulgares*, *Bulle*, *Charité*, *Coutumes*, *Défloration*, *Enfer*, *Figure* (arithmétique), *Franc*.

61. Par exemple, Voltaire loue *Annates*, « savamment traité comme le sont tous les objets de jurisprudence dans ce grand ouvrage. » Mais il se trouve que la jurisprudence est d'ordinaire traitée par Boucher d'Argis, et c'est uniquement à cause du terrain religieux que Mallet a écrit *Annates*. L'éloge est donc collectif, ou plus exactement impersonnel.

62. Pour *Apôtres* : « Article aussi savant qu'orthodoxe » ; mais aussitôt après, Voltaire pose une série de questions qui montre l'insuffisance de l'article. *(Dict. phil.)* Cf. *Apocryphes*.

63. Art. *Ange*, *Enfer*. Voir le *Dict. phil.* à ces deux mots, et aussi la lettre du 16 novembre 1758 à Diderot.

res invraisemblables sur les Romains et les Arabes [64]. Quoi qu'il en soit, et malgré une certaine nuance de dédain, il a trouvé chez Mallet une excellente source d'exégèse où il puisera abondamment.

Quant à BOUCHER D'ARGIS [65], l'homme de loi, il est, comme Mallet, une source de renseignements précieux ; Voltaire critique une fois sa prétention à retrouver les anciennes lois des Francs : « Tout cela n'a rien de bien légal et ne doit pas être plus cité que ce qui se passait en Irlande et dans les îles Orcades » [66]. Mais en général il l'approuve et conseille la lecture de ses études [67].

Tels sont les auteurs de l'*Encyclopédie* que Voltaire a le plus consultés. A ces noms de premier plan il conviendrait d'en ajouter quelques autres : dans les articles *Philosophe* et *Philosophie* des *Questions sur l'Encyclopédie*, un petit groupe est mis à l'honneur [68] et paraît représenter pour Voltaire la phalange sacrée ; ce sont d'abord les auteurs déjà cités, sauf toutefois Mallet, négligé sans doute volontairement, comme nous l'avons laissé entendre ; et puis ce sont Tressan, Blondel, Marmontel, Tronchin, Venel, Daubenton, d'Argenville et Dumarsais.

Dans cette nouvelle liste, deux noms au moins figurent uniquement à titre amical : TRESSAN, qui écrivit sur l'art militaire, mais dont les articles n'ont inspiré à Voltaire aucune autre remarque ; et TRONCHIN, collaborateur d'occasion, dont l'article *Inoculation* a pu soulever quelque intérêt. Les autres noms sont certainement considérés par Voltaire comme ceux de spécialistes, dont la présence donne à l'*Encyclopédie* son caractère sérieux et respectable : Blondel pour l'architecture, Venel pour l'anatomie, d'Argenville pour l'horticulture et l'hydraulique, Daubenton pour l'histoire naturelle, Dumarsais pour la grammaire, Marmontel enfin pour la littérature. Mais des trois premiers il semble n'avoir rien lu ; le sujet ne l'attirait pas, et l'éloge décerné n'est qu'une politesse. Il a lu DAUBENTON [69] et lui sait gré de ne pas se lancer, comme Buffon, dans de grandes hypothèses ; il a lu DUMARSAIS [70] et approuve sa méthode de bon grammairien qui « avait dans

64. Art. *Défloration, Arot et Marot*.
65. Articles lus : *Confiscation, Curé, Divorce, Exécuteur, Fisc, Franc, Intérêt, Mariage*, et probablement beaucoup d'autres articles de jurisprudence.
66. *Dict. phil.*, art. *Divorce*.
67. *Ibid., Confiscation, Intérêt*.
68. Section III de chaque article.
69. Au moins les articles *Abeille, Ane* et *Blé*.
70. Art. *A, Euphémie, Figure de rhétorique*, etc.

l'esprit une dialectique très profonde et très nette »[71] ; il a lu MARMONTEL[72], qui est d'ailleurs son disciple, et il ne lui marchande pas les compliments. Toutefois, il nous est difficile de croire absolument à ces opinions avantageuses, quand nous le voyons écrire à d'Alembert[73] : « Dumarsais n'a commencé à vivre, mon cher philosophe, que depuis qu'il est mort ; vous lui donnez l'existence et l'immortalité. » Il y a toujours chez Voltaire le double souci de rendre hommage au zèle des encyclopédistes et de les mettre à leur place dans l'échelle des valeurs, place modeste, sinon médiocre.

A l'honorable phalange que nous venons d'examiner et pour laquelle, malgré des critiques de détail, l'éloge l'emporte, il nous faut opposer maintenant le groupe des réprouvés ; ils sont peu nombreux mais nettement et constamment condamnés. En première ligne trois noms : Cahusac, Desmahis, Yvon.

CAHUSAC[74] était collaborateur permanent pour la musique, l'opéra, la danse, et il fit, à ce titre, d'interminables articles tels que *Fêtes*, où les détails les plus minutieux se parent de grâces maniérées et précieuses. Voltaire est outré par ces « platitudes » qu'il trouve indignes d'un Dictionnaire sérieux[75]. Dans l'article *Enthousiasme* il ne voit que déclamation[76]. Dans l'article *Expression* il relève une faute de goût capitale à ses yeux et défend Lulli contre ce « mauvais auteur »[77].

DESMAHIS[78] est critiqué pour des raisons analogues ; il a écrit des articles à prétention psychologique qui sont des « puérilités et des lieux communs »[79] ; il a pensé égayer l'article *Femme* en racontant les aventures de

71. *Dict. phil.*, art. *A*.
72. Art. *Critique*, *Eglogue*, *Imagination*, et probablement aussi *Epître*, *Epopée*.
73. Le 2 déc. 1757. Cf. le 6 déc. : « Dumarsais sans vous n'aurait point laissé de mémoire. »
74. Articles *Enthousiasme*, *Expression*, *Fêtes*.
75. *Dict. phil.*, art. *Fêtes*. Cf. à Damilaville, 8 oct. 1764.
76. A d'Alembert, 13 nov. 1756.
77. Cahusac prétendait que les airs de Lulli pouvaient s'adapter à tous les sentiments et que l'épouvante était chantée sur le même ton que l'allégresse. Voltaire s'inscrit en faux contre cette critique, mais il commet une étrange erreur de lecture ; Cahusac avait écrit : « La musique vocale de Lulli, autre que le pur récitatif, n'a par elle-même aucune expression... », et de fait, il avait déjà loué le récitatif où « Lulli a saisi le vrai genre. » Or Voltaire transcrit ainsi le texte de Cahusac (*Dict. phil.*, *Art dramatique*) : « La musique vocale de Lulli n'est autre que le pur récitatif et n'a par elle-même... » C'est faire un contresens.
78. Articles *Fat* et *Femme*.
79. A Diderot, 16 nov. 1758.

Chloé la coquette ; mais ces pages sont dignes d'être écrites par « le laquais de Gil Blas » [80] ; « il est impertinent d'être petit-maître, mais encore plus de l'être si mal à propos » [81].

Quant à l'abbé YVON [82], il avait sans doute la charge la plus lourde, puisqu'il fut le théologien de l'*Encyclopédie* pour les premiers volumes ; mais Voltaire ne lui pardonne pas son conformisme : « Ce qu'on me dit des articles de la théologie et de la métaphysique me serre le cœur [83]. » Et il saisit plusieurs occasions de le combattre : d'abord, à propos de l'opinion de Locke sur la matière et la pensée (on sait que Voltaire tenait beaucoup à cette théorie) ; Yvon avait contredit Locke et par là même Voltaire, qui célébrait le philosophe sensualiste dans ses *Lettres anglaises;* Yvon reçoit donc à cette occasion une leçon de modestie et d'ignorance. Puis c'est à propos de l'âme des bêtes, où il est convaincu de galimatias [84]. Puis encore au sujet de l'athéisme : Yvon ne pose pas bien la question, et surtout il raisonne fort mal en prétendant qu'une société d'athées ne peut subsister et en accusant ensuite d'athéisme le gouvernement chinois [85]. Sur tous ces points, Voltaire apporte des rectifications abondantes, et peu s'en faut que le malheureux Yvon ne soit rangé parmi les anti-philosophes [86].

Mais ces trois encyclopédistes ne sont pas les seuls à encourir un blâme. Ajoutons-y l'abbé DE PRADES qui, nous l'avons vu [87], cherche à déterminer, dans son article *Certitude*, les preuves rationnelles du miracle ; ajoutons-y tous ceux qui commettent plus ou moins le double péché de présomption et de métaphysique, impardonnable aux yeux de Voltaire : BOUILLET [88], qui bredouille sur la « faculté vitale » dans un style digne de Diafoirus ; BOULANGER [89], qui rapporte sur le déluge les opinions de Pluche : « Parle-t-il sérieusement ? Se moque-t-il ?... »; FORMEY [90], qui veut expliquer le méca-

80. A d'Alembert, 13 nov. 1756.
81. A M. M***, 1762 [?] (MOL. XLII, 314).
82. Articles *Ame*, *Amour*, *Athéisme*, *Celtes*, etc...
83. A d'Alembert, 9 oct. 1756.
84. Voir *Dict. phil.*, art. *Ame*, sections II et III.
85. *Ibid.*, *Athéisme*, sections I et IV.
86. « Ceux qui se sont élevés contre l'opinion de Bayle avec le plus d'emportement, ceux qui lui ont nié avec le plus d'injures... » (*Athéisme, sect.* IV). C'est bien la présentation traditionnelle de l'adversaire.
87. Voir plus haut, pp. 106-107.
88. Art. *Faculté*.
89. Art. *Déluge*. Pour tous ces articles, voir *Dict. phil.* aux mêmes mots.
90. Art. *Songes*.

nisme du sommeil et se lance dans des considérations incompréhensibles ; MENURET [91], qui affirme bien à la légère des idées contestables sur l'influence du soleil et de la lune.

Il est enfin un ordre de connaissances où Voltaire se croit compétent et intervient en homme de l'art : c'est l'agriculture. D'où les critiques de détail dont il crible QUESNAY [92], malgré un vague éloge d'ensemble : discussion sur le rendement des terres, sur le défrichement, sur la culture par les bœufs, sur la liberté du commerce des grains [93]. C'est pour la même raison qu'il réfute un article de DAMILAVILLE [94] qui se plaignait de la dépopulation et de l'abandon des campagnes, et en accusait le goût du luxe ; le châtelain de Ferney proteste et s'inscrit en faux [95].

Voilà le plus clair des critiques et des éloges personnels que Voltaire a exprimés sur les encyclopédistes [96] ; on a pu se rendre compte qu'il ne manque à cette liste aucun nom important [97]. Mais ces diverses observations nous donnent-elles une impression générale ? Quel est donc le jugement porté sur l'ensemble ?

A le dégager de tout ce détail, il paraît très mêlé : pour Voltaire, l'*Encyclopédie* a un tout petit nombre de collaborateurs estimables ; quelques-uns sont de bons spécialistes ; très peu sont des *philosophes* ; il y a même des « intrus » qui encombrent le Dictionnaire de leurs élucubrations insipides ou

91. Art. *Influence*.
92. Art. *Défrichement, Ferme, Grains*, etc...
93. *Dict. phil., Agriculture*.
94. *Population*. Cf. *Dict. phil., id.*, sect. II.
95. Voltaire, écrivant à Damilaville lui-même (21 févr. 1766), lui reproche d'avoir dit du mal de Colbert dans l'article *Vingtième*. Ainsi Damilaville avait eu le malheur de choquer son illustre correspondant dans les deux seuls articles qu'il eût fournis à l'*Encyclopédie*.
96. Citons ici les autres encyclopédistes dont Voltaire a certainement lu des articles sans donner son opinion, ou avec des remarques insignifiantes : BEAUZÉE et DOUCHET (art. *Langues*), BOUCHAUD (*Concile*), D'ABBES DE CABEROLLES (*Figure* en physiologie), DELEYRE (*Fanatisme*), DUCLOS (*Etiquette* ; cf. à d'Alembert, 22 déc. 1756), HALLER (*Génération* ; cf. à d'Argental, 26 févr. 1758), LEBLOND (*Armes, Armées, Bataillon*), LEROI (*Froment*), MALOUIN (*Alchimiste*), NAIGEON (*Unitaires* ; Voltaire attribue à tort cet article à un certain Bragelogne), PESSELIER (*Fermes, Fermier, Finances, Financier* ; cf. à Pesselier, 30 oct. 1758), TARIN (*Anatomie*), TOUSSAINT (*Abbé, Abus, Affirmation*), WATELET (*Figure humaine*). Il convient sans doute d'ajouter à cette liste Buffon (*Nature*), Montesquieu (*Goût*), Morellet (qui prit la théologie à partir du tome VII), J.-J. Rousseau et Turgot, mais nous n'avons aucune indication qui nous permette de l'affirmer.
97. Sauf peut-être d'Holbach ; Voltaire ne s'intéressait guère à la chimie.

de leurs superstitions anachroniques. Et ce mélange de qualités et de défauts empêche Voltaire d'avoir une opinion définitive : tantôt il met l'accent sur le mérite de l'entreprise : « On sait bien que tout n'est pas égal dans cet ouvrage immense..., mais, à tout prendre, l'ouvrage est un service éternel rendu au genre humain » [98] ; et il pense ici surtout à l'effort scientifique des encyclopédistes : « Y avait-il un seul des persécuteurs de l'*Encyclopédie* qui entendît un mot des articles d'astronomie, de dynamique, de géométrie, de métaphysique, de botanique, de médecine, d'anatomie... [99] ? »; tantôt il est plus sensible à la confusion et à la lourdeur de l'œuvre : « Ah ! que je suis fâché de voir tant de stras avec vos beaux diamants [100] ! » et d'Alembert finit par avoir la même opinion que lui sur les inégalités de la collaboration : « Vous avez bien raison de dire qu'on a employé trop de manœuvres à cet ouvrage... C'est un habit d'Arlequin, où il y a quelques morceaux de bonne étoffe, et trop de haillons » [101].

D'une façon générale, on peut dire que l'opinion de Voltaire, mêlée mais assez favorable jusqu'en 1758, est devenue ensuite plus sévère, surtout après la publication des derniers tomes ; c'est bien alors l'impression du « gros fatras »[102] qui domine. Une lettre à Panckoucke, quand celui-ci projetait son *Supplément*, donne le ton : « Un dictionnaire doit être un monument de vérité et de goût, et non pas un magasin de fantaisies. Songez surtout qu'il faut plutôt retrancher qu'ajouter à l'*Encyclopédie*. Il y a des articles qui sont d'une déclamation insupportable... La rage du bel esprit est absolument incompatible avec un bon dictionnaire. L'enthousiasme y nuit encore plus, et les exclamations à la Jean-Jacques sont d'un prodigieux ridicule » [103]. *Plutôt retrancher qu'ajouter*, concentrer la matière trop dispersée, « réduire à l'utile » [104], c'est-à-dire à l'instruction philosophique, c'est le mot d'ordre que nous avons trouvé dans la théorie, c'est maintenant le dernier mot de la critique. Il nous faut voir comment Voltaire a lui-même appliqué ses principes.

98. *Dict. phil.*, art. *Philosophie*, sect. III, note.
99. *Ibid.* Cf. art. *Dictionnaire*, et lettres à Thieriot, 7 déc. 1757, 5 janv. 1758 ; à Palissot, 4 juin 1760.
100. A d'Alembert, 29 déc. 1757 ; cf. au même, 29 janv. 1758.
101. D'Alembert à Voltaire, 22 févr. 1770.
102. A Bertrand, 22 mars 1759.
103. A Panckoucke, 13 févr. 1769. Cf. à Cramer, 31 mars 1770.
104. A Tressan, 13 févr. 1758.

Chapitre second : La collaboration

Nous devons d'abord délimiter cette collaboration en dénombrant les articles de Voltaire et en établissant leur texte exact ; puis nous en chercherons les sources, ce qui nous permettra enfin d'en dégager l'originalité et la portée.

* * *

Dénombrement

Dans les *Nouveaux Mélanges* (1765, 3 vol.), Voltaire réédita à peu près tous ses articles de l'*Encyclopédie* ; il est donc utile de vérifier ces deux éditions l'une par l'autre.

Nous arrivons ainsi à un total de 43 articles [1] ; sur ce nombre, les *Nouveaux Mélanges* publient les 40 premiers en bloc [2], puis séparément un fragment d'*Histoire* [3], et l'article *Imagination* en entier [4], laissant de côté la

1. Ce sont, dans l'ordre : *Elégance, Eloquence, Esprit, Facile, Faction, Fantaisie, Faste, Faveur, Favori, Fausseté, Fécond, Félicité, Fermeté, Feu, Fierté, Figuré, Finesse, Fleuri, Foible, Force, Fornication, Franchise, François, Froid, Galant, Garant, Gazette, Genre de style, Gens de lettres, Gloire-glorieux, Goût, Grâce, Gracieux, Grand-grandeur, Grave-gravité, Habile-habileté, Hautain, Hauteur, Hémistiche, Heureux, Histoire, Idole-idolâtre-idolâtrie, Imagination,* Dans la lettre à d'Argental du 26 févr. 1758, Voltaire parle d'une « cinquantaine d'articles. »

2. Tome II, pp. 265-384.

3. *De l'utilité de l'histoire*, au tome III, pp. 187-189.

4. Tome III, pp. 353-364. Il y a aussi au tome I (pp. 135-139) un fragment intitulé *De l'Idolâtrie* qui reprend plusieurs points de l'article *Idole* ; mais c'est un abrégé, et le détail du texte est très différent.

majeure partie d'*Histoire* et l'ensemble d'*Idole*; mais ce dernier article avait déjà paru l'année précédente, dans le *Dictionnaire philosophique* et Voltaire ne jugeait pas nécessaire de le reproduire ; quant aux autres fragments d'*Histoire*, ils seront repris en 1771, avec des remaniements considérables, dans les *Questions sur l'Encyclopédie*. Ainsi aucun doute sur l'identité des 43 articles [5].

Plusieurs questions se posent cependant, en dehors d'eux. D'abord à propos d'*Historiographe;* les *Nouveaux Mélanges* donnent sous ce titre une étude importante, que les éditeurs de Kehl et leurs successeurs ont insérée dans le *Dictionnaire philosophique* ; mais l'*Encyclopédie* ne la publie pas et donne à la place un article de Diderot ; or, *Historiographe* avait bien été commandé à Voltaire par d'Alembert [6], et Voltaire s'était mis tout de suite au travail ; il est à peu près certain que l'article fut envoyé : en effet, les *Nouveaux Mélanges*, qui paraissent avant que Voltaire ait eu connaissance du tome VIII de l'*Encyclopédie*, où *Historiographe* aurait dû figurer, le donnent à la suite des autres articles effectivement parus [7], sans l'en séparer d'aucune façon ; Voltaire s'attendait évidemment à le trouver dans le tome VIII, aussi bien qu'*Heureux* et *Hémistiche*, mais Diderot l'en avait écarté. La raison peut en être dans la hardiesse de certaines phrases qui pouvaient sembler dangereuses ; par exemple : « Il est bien difficile que l'historiographe d'un prince ne soit pas un menteur. » Sans doute aussi y avait-il le désir de ne pas déplaire à Duclos, historiographe depuis le départ de Voltaire pour la Prusse, et secrétaire perpétuel de l'Académie.

Faut-il classer de même l'article *Honneur* [8], qui, alphabétiquement, se trouverait parmi les derniers travaux de Voltaire pour l'*Encyclopédie* ? La correspondance n'en fait pas mention pas plus que les *Nouveaux Mélanges*. Mais en lisant cet article, on ne peut qu'être frappé de la façon dont il est composé, tout à fait conforme à la méthode des articles de « grammaire et morale » que nous analyserons tout à l'heure : utilisation des *synonymes* de l'abbé Girard, série d'expressions usuelles, citations, fin de l'article en appendice sur les mots dérivés *honorable, honnêteté, honnête, honoraire.* Il est vrai

5. Tous ces articles sont attribués à Voltaire dans l'*Encyclopédie*, sauf 3 d'entre eux, *Habile, Hautain* et *Hauteur*, les 3 premiers du tome VIII, qui sont restés anonymes, sans doute par négligence de l'éditeur.

6. Cf. à d'Alembert, 29 déc. 1757.

7. Après *Heureux*.

8. Paru seulement en 1771 dans les *Questions*.

que certaines remarques dépassent singulièrement le cadre d'un article de grammaire : « C'est précisément dans les cours qu'il y a toujours le moins d'honneur... C'est dans les cours que des hommes sans honneur parviennent souvent aux plus hautes dignités ; et c'est dans les républiques qu'un citoyen déshonoré n'est jamais nommé par le peuple aux charges publiques. » Tout ceci pour réfuter Montesquieu, qui est au contraire cité avec éloge dans l'article *Honneur* (de Jaucourt) publié par l'*Encyclopédie*. Il est possible que celui de Voltaire ait été destiné d'abord à cette publication, puis refusé par Diderot au même titre qu'*Historiographe*.

Il y a aussi la question de *Généreux*. L'*Encyclopédie* donne sous ce nom un article anonyme que Beuchot a cru devoir attribuer à Voltaire sur la foi d'une lettre à d'Alembert [9] : « J'envoie... *Gazette*, *Généreux*, *Genre de style*... etc. » Tous les éditeurs suivants ont reproduit *Généreux* dans le *Dictionnaire philosophique*, et Beuchot se fonde sur la note qui accompagne l'article dans l'*Encyclopédie* [10] pour expliquer l'absence de signature : Diderot, ayant tronqué l'article original, n'aurait pas voulu le donner sous le nom de l'auteur. Mais cette attribution est bien discutable. En effet, les *Nouveaux Mélanges* ne donnent *Généreux* sous aucune forme, ni tronquée ni complète ; or, à voir le soin avec lequel Voltaire reproduit la série de ses articles déjà parus, il est invraisemblable qu'il n'ait pas réédité celui-là, qu'une mise au point nécessaire indiquait tout particulièrement à son attention. D'ailleurs, il suffit de parcourir cette étude pour s'apercevoir qu'elle n'est pas de sa main ; le ton général est celui d'une dissertation, avec un penchant à moraliser selon une casuistique et des exclamations extasiées [11], toutes choses que Voltaire détestait dans ce genre de travail et que nous lui avons vu critiquer sévèrement chez d'autres ; le style est parfois gauche [12] et surtout monotone ; aucun détail piquant, aucun exemple suggestif, aucun bout de phrase alerte ; enfin, la méthode de Voltaire, telle que nous

9. Du 29 nov. 1756.

10. « Ce n'est là qu'une partie des idées qui étaient renfermées dans un article sur la *Générosité* qu'on a communiqué à M. Diderot. Les bornes de cet ouvrage n'ont pas permis de faire usage de cet article en entier. »

11. Par exemple : « Quel bonheur pour l'homme de pouvoir ainsi devenir supérieur à son être ! et quel prix ne doit point avoir à ses yeux... Le beau plan que celui d'un monde où tout le genre humain serait généreux !... De quel bonheur ne jouirait-on pas sur la terre, si la générosité des souverains... »

12. Par exemple, vers la fin : « Mais il y a une économie sage et raisonnée... Voici un trait de cette économie. »

allons la définir, par applications du mot et illustration vivante, n'est pas du tout observée ; cette étude mêle constamment l'usage sémantique, la morale et même la métaphysique [13], et une telle prétention brouillonne est trop contraire à la saine manière de Voltaire pour qu'on puisse hésiter à rejeter l'article [14].

Rappelons, pour terminer, les sujets qu'il a déclinés ou abandonnés : *Formaliste*, *Guerres littéraires* et *Humeur*, tous les trois définitivement écartés, *Généalogie* et *Littérature*, traités dans le *Portatif* de 1764 ; et les sujets qu'il aurait désiré traiter mais qui ne lui furent pas confiés : *Génie* et *Idée*, tous les deux repris dans le *Portatif* [15].

Quant au texte des 43 articles, les éditeurs de Kehl et Beuchot ne l'ont pas toujours donné conforme à celui de l'*Encyclopédie* ; en effet, un certain nombre [16], ayant été repris par Voltaire dans d'autres recueils (*Portatif* ou *Questions*), ont été remaniés et augmentés par lui. Dès lors, les éditeurs successifs ont conservé ce dernier texte sans recourir à l'original. On trouvera, dans le premier Appendice de ce volume, l'essentiel des variantes qui en résultent.

Les Sources.

Au point de vue des sources, on peut distinguer deux catégories d'articles : ceux qui supposent simplement une information grammaticale et sémantique, et ceux qui, traitant une question de fond, ont demandé des recherches multiples et un effort de synthèse.

Pour les premiers, qui sont les plus nombreux, les instruments de travail de Voltaire se réduisent à deux ouvrages essentiels : le *Dictionnaire de Trévoux* et les *Synonymes français* de Girard.

Le *Dictionnaire de Trévoux*, dont l'édition de 1752 était toute récente [17],

13. Par exemple : « L'âme généreuse s'élève donc au-dessus de l'intention que la nature semblait avoir en la formant. »

14. Aucun de ses contemporains ne le lui a attribué. Thieriot lui parle de ses « 17 articles du tome VII » ; et le compte y est bien, sans avoir besoin d'y adjoindre *Généreux*, si l'on se souvient que *Foible* (écrit par un *o*) figure dans ce tome.

15. Pour ces divers titres, voir : à d'Alembert, 9 déc. 1755 et 29 nov. 1756 ; à Diderot, 26 juin 1758.

16. Cinq exactement. Voir l'Appendice I.

17. Les éditions précédentes, au nombre de 5, sont de 1704, 1721, 1732, 1740 et 1743. Une 7e et dernière édition paraîtra en 1771.

s'inspire très souvent de Furetière, que Voltaire ne semble pas avoir eu en main, pour les définitions et la subdivision des sens, mais il donne en général plus d'exemples. Voltaire le cite à quatre reprises, une fois pour une référence [18], les trois autres pour le critiquer, à propos d'une explication de mot [19], d'un galimatias métaphysique [20] et de préjugés sur l'idolâtrie des païens et des Indiens [21]. Mais la critique la plus sévère qu'il pouvait en faire était la façon dont il concevait ses propres articles : il s'attache en effet à distinguer avec précision ce que Furetière et Trévoux mélangent sans vergogne. Deux exemples suffiront. Au mot *Finesse*, Trévoux, reproduisant Furetière, définit : « Délicatesse, subtilité, ruse, adresse, artifice. » C'est proprement obscurcir au lieu d'expliquer. Au mot *Hautain*, Trévoux, renchérissant sur Furetière qui se contentait de quatre équivalents, aligne une troupe imposante : « Grand, sublime, élevé, impérieux, orgueilleux, fier, arrogant, superbe, insolent. » C'est souvent en partant de cette confusion que Voltaire bâtit ses propres articles et fait œuvre originale par réaction contre les insuffisances du Dictionnaire de Trévoux.

Girard avait déjà réagi depuis longtemps. Ses *Synonymes français* avaient paru en 1718 ; mais c'est surtout après 1735 que ce petit livre connut un grand succès ; en moins de vingt ans il s'en fait six ou sept éditions nouvelles [22] ; on publie en tête du volume, après l'*Approbation*, un *Jugement* signé La Barre qui souligne l'originalité du travail : « Cet ouvrage est un très utile supplément aux Dictionnaires, dans lesquels on ne s'est point encore avisé de faire observer les différentes significations des mots qui paraissent se ressembler et qu'on nomme communément synonymes» [23]. L'ouvrage est fait d'une suite d'articles qui rassemblent des séries de synonymes et les distinguent au moyen d'études psychologiques ou morales sur les mots proposés ; ces analyses ne manquent pas de pénétration, elles rappellent souvent la tradition précieuse et s'inspirent de La Rochefoucauld ; mais par là-même elles tombent parfois dans la subtilité et elles ne révèlent

18. Art. *Fornication.*
19. *Fantaisie.*
20. Art. *Force* (dans Trévoux, art. *Inhérent*).
21. Art. *Idole.*
22. Si l'on en croit l'édition Cramer de 1753, qui prétend être «au moins la dixième». Celle de 1735 était la troisième.
23. Ed. 1753, pp. XV-XVI. Ce *jugement* est daté du 10 déc. 1735. Il est suivi d'un extrait de la *Bibliothèque raisonnée* de 1737 (tome XIX, partie II), où l'on fait l'éloge de Girard, tout en relevant une tendance à la subtilité.

pas tant l'*usage* des mots étudiés que le mécanisme psychologique, d'ailleurs discutable, qu'ils représentent. S'il s'agit, par exemple, de distinguer *adresse, souplesse, finesse, ruse* et *artifice*, nous lirons, entre autres détails : « L'*adresse* emploie les moyens ; elle demande de l'intelligence. La *souplesse* évite les obstacles ; elle veut de la docilité. La *finesse* insinue d'une façon insensible ; elle suppose de la pénétration. La *ruse* trompe ; elle a besoin d'une imagination ingénieuse. L'*artifice* surprend ; il se sert d'une dissimulation préparée» [24]. Sous ce cliquetis de mots on voit trop le désir d'établir un équilibre savant, fût-ce au prix de l'exactitude.

C'est bien le défaut que Voltaire discerne dans le livre de Girard, qu'il qualifie pourtant d' « utile » : il y relève de ces fausses symétries, telles que : « Il faut, dans le commerce des dames, de l'esprit... L'entendement est de mise avec les politiques et les courtisans » [25]. Ou encore : « Le bonheur est pour les riches, la félicité pour les sages, la béatitude pour les pauvres d'esprit » [26]. C'est en partant de cette virtuosité factice que Voltaire va essayer la définition naturelle et juste. Mais on doit reconnaître que Girard lui a suggéré maints rapprochements et maintes nuances.

C'est d'ailleurs Girard que l'*Encyclopédie* avait déjà mis à contribution avant que Voltaire ne donnât des articles de littérature. Diderot s'était mis bravement à la besogne ; tantôt il résumait les articles des *Synonymes* en les démarquant légèrement [27], tantôt il faisait des articles nouveaux, mais en disciple consciencieux ; un exemple donnera le ton : « L'*effroi* naît de ce qu'on voit ; la *terreur*, de ce ce qu'on imagine ; l'*alarme*, de ce qu'on apprend ; la *crainte*, de ce qu'on sait ; l'*épouvante*, de ce qu'on présume ; la *peur*, de l'opinion qu'on a ; et l'*appréhension*, de ce qu'on attend » [28]. Avouons que la jonglerie touche ici à la parodie. Il est vrai que Diderot ne s'intéressait guère à cette besogne, et il l'avoue, à la fin du même article : « Tout ce détail regarde plus particulièrement l'Académie française. »

Et on s'étonnera peut-être de ce que nous ne signalions pas le *Diction-*

24. *Synonymes*, p. 5.
25. Art. *Esprit*, sect. III (1771).
26. Art. *Félicité*, Cf. aussi à l'art. *Honneur*.
27. Par exemple pour les articles *Adresse, souplesse...* (Ed. Assezat, t. XIII, p. 226) ; *Agréable, gracieux* (p. 243 ; Girard est nommé dans cet article) ; *Antipathie, haine, aversion, répugnance* (p. 304) ; *Attention, exactitude, vigilance* (p. 338) ; *Audace, hardiesse, effronterie*, etc... etc...
28. Au mot *Alarme* (t. XIII, p. 278) Girard ne donne rien sur ces mots. Cf. *Affliction, chagrin, peine* (p. 231), etc.

naire de l'Académie parmi les sources de Voltaire. Mais c'est qu'il ne pouvait guère servir à son dessein. Trévoux l'intéressait par la collection de citations littéraires qu'il contient, Girard par l'effort d'analyse psychologique ; le Dictionnaire de l'Académie [29] présente uniquement des séries d'exemples sans couleur, d'usage élémentaire ; il recherche la *locution* courante. Si nous l'ouvrons au mot *Fantaisie*, nous trouverons d'abord le même défaut que dans Trévoux par l'accumulation d'équivalences : « Il se prend pour caprice, boutade, bizarrerie ». Puis ce sera l'étalage de locutions banales : « Il a fait cela par fantaisie. Quelle fantaisie vous a pris ? Il a des fantaisies ridicules, etc... » Au mot *Faveur*, les exemples sont encore plus exsangues, si l'on peut dire : « Grande faveur, faveur signalée, extraordinaire, singulière... » Voltaire ne pouvait trouver là aucune suggestion intéressante [30].

Si nous passons maintenant aux articles de fond, tels *Français*, *Histoire* et *Idolâtrie*, ces articles qui « ont exigé des recherches très pénibles » [31], nous y verrons Voltaire utiliser abondamment la documentation qu'il avait rassemblée pour l'*Essai sur les Mœurs*; c'est ainsi que le développement sur la *Nation française* [32] est un résumé de plusieurs chapitres sur les usages et les coutumes [33] ; l'article *Garant* reprend plusieurs anecdotes du Moyen-Age [34]. L'article *Histoire* suppose la lecture et la vérification de nombreux faits dans Tite-Live, dans Hérodote (avec leur reproduction dans Rollin). Voltaire a même eu entre les mains des livres plus spéciaux, tels que l'*Histoire des Tartares* du père Gaubil [35] et sans doute aussi l'*Histoire de l'astronomie chinoise* du même auteur [36]. Il est au courant des découvertes archéologiques de lord Arundel en Grèce [37] ; il connaît les archives anglaises recueil-

29. Nous prenons comme base la 3e édition (de 1740), mais les éditions suivantes ont conservé la même méthode.

30. Nous verrons au chapitre III comment il a lui-même collaboré au Dictionnaire de l'Académie, pour la 4e édition.

31. A d'Argental, 19 mai 1758.

32. Art. *François* (MOLAND, XIX, 178-182).

33. Particulièrement du chap. CXXI : *Usages des XVe et XVIe siècles*.

34. Par exemple sur les circonstances du Congrès de Venise, en 1177 (*Essai sur les mœurs*, chap. XLVIII, *De Frédéric Barberousse)*.

35. Le titre exact est : *Histoire de Gentchiscan* [sic] *et de toute la dynastie des Mongous*, traduite de Tchingiz-Khan par le P. Antoine Gaubil. Paris, 1739, in-4°. (Bibl. Nat. 4° O² q.32).

36. Au tome II de : *Observations mathématiques, astronomiques, géographiques, chronologiques et physiques, tirées des anciens livres chinois*, p. p. le P. E. Souciet. Paris, 1729-1732, 3 tomes en 2 vol. in-4° (B.N. — V 6.361-362). Voir la sect. I de l'art. *Histoire*

37. Art. *Histoire*, sect. I.

lies par Rymer [38]. Enfin et surtout il compulse le grand *Dictionnaire historique* de Moréri [39]. Quand il en parle, c'est pour le critiquer : ainsi Moréri attribue à Tite-Live le récit du supplice de Régulus, alors que l'auteur en est Freinshemius, « Allemand du XVIIe siècle » [40]; le même dictionnaire affirme faussement qu'il ne restait plus d'idolâtres en Europe du temps de Théodore le Jeune [41] ; et, sans le nommer, Voltaire le réfute encore à propos de la définition des idolâtres [42]. Mais d'autre part c'est dans Moréri qu'il puise vraisemblablement toute une série de détails historiques ou plutôt légendaires pour illustrer son scepticisme et son « incertitude » [43] ; c'est Moréri qui lui donne l'idée d'un panorama de la « nation française » étudiée dans son humeur et ses caractères principaux [44].

Telles sont les sources essentielles [45] des articles donnés par Voltaire à l'*Encyclopédie*. Sans doute serait-on en droit aujourd'hui d'exiger davantage, surtout en ce qui concerne les grands sujets ; mais n'oublions pas que Voltaire se plaignait lui-même du manque de livres et ne proposait son œuvre qu' « en tremblant » ; et puis, est-ce par la compilation, voire par l'information scrupuleuse, que nous pouvons maintenant nous intéresser à ses articles ? N'est-ce pas plutôt par ce qu'il y a mis de lui-même ? Il reste cependant que son travail ne fut pas une collaboration négligente et dédaigneuse ; l'exilé de Lausanne et des Délices voulut fournir à l'édifice du grand Dictionnaire quelques « cailloux » consciencieusement triés et polis.

38. Art. *Histoire*, fragment B, aujourd'hui *Pyrrhonisme de l'histoire*, chap. XI.

39. Celui de Bayle, récemment continué par Chaufepié (1752-1756), ne semble pas lui avoir servi. Moréri a dû lui paraître plus pratique, d'abord par sa présentation plus claire, et aussi par la place qu'il fait à des sujets généraux (comme *France*, *Idoles*), tandis que Bayle présente seulement un classement par noms de personnes.

40. Art. *Histoire*, sect. III. Incertitude de l'Histoire. Cf. MORÉRI, I, 465, art *Attilius Régulus*.

41. Art. *Idole*, sect. III. Cf. MORÉRI, VI, 235, art. *Idoles*.

42. Moréri dit à l'article *Idoles* (t. VI, p. 232) : « Le commun des païens a cru que la divinité habitait véritablement dans ces statues d'or, d'argent ou d'autre matière. »

43. Par exemple l'anecdote de l'augure *Naevius* (MORÉRI, I, 117, *Actius Naevius*), la fable d'Orion, (VIII, 102, *Orion*), etc...

44. MORÉRI, V, 288, art. *France : Du génie des Français*. Moréri y ajoutait d'ailleurs une étude sur le génie des diverses provinces, étude renouvelée de Baillet (Cf. *Rev. hist. litt.*, 1936, pp. 432-433). Mais Voltaire, sauf un détail, n'a pas repris cette idée.

45. Il conviendrait d'y ajouter de multiples lectures ou des souvenirs de lectures : le *Traité des Etudes* de Rollin (pour l'article *Eloquence*), des textes de Marc-Aurèle, Epictète, Maxime de Madaure... (pour l'article *Idole*).

LES ARTICLES DE DÉFINITION.

Les deux tiers des articles de Voltaire sont de pure définition ; si nous laissons de côté ceux d'entre eux où manifestement il n'a pas trouvé de matière curieuse à étudier [46], nous en avons encore une vingtaine pour lesquels il a fait œuvre originale.

Notons d'abord sa décision d'écarter tout développement *moral* trop facile : « C'est au lecteur à faire là-dessus ses réflexions. Il y a bien des articles sur lesquels il peut s'en dire plus qu'on ne lui en doit dire. *En fait d'arts, il faut l'instruire ; en fait de morale, il faut le laisser penser* » [47]. (C'est nous qui soulignons.) Voilà donc qui limite délibérément ce genre de travail, et nous voyons que Voltaire entend toujours condamner les « inutiles déclamations » de certains de ses confrères : « Ceux auxquels [on] confie de petits articles de littérature doivent avoir le mérite d'être courts » [48]. Et il tient parole : ses « petits articles » sont modestes et objectifs ; jamais il ne prend un mot comme prétexte à dissertation. Sa première qualité est la pertinence.

Mais encore ne suffit-il pas d'être court ; il faut aussi avoir des choses substantielles à dire. Quel est donc le contenu de ces essais ? C'est à peu près uniquement un travail de précision sur le sens des mots étudiés. L'étymologie ne doit pas retenir l'attention quand elle n'apporte aucun élément de clarté : « Il importe plus de savoir la signification des mots que leur source [49] »,

46. Ce sont : *Faste*, résumé très pâle de Trévoux ; *Favori ; Félicité*, où Girard est utilisé, malgré la critique d'une de ses phrases ; *Fermeté*, tout juste relevé par une controverse sur l'expression « style ferme » (en 1771, Trévoux reproduira cette discussion) et où Voltaire laisse de côté les distinctions de Girard (p. 245) entre la fermeté, la stabilité et la constance ; *Fornication*, article insignifiant, abondamment complété par d'Alembert au point de vue historique ; *Franchise*, simple résumé de Trévoux (Girard, p. 243, distinguait franchise, sincérité, naïveté et ingénuité) ; *Galant* ; et *Gracieux*, très court et négligeant les distinctions de Girard (p. 174) entre gracieux, honnête, civil, poli et affable.

Parfois, Voltaire essaie de relever ces articles trop ternes par un mot piquant ; par exemple, pour *Faste* : « Un religieux qui fait parade de sa vertu met du faste jusque dans l'humilité même » ; et pour *Favori* : « Un ancien a dit : Qui doit être le favori d'un roi ? C'est le peuple ». Mais il est visible que ces sujets ne l'ont pas inspiré, et c'est à eux qu'il fait allusion dans la lettre à d'Argental du 26 février 1758.

47. Art. *Heureux*.

48. Art. *Habile*.

49. Art. *Habile*.

et, de fait, Voltaire ne s'y attarde jamais [50] ; les digressions historiques et littéraires ne peuvent s'étendre qu'avec des sujets importants (nous verrons cependant que Voltaire incline souvent le développement de ce côté, même pour des mots d'apparence insignifiante, comme *Facile, Force, Froid)*. Dans ces conditions, l'étude du sens devient l'objet principal de l'article.

Eh bien ! sur une matière aussi ingrate et qui pouvait d'abord paraître banale, Voltaire a fait un travail personnel. D'abord, la question des synonymes l'intéresse, et il ne manque guère l'occasion [51] de s'exercer à ces distinctions utiles. Au livre de Girard, il emprunte parfois des éléments précis, comme pour le mot *Finesse* [52], parfois seulement l'idée du rapprochement des synonymes, comme pour *Fierté* [53] ; mais plus souvent encore il combine ses rapprochements lui-même, soit qu'il s'attache à d'autres synonymes pour le même mot [54], soit qu'il établisse des distinctions nouvelles [55].

Ces synonymes lui permettent de manifester la clarté de son esprit. Girard, nous l'avons vu, cherchait la parallélisme à tout prix, et, d'un article à l'autre, il lui arrivait de se contredire ou d'employer la même définition pour des mots différents [56]. Voltaire procède tout autrement : d'abord, quand le mot lui paraît complexe, il le décompose par l'emploi et établit ainsi plusieurs nuances : « La fierté dans l'extérieur est l'expression de l'orgueil ; la fierté dans l'âme est de la grandeur. Les nuances sont si délicates qu'esprit fier est un blâme, âme fière une louange » [57]. Puis, quand il passe aux synonymes, il n'est pas esclave de la symétrie et cherche surtout à trouver le trait individuel de chaque mot : « Le fier tient de l'arrogant et du

50. Pour deux mots il en tire des précisions intéressantes : *Elégance* et *Idole*.

51. Tout juste laisse-t-il dans Girard, sans les utiliser, les distinctions *Facile-aisé*, *Grave-sérieux-prude* et *Habile-savant-docte*.

52. GIRARD, p. 158 : « *Fin* sert également pour les traits de malignité comme pour ceux de bonté... *Délicat* ne sied pas aux traits malins... Ainsi l'on dit une satire fine, une louange délicate. »

53. Girard distingue *fierté* et *dédain* (p. 158), puis, plus loin, *orgueil, vanité* et *présomption* (p. 206).

54. Par exemple, Girard distingue *Grâces* et *Agréments* (p. 165), Voltaire *Grâce* et *Beauté*.

55. C'est le cas pour *Faction* (distingué de *Parti*), *Fausseté* (*Mensonge, Erreur*), *Faveur (Grâce)*, *Fécond (Fertile)*, *Glorieux (Fier, Avantageux)*, *Hautain (Haut, Insolent, Impérieux)*, etc...

56. Ainsi, à *Fierté* (p. 158), nous lisons : « La fierté est fondée sur l'estime qu'on a de soi-même », et à *Orgueil* (p. 206) : « L'orgueil fait que nous nous estimons. » Girard n'a pas rapproché ces deux mots pour les distinguer.

57. Art. *Fierté*.

dédaigneux, et se communique peu. L'avantageux abuse de la moindre déférence qu'on a pour lui. L'orgueilleux étale l'excès de la bonne opinion qu'il a de lui-même »[58]. On aura remarqué le début : « Le fier tient de l'arrogant et du dédaigneux » ; une telle phrase, que Girard n'aurait jamais écrite, est une indication de réalisme sémantique : certains mots *tiennent* les uns des autres et l'on ne saurait absolument trancher entre eux : « La fierté n'est pas simplement la vanité, qui consiste à se faire valoir par les petites choses ; elle n'est pas la présomption, qui se croit capable des grandes ; elle n'est pas le dédain, qui ajoute encore le mépris des autres à l'air de la grande opinion de soi-même ; mais elle s'allie intimement avec tous ces défauts »[59]. Voilà donc un premier principe établi : l'étendue de signification est variable ; tel mot en recouvre plusieurs autres sans être intégralement chacun d'eux. Et voici un deuxième principe : il y a des degrés de signification d'un mot à l'autre, avec une base commune ; tel mot est le superlatif d'un autre : « Hautain est le superlatif de haut et d'altier »[60]. Et Voltaire montrera plus loin que hautain a lui aussi un superlatif, qui est insolent. Ces degrés de signification peuvent d'ailleurs s'appliquer à d'autres idées que le plus et le moins, comme par exemple l'intérieur et l'extérieur : Haut et hautain tiennent de l'extérieur ; dès lors on peut écrire sans synonymie : « L'âme haute est l'âme grande ; la hautaine est superbe », en définissant chaque fois le dehors par le dedans. Enfin un troisième principe aidera à distinguer les synonymes les plus récalcitrants : c'est l'usage, et dès lors il n'y aura plus une véritable différence de sens, mais seulement une différence d'emploi : « La maxime, qu'il n'y a point de synonymes, veut dire seulement qu'on ne peut se servir dans toutes les occasions des mêmes mots »[61]. Ainsi « on féconde des œufs, on ne les fertilise pas ; la nature n'est pas fertile, elle est féconde ». Le Dictionnaire de Trévoux, qui, jusqu'en 1752, n'avait pas distingué ces deux mots, se pique au jeu en 1771, et après avoir cité Voltaire, conclut : « Fécond est relatif à la puissance de produire, Fertile aux productions mêmes » ; mais que dire alors de « terrain fertile »? Voltaire s'était gardé de chercher une formule, sachant bien qu'ici l'usage seul pouvait distinguer[62].

58. Art. *Gloire, Glorieux.*
59. Art. *Fierté.*
60. Art. *Hautain.*
61. Art. *Fécond.*
62. Relevons, parmi les bonnes distinctions faites par Voltaire : « La fausseté

D'ailleurs les définitions abstraites l'attirent toujours moins que l'usage et les exemples vivants. Car, et c'est ici qu'il est vraiment novateur, il ne collectionne pas, comme le faisaient Trévoux et Furetière, des citations littéraires alignées sans commentaires et nécessairement décousues : il fait ses exemples lui-même, chaque fois adaptées au contexte et il les insère dans le développement général ; bien mieux, il en profite pour faire, tout en se jouant, des comparaisons (souvent littéraires) et présenter des jugements personnels. Voici le début de *Facile* : « Le pinceau du Corrège est facile. Le style de Quinault est beaucoup plus facile que celui de Despréaux... Cette facilité, en peinture, en musique, en éloquence, en poésie, consiste dans un naturel heureux, qui n'admet aucun tour de recherche, et qui peut se passer de force et de profondeur. Ainsi les tableaux de Paul Véronèse ont un air plus facile et moins fini que ceux de Michel-Ange. Les symphonies de Rameau sont supérieures à celles de Lulli, et semblent moins faciles... » Ce procédé se réduit parfois à proposer des exemples courants, un peu comme dans le Dictionnaire de l'Académie, mais la banalité est évitée par la vivacité du ton et l'opposition des synonymes : « Il a eu la *fantaisie* de la musique, et il s'en est dégoûté par *caprice*[63]. — On obtient la *faveur* de son auditoire par la modestie ; mais il ne vous fait pas *grâce* si vous êtes trop long [64]. — Il peut être *capable* de commander ; mais pour acquérir le nom d'*habile* général, il faut qu'il ait commandé plus d'une fois avec succès... » [65]. Dans d'autres cas, les exemples se haussent au contraire jusqu'à des jugements historiques : « Un chef de *parti* est toujours un chef de *faction* ; tels ont été le cardinal de Retz, Henri duc de Guise, et tant d'autres[66]. — Attila eut beaucoup d'*éclat*, mais il n'a point de *gloire*, parce que l'histoire, qui peut se tromper, ne lui donne point de vertus[67]. — Tout le monde convient que Crom-

tombe plus sur les faits, l'erreur sur les opinions (art. *Fausseté*). — Obtenir grâce est l'effet d'un moment, obtenir la faveur est l'effet du temps (art. *Faveur*). — Fantaisie veut dire un désir singulier, un goût passager... Fantaisie est moins que bizarrerie et que caprice. Le caprice peut signifier un dégoût subit et déraisonnable... La bizarrerie donne une idée d'inconséquence et de mauvais goût que la fantaisie n'exprime pas... Il y a encore des nuances entre avoir des fantaisies et être fantasque... Ce mot désigne un caractère inégal et brusque. L'idée d'agrément est exclue du mot fantasque, au lieu qu'il y a des fantaisies agréables (art. *Fantaisie*) », etc...

63. Art. *Fantaisie*.
64. Art. *Faveur*.
65. Art. *Habile*.
66. Art. *Faction*.
67. Art. *Gloire*.

well était le général le plus intrépide de son temps, le plus profond politique... ; nul écrivain, cependant, ne lui donne le titre de grand homme... [68] » Souvent même l'allusion historique s'attarde davantage et ce sont alors de véritables anecdotes où tel personnage, par ses paroles, a fait preuve de *finesse* ou de *hauteur* [69] ; on peut ainsi juger sur la pièce. Enfin le dernier déguisement de l'exemple concret, c'est le trait philosophique ou épigrammatique : tantôt une pensée politique inattendue : « La *faveur* des princes est l'effet de leur goût et de la complaisance assidue ; la *faveur* du peuple suppose quelquefois du mérite, et plus souvent un hasard heureux » ; tantôt une note satirique : « Les écrivains ont loué la *fierté* de la démarche de Louis XIV ; ils auraient dû se contenter d'en remarquer la noblesse » ; tantôt une simple malice : « On dit : entreprendre au delà de ses *forces*, le travail de l'*Encyclopédie* est au-dessus des *forces* de ceux qui se sont déchaînés contre ce livre » [70]. C'est par cette variété de ton, par le passage de l'abstrait au concret et du sévère au plaisant, que Voltaire pensait rendre ces articles ingrats plus lisibles ; et du même coup la variété servait à la définition, reprise ainsi sur divers registres et retournée en tous sens au point de livrer toutes ses finesses.

Car nous n'avons encore parlé que des morceaux de définition pure. A côté d'eux, et presque dans tous les articles, se logent des digressions assez abondantes. Ces digressions sont quelquefois historiques, comme pour le mot *Grand*, où se place une étude sur les grands d'Espagne et sur les grands officiers de la couronne en France ; — ou philosophiques, comme dans l'article *Gloire*. Mais c'est la digression littéraire que Voltaire aime le plus ; sur les vingt articles qui nous occupent en ce moment, il y en a bien la moitié qui présentent ce genre de développement sous la forme d'appréciations et de conseils. Il arrive que cette digression soit rapide et comme échappée à un mouvement de curiosité : c'est le cas pour le mot *Facile* où l'on discute pour savoir si les vers faciles sont toujours difficiles à faire ; pour *Feu* (définition du feu dans les écrits) ; pour *Finesse*, où l'on délimite les domaines respectifs de la finesse et de la délicatesse, l'une plus propre à l'épigrammes, l'autre au madrigal ; pour *Force* (force de l'éloquence et de la poésie) ; pour *Froid :* ici tout l'article est sur ce ton, mais sa brièveté peut le faire consi-

68. Art. *Grand, Grandeur*.

69. A l'article *Finesse*, c'est un président du Parlement qui répond au chancelier ; à l'article *Hauteur*, on a un mot de Popilius et un mot du duc d'Orléans.

70. Voir articles *Faveur, Fierté, Force*.

dérer comme une digression du long article scientifique qui précède [71] ; pour *Grave*, qui permet de définir un auteur grave et la gravité du style. On le voit, Voltaire fait rendre à ces mots tout ce qu'ils peuvent en matière littéraire ; il sait pourtant ne pas en abuser et, chaque fois, l'article retrouve son équilibre et sa modestie.

Mais il est des mots plus suggestifs qui, malgré la sobriété du développement, fournissent des aperçus de théorie littéraire et nous conduisent déjà hors des articles de pure définition : ce sont *Fleuri*, *Foible* et *Grâce*. Nous apprenons ce qu'est le style fleuri, grâce à deux passages de Quinault, et à quels genres il convient, bien placé dans les « pièces de pur agrément » et quelquefois dans l'ode, déplacé dans la comédie et surtout dans la tragédie. Nous apprenons en quoi consiste la faiblesse du raisonnement, celle du style ; quant aux vers faibles, ce « ne sont pas ceux qui pêchent contre les règles, mais contre le génie ». Nous mesurons l'importance des grâces dans un ouvrage de l'esprit tout en constatant que les « beautés fortes » peuvent s'en passer, et nous comparons l'Albane à Michel-Ange, l'Hercule Farnèse à l'Apollon du Belvédère. Cette tendance aux comparaisons esthétiques s'était déjà manifestée, nous l'avons vu, dans des articles moins littéraires, comme *Facile*. C'est dire que Voltaire y prend un plaisir certain et, dès que le mot étudié le lui permet, il cherche à instruire le lecteur en matière d'art et à former son goût.

Là est bien son originalité. Dans les autres dictionnaires, on a assez fait quand on a présenté au lecteur une série de locutions ou de citations réparties par affinités mais sans lien logique entre elles ; il faut à chaque pas faire un effort d'adaptation, et de tels articles sont plutôt consultés pour les détails que lus d'une traite ; aucune vie organique ne les anime. Au contraire, les articles de Voltaire se lisent sans peine, car ils sont orientés d'un bout à l'autre par un guide complaisant et zélé ; il ne s'agit pas pour lui de satisfaire seulement la curiosité, il faut apprendre à classer les valeurs ; il ne cite pas, il juge ; ce n'est pas un compilateur, c'est un maître.

71. Par d'Aumont. On pourrait en dire autant de *Feu*, qui, on le devine, est précédé de longues études signées d'Alembert, Formey, Louis, Leblond, Bourgelat, de Jaucourt, etc.

Les articles de théorie littéraire.

Nous arrivons ainsi tout naturellement aux articles purement littéraires [72]. Est-ce hasard ? Est-ce en partie un dessein arrêté [73] ? Mais l'ensemble de ces dix ou douze articles pourrait former comme un répertoire des questions les plus importantes qui délimitent le goût de Voltaire. C'est la partie vraiment solide de sa collaboration à l'*Encyclopédie* : les articles de définition, malgré leur perfection, ne pouvaient être que des spécimens isolés ; les articles philosophiques, que nous examinerons plus loin, ne seront que des essais, et des suggestions ; ici, au contraire, nous sommes en présence d'une matière riche et complète, c'est l'homme du métier qui parle.

Dans les limites de notre compte rendu ne saurait entrer l'étude du goût de Voltaire, que l'on trouvera ailleurs [74]; il nous appartient en ce moment de tracer la silhouette des articles qui en relèvent. Trois d'entre eux restent un peu en marge, s'occupant plutôt d'histoire littéraire que de goût : *François*, *Gazette* et *Gens de Lettres*. L'article *François*, du moins dans sa dernière partie [75], traite même spécialement l'histoire de la langue : ses origines, ses éléments (celte, latin, allemand), son caractère ; mais il faut reconnaître qu'en matière d'étymologie Voltaire commet de nombreuses erreurs ; pour l'allemand, le latin et le grec savant [76], ses assertions sont exactes ; quand il s'agit de *celte* ou d'*ancien gaulois*, il se trompe à chaque coup [77], faute de réflexion suffisante : il attribue au celte les mots douteux

72. Dans l'*Encyclopédie* rien ne les distingue des autres par la présentation, sinon que les rubriques *Grammaire* et *Morale* sont plutôt réservées aux articles de définition ; mais les rubriques *Littérature* et *Belles-Lettres* sont distribuées au hasard, un peu partout.

73. Un titre comme *Genre de style* a bien l'air d'être prémédité ; il ne s'imposait pas dans l'ordre alphabétique. D'autre part, nous savons que Voltaire a revendiqué *Goût* et *Imagination* assez longtemps à l'avance.

74. Voir notre thèse principale.

75. Voir *Appendice I; fragment D* de l'article.

76. Dans les *Questions sur l'Encyclopédie*, il écrira un article *Grec* où il essaiera de déterminer une origine grecque pour certains mots d'usage courant ; mais ses rapprochements sont presque tous fantaisistes.

77. Au point de tirer du celte des mots comme *pointe, parler, écouter*. Dans les *Questions* (1771), il reprendra le sujet et donnera une liste beaucoup plus longue de mots celtes ou *teutons* (Moland, XIX, 186-187), se trompant souvent encore (comme pour *battre, bouche, chat, devis*, etc...), mais citant cette fois de vrais mots celtes (comme *balai, bec, gobelet*...) et de nombreux mots germaniques.

ou dont l'origine latine se cache derrière des déformations phonétiques. Ce morceau est certainement la partie la plus faible de son travail. L'article *Gens de lettres* retrace l'évolution de la classe des hommes cultivés, depuis le *grammairien* de l'antiquité jusqu'au *philosophe* du XVIIIe siècle, et nous retrouverons tout à l'heure ce développement destiné à la propagande [78]. Quant à l'article *Gazette*, il expose brièvement l'origine des gazettes politiques et littéraires et critique successivement leur grandiloquence et leur malignité.

Et voici maintenant les grands articles de théorie, en tête *Elégance* et *Eloquence*, que rapproche intelligemment l'alphabet et qui donnent les deux aspects fondamentaux de la littérature ; *Genre de style* les complète ; puis *Esprit* et *Goût*, qui nous font pénétrer au cœur du sanctuaire (nous ne regretterons jamais assez que Voltaire n'ait pas écrit *Génie*, qui serait venu se placer harmonieusement à côté de ces deux articles), des annexes comme *Figuré*, *Imagination* et même un traité technique : *Hémistiche;* enfin, couronnant l'œuvre, une étude magistrale : *Histoire*.

La distinction entre l'*élégance* et l'*éloquence* était classique. Le Dictionnaire de Trévoux la présente ainsi : « L'élégance s'applique plus à la beauté des mots et à l'arrangement de la phrase. L'éloquence s'attache plus à la force des termes et à l'ordre des idées. » Voltaire ne s'en tient pas à cette opposition un peu simple [79] ; il fait de l'élégance une partie de l'éloquence, mais une partie dont il faut connaître les limites et qui ne doit pas compromettre l'ensemble par un développement excessif ; il en analyse les éléments, soulignant le nombre et l'harmonie, ce qui rend l'élégance nécessaire à la poésie [80] ; et suivant son habitude il donne quelques exemples. Mais c'est surtout l'article *Eloquence* qui est remarquable par l'abondance des extraits ; Voltaire y donne deux morceaux copieux, l'un de Massillon, l'autre de Mézerai, en conclusion d'une étude historique où ont figuré les préceptes

78. L'expression *Gens de lettres*, assez récente alors dans le vocalubaire courant, figure cependant dans l'édition de 1752 du *Dictionnaire de Trévoux* (tome IV, p. 220).

79. Il reprend cependant presque mot à mot une phrase de Trévoux : « Un discours peut être élégant sans être bon ; mais il ne peut être bon sans être élégant. »

80. On voit que, pour Voltaire, l'élégance est une qualité primordiale, alors que d'autres la tenaient pour inférieure. On lit par exemple dans Richelet, à la définition du mot : « L'art d'écrire borné à l'élocution, au choix des mots, à la construction, à l'arrondissement des périodes, est à la portée de toutes sortes d'esprits, s'ils travaillent avec soin. » On remarquera aussi que Voltaire proteste contre la « sévérité des anciens Romains », qui traitaient l'élégance d'afféterie.

d'Aristote et de Cicéron ; il semble surtout goûter dans l'éloquence l'énergique et le sublime, y voyant moins un produit de la rhétorique qu'un art naturel [81] et insistant sur la fréquence de traits éloquents dans le langage du peuple dès que les circonstances y engagent ; de là ce mot assez étonnant en apparence : « Les âmes fortes se rencontrent beaucoup plus souvent que les beaux esprits [82]. »

Et ceci nous amène directement à la définition de l'*Esprit*, la plus caractéristique sans doute et la plus nuancée. Avant Voltaire, les définitions portent soit sur le sens très général : « l'âme en tant qu'elle juge, qu'elle imagine, qu'elle se souvient [83] », soit sur l'emploi particulier de *bel esprit*, et ici, on reproduit régulièrement la formule de Bouhours : «c'est le bon sens qui brille » ; puis on ne cache pas que le mot est souvent péjoratif ; Richelet avoue naïvement : «Le titre de bel esprit est présentement fort décrié, et je ne sais s'il ne vaudrait pas mieux être un peu bête que de passer pour ce qu'on appelle communément bel esprit. » Girard [84] dit même que l'esprit « n'est pas absolument incompatible avec un peu de folie ou d'étourderie ». Bref, il y avait là une réputation à refaire ; Voltaire s'y emploie [85]. Distinguant le bel esprit, qui n'est trop souvent qu'une « affiche » [86], du véritable esprit, qui est une « qualité de l'âme », il propose pour celui-ci la formule « raison ingénieuse » mais en marque la complexité ; l'Esprit doit *tenir* de plusieurs mérites à la fois : jugement, génie, goût, talent, pénétration, étendue, grâce, finesse ; il n'est pas entièrement chacun d'eux, mais puise à toutes ces sources [87], se portant de préférence vers telle ou telle suivant le caractère personnel. A côté de ces vertus changeantes, l'*ingéniosité* est cependant le signe distinctif, et il faut entendre par là la faculté de s'exprimer d'une façon nouvelle et à propos ; et l'à-propos n'est pas moins nécessaire que la nouveauté ; sans lui, l'esprit est *déplacé;* d'autre part, cette nouveauté

81. Furetière et Trévoux se bornaient à la définir : « Art de bien dire ; science de toucher et de persuader. »

82. Ce mot confirme ce que nous disions plus haut (note 80) sur la place prééminente que Voltaire donne à l'élégance.

83. Furetière. Définition très voisine dans Richelet et Trévoux.

84. *Synonymes*, p. 135.

85. L'article *Esprit* publié dans l'*Encyclopédie* forme aujourd'hui la section II, dans l'édition Moland.

86. Il convient ici du sens fréquemment péjoratif de « bel esprit » ; tout à l'heure, en opposant les *beaux esprits* aux *âmes fortes*, il lui gardait une acception favorable.

87. Nous reconnaissons là le procédé de Voltaire (déjà souligné pour sa définition de *Fierté*), qui se refuse à exclure et à trancher quand la réalité est multiple.

doit paraître naturelle, sinon on tombe dans le *faux esprit*, qui est un abus de l'esprit, différent en cela du *faux goût*, qui en est plutôt l'insuffisance. Ainsi on s'avance dangereusement sur ce sentier étroit ; et nous comprenons mieux maintenant le mot de tout à l'heure sur la rareté des beaux esprits par rapport aux âmes fortes : celles-ci n'ont qu'à consulter la Nature ; les autres doivent concilier sans effort cette même nature et l'extrême finesse de la civilisation ; elles ne sauraient y parvenir sans cette qualité maîtresse qui, tout en faisant partie de l'Esprit, le dépasse et souvent le commande : le Goût.

L'article *Goût* [88] ne nous apportera pas de discussion très précieuse ; Voltaire semble l'avoir écrit surtout pour les profanes et ne leur a pas confié les difficultés qu'il traite si fréquemment par ailleurs. Néanmoins, nous avons une bonne définition du goût : « un discernement prompt, comme celui de la langue et du palais, et qui prévient comme lui la réflexion ;... il est souvent, comme lui, incertain et égaré... et ayant quelquefois besoin d'habitude pour se former ». Nous sommes loin de la définition sommaire des dictionnaires antérieurs : « finesse du jugement [89] » ; nous avons à la fois l'idée d'une sorte de sens naturel, indépendant de la réflexion, et la théorie de la perfectibilité du goût. C'est surtout cette dernière que Voltaire développe ensuite, d'une part dans l'individu, d'autre part, dans l'histoire d'une nation, et l'on aboutit alors à la conception de l'évolution historique du goût, sans que cela implique d'ailleurs sa relativité : le goût n'est pas arbitraire quand il concerne la beauté ; il ne peut l'être que s'il s'agit de la mode, et on doit dans ce cas l'appeler plutôt fantaisie [90].

A ces articles de base rattachons tout de suite *Genre de style*, qui est une application particulière du goût. « La perfection consisterait à savoir assortir toujours son style à la matière qu'on traite » ; deux genres se détachent nettement : le *simple* et le *relevé*, mais dans l'intervalle on peut trouver toutes les nuances ; il y a un vaste territoire neutre entre la tragédie et la comédie, et des citations de Virgile et de Racine viennent le confirmer. C'est nécessairement le goût qui indique le ton à prendre ; c'est encore lui qui « fixe les bornes qu'on doit donner au style figuré dans chaque genre » : voilà le thème

88. C'est la section I de l'article complet, dans l'éd. Moland.

89. C'est l'expression du *Dictionnaire de l'Académie*. Trévoux fait une dissertation, mais sans aboutir à une notion claire.

90. Les questions soulevées par l'article *Goût* sont étudiées dans notre thèse principale, 3e partie, surtout chap. II.

principal de l'article *Figure* [91], dont *Imagination* est le développement ; l'imagination est un des éléments de la poésie, mais, de même que l'esprit, elle doit être naturelle et utilisée à propos ; c'est dans la tragédie que son emploi est le plus délicat [92]. Quant à *Hémistiche*, que Voltaire s'excuse d'avoir fait si long malgré l'exiguïté du sujet, et qui contient de nombreuses remarques de versification et même de versification comparée, c'est peut-être l'article qui montre le mieux combien il désirait faire pencher sa collaboration vers les conseils techniques concernant la littérature.

En effet, de tout ce qui précède il résulte que Voltaire a un double but : former l'homme de goût, le connaisseur, mais aussi former l'écrivain en lui montrant les finesses du métier et en le mettant en garde contre les défauts brillants ; une de ses vocations était la pédagogie littéraire. A cet égard, le plus gros effort qu'il ait fait comme encyclopédiste, c'est l'article *Histoire* [93]. Ce sujet est de ceux qu'il a repris jusqu'à satiété, mais presque uniquement du point de vue philosophique : c'est en effet tantôt le « pyrrhonisme », tantôt le principe de l'histoire « générale » et humaine, qui réapparaissent dans ses diverses études sur l'Histoire [94] ; tout juste peut-on trouver dans la 2e partie du *Supplément au Siècle de Louis XIV* (1753) des considérations littéraires sur les harangues et les portraits. D'autre part, jamais Voltaire n'essaiera de traiter à la fois tous les problèmes qui se rattachent à l'Histoire, comme il l'a fait dans son article de l'*Encyclopédie* : ici vraiment il veut satisfaire le lecteur ; méthodiquement il part de la définition et des fondements de l'Histoire, écartant les fables et les récits miraculeux et cherchant s'il reste des « monuments incontestables » de la vie des anciens peuples ; devant la rareté de ces monuments et l'ignorance si prolongée de l'écriture, il conclut sur ce point au « pyrrhonisme » complet [95] ; de là il passe à quelques historiens de l'antiquité, critique Hérodote tout en reconnaissant son mérite, et, de proche en proche, montre que presque jusqu'à nos jours le défaut d'archives empêche d'établir toute la vérité [96] ; bref, il

91. Voir l'*Appendice I*.

92. Trévoux et Furetière ne s'occupent guère de l'imagination que du point de vue physiologique et métaphysique.

93. Voir l'*Appendice* I.

94. Par exemple dans les *Remarques sur la manière d'étudier et d'écrire l'histoire* (1742), ou dans les *Remarques pour servir de supplément à l'Essai sur les Mœurs* (1763), ou dans le *Pyrrhonisme de l'histoire* (1769).

95. Fragment A dans notre *Appendice I*.

96. Fragment B.

faut surtout voir dans l'Histoire une instruction morale et politique et c'est par là que son étude est fructueuse [97]. Ici il paraît y avoir un flottement dans l'article ; après ce développement cohérent qui se terminait par l'« utilité de l'histoire », on revient à sa « certitude » et à son « incertitude », et on discute de nouveau des « monuments » ; et sans doute y a-t-il des idées nouvelles à propos du critérium de la certitude, et des faits nouveaux sur l'histoire romaine, mais on voit que Voltaire a repris le thème du début de l'article sans chercher à fondre les deux morceaux, et c'est là sans doute une trace de ces multiples remaniements que subit l'article dans les derniers mois de 1756 sans que son auteur en fût tout à fait content [98]. Après ce flottement, l'exposé se poursuit et devient franchement littéraire : doit-on faire des portraits et reproduire des harangues ? peut-on être satirique [99] ? Enfin quels rapports y a-t-il entre les connaissances du lecteur et l'abondance du développement, entre le sujet et le style [100] ? On le voit : Voltaire présente une masse de problèmes de tout premier ordre, auxquels il s'est efforcé de répondre avec prudence et compétence. L'article *Histoire* n'est pas seulement l'étude la plus sérieuse de sa collaboration, c'est aussi un des grands articles de l'*Encyclopédie*.

Il peut aussi servir d'exemple des remaniements auxquels se livrait Voltaire quand un sujet le passionnait : en effet, en dehors des transformations primitives de 1756, dont il ne reste aucune trace, il est possible de rapprocher du texte de l'*Encyclopédie* non seulement celui des *Questions* de 1771, mais aussi diverses publications, où figurent des morceaux destinés à entrer de quelque façon dans les cadres de l'article *Histoire* [101]. Ces ouvrages, tels que le *Pyrrhonisme de l'Histoire*, ouvriraient encore d'autres perspectives pour tous les textes voisins qui auraient pu eux aussi y trouver place [102], si bien que l'article encyclopédique se trouve à la tête d'une lignée multiple sans bornes certaines, où les répétitions foisonnent à côté des suppléments, des suppressions et des variantes [103].

97. Début du fragment C.
98. A d'Alembert, 9 oct. et 29 nov. 1756.
99. Ici se termine le fragment C.
100. Fragment D.
101. Voir *Appendices I* et *II*.
102. Les éditeurs de Kehl ont bien inséré dans leur « Dictionnaire philosophique » de nombreuses *sections* tirées d'ouvrages divers, mais par un choix purement arbitraire.
103. Les éditions Beuchot et Moland, presque toujours esclaves des partis pris illogiques de Kehl, donnent très mal l'idée de cette complexité. On ne peut y retrouver

La plupart des autres articles de théorie littéraire ont paru assez intéressants à Voltaire pour mériter d'être remis sur le métier : tantôt il en réédite l'essentiel, avec des variantes *(Eloquence)* ; tantôt il les augmente considérablement et les remanie *(François, Figuré)* ; tantôt il écrit de nouvelles « sections » que l'on rapprochera plus tard des textes primitifs *(Esprit, Goût)*. En général, les modifications et les suppléments sont de tendance *philosophique* et satirique ; c'est que dans l'*Encyclopédie* Voltaire restait prudent et ne disait pas toute sa pensée. Et ceci nous amène à examiner dans quelle mesure il a osé tout de même.

LES ARTICLES PHILOSOPHIQUES.

Observons d'abord que chronologiquement les vingt-deux premiers articles (jusqu'à *Franchise*), c'est-à-dire plus de la moitié de l'ensemble, ne contiennent aucun élément philosophique appréciable. C'est à partir de *François* que Voltaire s'enhardit un peu ; le ton nouveau qu'il va prendre coïncide avec la venue de d'Alembert aux Délices en 1756, et l'on peut supposer que celui-ci a autorisé son collaborateur circonspect à montrer plus de personnalité [104]. Dès lors, une bonne partie des nouveaux articles est agrémentée de réflexions philosophiques ou morales, et finalement nous serons même en présence de deux efforts importants de libre pensée, avec la première partie de l'article *Histoire*, sur lequel il nous faut revenir, et surtout avec *Idole, Idolâtre, Idolâtrie*.

En cette matière, Voltaire applique tout particulièrement le précepte que nous avons déjà relevé: il faut «laisser penser» le lecteur. Ses remarques sont brèves et suggestives, apprenant tantôt à classer les valeurs morales : « On a vu des souverains qui, ayant une gloire réelle, ont encore aimé la vaine gloire... » ; tantôt à analyser des termes traditionnels et respectés : « On a osé dire la gloire de Dieu... ; ce n'est pas que l'Etre suprême puisse avoir de la gloire ; mais les hommes, n'ayant point d'expressions qui lui

que difficilement, en sautant d'un volume à l'autre, les véritables intentions de Voltaire dans leur succession et dans leur groupement. Seules les *Questions sur l'Encyclopédie* pourraient fournir une base satisfaisante, à condition d'en montrer constamment les premières ébauches dans l'œuvre antérieure.

104. En effet, le genre des sujets n'est pas seul la cause de cette transformation. En 1756, Voltaire trouve le moyen de philosopher dans des articles comme *Gloire* ou *Heureux*, alors qu'en 1755 il était resté bien sage pour *Fierté, Faste* et *Félicité*, titres pourtant bien analogues.

conviennent, emploient pour lui celles dont ils sont le plus flattés [105]. » Quelquefois, rapportant certaines circonstances historiques, il en profite pour souligner un exemple de contrôle du pouvoir royal : « Lorsque Philippe-Auguste conclut la paix en 1200 avec Jean, roi d'Angleterre, les principaux barons de France et ceux de Normandie en jurèrent l'observation... Les Français firent serment de combattre le roi de France, s'il manquait à sa parole ; et les Normands de combattre leur souverain, s'il ne tenait pas la sienne » ; si bien que ce petit article *Garant* prend l'allure d'un essai sur les conventions internationales et sur les diverses *garanties* que l'on a imaginées pour consolider les traités de paix ; il est vrai qu'il se termine sur un ton désabusé : « Malheureusement ces garanties ont quelquefois produit des ruptures et des guerres, et on a reconnu que la force est le meilleur garant qu'on puisse avoir. » Mais cette réflexion même est très philosophique.

Une bonne moitié de l'article *François*, intitulée aujourd'hui « De la Nation française [106] », est comme un *Essai sur les Mœurs* en raccourci ; nous y constatons que si le *génie français* a pu conserver certains caractères dominants, par contre il a évolué sur d'autres points ; et l'état où nous le voyons maintenant résulte de combinaisons multiples avec des éléments étrangers qu'il a « cultivés heureusement ; et, ayant tout adopté chez lui, il a presque tout perfectionné ». Et voilà qui modifie profondément la théorie simpliste du *climat*.

Cette idée de l'évolution reparaît inopinément dans l'article *Gens de lettres* et devient même l'idée de progrès : les gens de lettres, d'abord simples érudits, se sont peu à peu transformés en philosophes. Suit une définition de ces philosophes : « Ils ont d'ordinaire plus d'indépendance dans l'esprit que les autres hommes... ». C'est un article de propagande, et son titre même indique que Voltaire a voulu faire œuvre de militant, quand l'ordre alphabétique ne l'imposait guère [107].

Mais voici qui est plus substantiel. Sous le titre *Heureux*, ce sont des considérations qui pourraient fort bien figurer dans le *Portatif*, pour le ton comme pour la pensée : caractère fortuit du bonheur, qui ne dépend pas de

105. Article *Gloire*.
106. Fragment C (voir *Appendice I*).
107. Voir aussi la fin de l'article *François*, très nettement militante : « Aujourd'hui il y a plus de philosophie dans Paris que dans aucune ville de la terre, et peut-être que toutes les villes ensemble, excepté Londres. Cet esprit de raison pénètre même dans les provinces... »

nous, mais de la « trempe de notre âme » et celle-ci dépend de « nos organes, et nos organes ont été arrangés sans que nous y ayons la moindre part » ; caractère abstrait du bonheur, qui n'est au fond qu'une collection de « plaisirs un peu répétés », mais ne peut prétendre à une continuité qui n'appartient pas à l'homme. Il se dégage de cet article une leçon de modération et presque de résignation qui annonce *Candide;* l'homme y apparaît comme le jouet de forces supérieures qui façonnent jusqu'à son âme. Et ceci nous amène à l'article *Imagination*, le seul travail de psychologie que Voltaire ait donné comme encyclopédiste, mais suffisant pour le situer : il développe les théories sensualistes de l'école anglaise et y rattache un nominalisme intégral en ce qui concerne les idées abstraites ; l'imagination « est le seul instrument avec lequel nous composons des idées, et même les plus métaphysiques ». Il donne de nombreux exemples de ce mécanisme, passant de l'*expérience* à l'*idée générale* ; mécanisme dont nous n'avons pas conscience mais qu'un peu de réflexion nous fait constater ; de même qu'en lisant un livre nous ne faisons pas attention aux caractères « sur lesquels glisse notre vue » mais qui sont nécessaires à la lecture, de même « tous vos raisonnements, toutes vos connaissances sont fondées sur des images tracées dans votre cerveau ; vous ne vous en apercevez pas ; mais arrêtez-vous un moment pour y songer, et alors vous voyez que ces images sont la base de toutes vos notions. » Suit une distinction entre l'imagination passive et l'imagination active, avec d'excellentes analyses. L'ensemble de cet article, qui se termine par des idées littéraires, constitue un très bon chapitre de psychologie [108].

Mais rien de tout cela n'est encore proprement *philosophique*, au sens où Voltaire l'entendait, c'est-à-dire, avant tout, relevant du rationalisme sceptique et de la lutte contre les préjugés. Avec les articles *Histoire* et *Idole*, nous entrons vraiment dans le vif du sujet. *Histoire*, nous l'avons vu, présente, à côté de conseils littéraires, toute une étude des monuments historiques et des fondements de la certitude [109] ; l'effort du philosophe est

108. Pour en mesurer le caractère militant, il faut en rapprocher l'article *Idée*, que Voltaire voulait écrire pour l'*Encyclopédie* et qu'il ne publia qu'en 1765 dans le *Portatif*. On y voit la même thèse que dans *Imagination*, et, tout à la fin, ce mot qui révèle la polémique : « S'il est certain que toutes les idées vous sont données par les sens, pourquoi donc la Sorbonne, qui a si longtemps embrassé cette doctrine d'Aristote, l'a-t-elle condamnée avec tant de virulence dans Helvétius ? C'est que la Sorbonne est composée de théologiens. » (MOLAND, XIX).

109. Tout le fragment A et une grande partie du fragment C.

ici d'inspirer la prudence, la modestie et, sinon le doute général, du moins le sens des imperfections et des insuffisances de l'Histoire. Telle formule prend la valeur d'un mot voltairien de premier ordre : « Toute certitude qui n'est pas démonstration mathématique n'est qu'une extrême probabilité ; il n'y a pas d'autre certitude historique [110]. » D'où une ébauche de la critique des témoignages et des monuments ; il y a mille causes d'erreurs volontaires où inconscientes dans les documents que nous transmettent les générations antérieures ; et si l'on remonte à un passé un peu lointain, rien de solide ne subsiste. De l'histoire ancienne nous n'avons que trois témoins sérieux : les observations astronomiques de Babylone, l'éclipse centrale du soleil en Chine, et les marbres d'Arundel pour la chronique dAthènes. Mais que devient dans tout cela l'Histore sacrée ? Voltaire l'a saluée au début de l'article : « L'histoire sacrée est une suite des opérations divines et miraculeuses, par lesquelles il a plu à Dieu de conduire autrefois la nation juive, et d'exercer aujourd'hui notre foi. Je ne toucherai point à cette matière respectable [111]. » Mais cette précaution est transparente, et l'on ne peut que prendre dans sa portée la plus générale tout cet âpre début : « Les premiers fondements de toute histoire sont les récits des pères aux enfants... ; ils ne sont tout au plus que probables dans leur origine, quand ils ne choquent point le sens commun, et ils perdent un degré de probabilité à chaque génération. Avec le temps, la fable se grossit, et la vérité se perd : de là vient que toutes les origines des peuples sont absurdes. » Nous sommes en plein *pyrrhonisme* historique ; et ce pyrrhonisme ne demande qu'à dévorer la Bible comme il dévore les annales de l'Egypte ou de la Rome primitive. On comprend que d'Alembert doutât que l'article *Histoire* pût « passer avec les nouveaux censeurs [112] » de 1758.

Et voici enfin *Idole*, où la question religieuse est abordée. Ce long développement est entièrement tourné vers l'objet suivant : il s'agit de détruire cette croyance que les païens étaient idolâtres tandis que les chrétiens seraient tout à fait dégagés d'une telle superstition ; la vérité, c'est que la foule a toujours besoin d'idoles, et que les esprits cultivés ont toujours su honorer l'Etre suprême. Pour le démontrer, Voltaire compare sans cesse

110. A rapprocher, bien entendu, des célèbres déclarations de l'article *Certain, Certitude* sur les probabilités en matière de justice.

111. Remarquons que cette dernière phrase sera supprimée dans la réimpression de 1771. Voir l'*Appendice I*.

112. A Voltaire, 28 janvier 1758.

les coutumes catholiques aux coutumes païennes : « De quel œil voyaient-ils donc les statues de leurs fausses divinités dans les temples ? du même œil, s'il est permis de s'exprimer ainsi, que les catholiques voient les images, objets de leur vénération [113] » ; si on accuse les Romains d'idolâtrie, prenons garde de ne pas encourir le même reproche. Sans doute leurs images sont-elles les images de faux dieux, mais leur polythéisme n'est-il pas une invention toute naturelle du peuple ? « Nous avons infiniment plus de saints qu'ils n'avaient de ces dieux secondaires [114] » ; les musulmans traitent les chrétiens d'idolâtres « parce qu'ils croient que les chrétiens rendent un culte aux images ; l'apparence les trompa comme elle trompe toujours les hommes, et leur fit croire que des temples dédiés à des saints qui avaient été hommes autrefois, des images de ces saints révérés à genoux, des miracles opérés dans ces temples, étaient des preuves invincibles de l'idolâtrie la plus complète [115]. » Soyons donc plus modestes, et reconnaissons qu'il y a partout (Voltaire ne dit pas *partout*, mais le laisse entendre) la « religion des sages et celle du vulgaire » ; lisons les hymnes orphiques, les maximes d'Epictète et de Marc-Aurèle, et nous y trouverons un déisme très pur, dégagé de toute idolâtrie [116].

Telle est la ligne générale de cet article véhément ; c'est à la fois une leçon de prudence dans l'interprétation des données historiques (et par là il se rattache de près à l'article *Histoire*), une satire de l'idolâtrie déguisée du catholicisme, une exaltation du déisme philosophique que les grands hommes de l'antiquité ont déjà enseigné, enfin une très nette déclaration d'aristocratisme intellectuel, n'espérant le triomphe des lumières que chez une élite. N'est-ce pas là une part importante du programme que Voltaire développera dans le *Dictionnaire philosophique ?* Aussi bien l'article *Idole* y figure-t-il dès la première édition (précédant même de plus d'un an sa publication par Diderot) ; seul de tous les articles encyclopédiques de Voltaire [117], *Idole* eut les honneurs du *Portatif*. C'est le testament de Voltaire

113. Section I.
114. Section II.
115. Section III, au début.
116. Si l'on se reporte aux variantes de cet article dans le *Portatif* de 1764 (voir l'*Appendice I*), on constatera qu'elles accentuent l'irrévérence des rapprochements. Voir surtout les nos 46, 47, 51 ; et pour marquer l'intention satirique, voir no 63, l'addition : « Tous nos déclamateurs crient à l'idolâtrie comme de petits chiens qui jappent quand ils entendent un gros chien aboyer. »
117. Il faut y ajouter *Messie*, mais c'est un cas spécial, puisque la main de Polier y a fait l'essentiel.

encyclopédiste, c'est en même temps l'annonce de sa vocation définitive.

Ainsi, nous devons reconnaître que si les sujets *philosophiques* sont assez rares dans la collaboration de Voltaire, ils sont néanmoins caractéristiques et fournissent les grands thèmes prochains de controverse : fatalisme pragmatique, sensualisme psychologique, pyrrhonisme de l'histoire, déisme rationaliste et mépris du peuple, voilà bien ce que nous avons dégagé de trois ou quatre articles essentiels [118]. Est-il exagéré de dire que ce modeste travail a aidé Voltaire, dès 1756 [119], à prendre conscience de sa « philosophie de Ferney » et de sa méthode ?

Unité de cette collaboration.

Plutôt l'éducation de l'esprit que l'acquisition d'un savoir multiple, voilà où nous avait conduits l'étude de la théorie encyclopédique chez Voltaire. A-t-il appliqué ce principe ?

Malgré la dispersion de son travail, imposée par le hasard alphabétique, nous pouvons maintenant répondre par l'affirmative. Les articles de définition aboutissaient à la formation du goût et à un classement de valeurs morales ; les articles littéraires tendaient à orienter le connaisseur et l'écrivain ; les articles philosophiques cherchent à développer l'esprit critique et à exercer la raison. C'est bien là tout un programme pour l'éducation de l'honnête homme.

Si nous voulons mieux encore nous rendre compte de ce caractère, reprenons, après la lecture de Voltaire, d'autres articles de l'*Encyclopédie*, et particulièrement ceux de Diderot, qui sont restés parmi les plus lisibles. On ne peut qu'être frappé de la différence. En effet, si nous laissons de côté les articles évidemment bâclés ou de remplissage [120], Diderot a deux manières principales de traiter les sujets du *Dictionnaire* : ou bien la manière inspirée et qu'à certains égards on pourrait appeler prophétique ; c'est l'allure des articles les plus fameux [121], où avec une belle confiance le philosophe

118. Voltaire les détachait bien du lot lui aussi : « J'ai dit si insolemment la vérité dans les articles *Histoire, Imagination* et *Idolâtrie*... » (A Diderot, 26 juin 1758).

119. Tous ces articles sont achevés en janvier 1757.

120. C'est le cas, pour Diderot, des articles purement littéraires ou grammaticaux. Les négligences et les à peu près y abondent. Ex. à l'article *Délicat* (*Enc.* t. IV, p. 783) : « Faire entre les objets des distinctions délicates, c'est y remarquer des différences fines, etc... »

121. *Autorité, Encyclopédie, Luxe, Philosophe.*

promulgue ses décrets : « Le prince tient de ses sujets mêmes l'autorité qu'il a sur eux... Le philosophe marche la nuit, mais il est précédé d'un flambeau... Il y aura, dans le peuple des villes, une certaine recherche de commodités et même un luxe de bienséance... » [122] ; — ou bien la manière dogmatique et proprement encyclopédique ; il faut reconnaître d'ailleurs que de cette manière relève la très grande majorité des articles, beaucoup moins connus que les précédents mais fort curieux : c'est là vraiment qu'on peut parler d'une méthode [123], car les sujets de la première espèce sont surtout des exceptions brillantes. Quelle est donc cette méthode ? Avant tout, *être complet*, donner une documentation considérable ; que l'on se reporte aux articles de Diderot sur l'histoire de la philosophie, ce sont des modèles du genre : sa *Philosophie des Grecs*, son *Hobbisme*, son *Eclectisme*, son *Stoïcisme*, et tant d'autres, contiennent d'effarantes kyrielles de propositions tirées des philosophes étudiés et mises bout à bout avec une application inlassable [124] ; quand l'occasion s'en présente, donner des opinions diverses, de longues citations [125] ; en un mot, faire de l'article une sorte de magasin ou de répertoire, non pas à lire d'une traite (aucun lecteur n'aurait ce courage), mais à consulter [126]. Et sans doute une telle conception satisfait-elle les deux premières exigences que, l'on s'en souvient, Voltaire apportait dans sa théorie : documentation et objectivité ; mais elle ne satisfait nullement les deux autres : brièveté et clarté. Là est le divorce. Et à rassembler maintenant tout ce que nous avons observé au passage, le divorce va nous apparaître encore plus profond.

Documentation ? réclamait Voltaire ; oui, mais, selon lui, documentation choisie. Objectivité ? oui, mais objectivité dirigée. Son but n'est pas d'accumuler les faits si l'on n'en dégage pas un sens ; mais encore faut-il le

122. Extraits d'*Autorité*, *Philosophe* et *Luxe*.

123. D'autant plus qu'il y a ici une parenté certaine entre les articles de Diderot et ceux de ses autres collaborateurs.

124. Pour *Stoïcisme*, la kyrielle tient 16 pages de l'édition Assézat (tome XVII, pp. 208-224) ; pour *Eclectisme*, 26 pages (t. XIV, pp. 351-377), etc.

125. C'est surtout le cas du chevalier de Jaucourt, qui est un découpeur expert mais peu difficile (par exemple, pour l'article *Mal*, il recopie Guillaume King d'après le dictionnaire de Chaufepié !) ; c'est aussi le cas de collaborateurs pourtant plus personnels : à l'article *Matière*, d'Alembert rapporte l'opinion de Newton, puis renvoie à l'article *Ame*.

126. Cette méthode est bien aussi celle des autres collaborateurs littéraires ou linguistes. On peut s'en convaincre en parcourant, par exemple, *Eglogue* (de Marmontel et Jaucourt) et *Langue* (de Beauzée et Douchet).

dégager discrètement, et plutôt suggérer que dire. La manière de Voltaire est aussi éloignée de la première façon de Diderot que de la seconde : il ne veut pas plus entraîner le lecteur par l'enthousiasme que le gaver de connaissances ; il veut l'éclairer, le faire penser. L'intention n'est pas d'un propagandiste, elle n'est pas d'un encyclopédiste, elle est d'un « philosophe » ; et c'est finalement ce mot qui fait l'unité de la collaboration de Voltaire : quelle que soit la modestie et parfois l'insignifiance des sujets traités, il s'est toujours demandé comment il éveillerait le lecteur ; c'était le meilleur moyen de rester fidèle à son dessein de « réduire à l'utile ».

La direction de travaux.

Polier et d'Alembert ont écrit, nous l'avons vu, l'un dix-sept articles, l'autre l'article *Genève*, sous la direction ou tout au moins sous l'impulsion de Voltaire. Un examen rapide de ces travaux complètera notre impression d'ensemble sur le rôle que Voltaire a pu jouer dans l'*Encyclopédie*.

Les dix-sept articles de Polier [127] sont tous consacrés à des sujets de théologie ou d'histoire religieuse [128]. Ils contiennent une documentation solide, tant au point de vue linguistique [129], où l'hébraïsant étale ses connaissances, qu'au point de vue historique [130]. Mais ce qui nous intéresse ici, c'est de savoir dans quel état d'esprit ils ont été faits.

A peu près tous, ils procèdent d'une intention évidente : c'est de discréditer les controverses théologiques et les récits fabuleux de la Bible, dont un chrétien raisonnable et civilisé du XVIIIe siècle ne peut rien tirer de satisfaisant.

Sans doute Polier affecte-t-il un respect aveugle pour les légendes sacrées : « Nous devons le croire religieusement », dit-il à propos des miracles

127. On trouvera dans l'*Encyclopédie* (tomes IX et X) les articles imprimés ; pour les articles inédits, voir notre appendice III, où nous en donnons des extraits caractéristiques.

128. Même *Logomachie*, curieusement rattaché à la *littérature* par le sous-titre.

129. Par exemple dans *Mages* et *Maosim*.

130. Voir surtout *Messie*.

opérés par les magiciens du Pharaon [131] ; et au sujet de la divination des temps primitifs : « Il fut de tels dons, nous devons le croire ; si même la philosophie ne s'en fait aucune idée juste, éclairée par la foi elle les révère dans le silence » [132] ; l'étoile des Mages paraît bien extraordinaire, mais « l'Évangile le dit, et nous devons le croire » [133]. Déjà la répétition affectée de la même formule indique une arrière-pensée et une simple adhésion conformiste. Cette adhésion devient une réserve prudente en présence des divergences qui séparent certains interprètes : « Lequel de ces deux partis est le plus conforme à la raison et à l'analogie de la foi, c'est ce qu'il est également difficile et dangereux de décider, et il faudrait être bien hardi pour s'ériger en juge dans un procès si célèbre [134] ». Mais la prudence est souvent rachetée par l'ironie, et c'est ici que commence à apparaître le vrai sens des articles ; témoin ce passage plein d'humour : « L'obscurité semble être le caractère des oracles des différentes religions ; il faut, pour être respectables, qu'ils tiennent l'esprit en suspens... Les théologiens ne nient pas que pour l'ordinaire le prophète a plusieurs objets en vue ; il y a beaucoup de prudence dans cette indécision : elle tend visiblement et en général à accréditer les oracles. Au reste, rendons ici justice aux imposteurs et à leur fausse religion ; ils ont su imiter cette obscurité religieuse de nos oracles ; ceux dont ils se vantent ne parlent pas plus clairement que les nôtres pour eux, et portent ainsi avec eux ce caractère également respectable [135]. »

C'est que Polier soupçonne dans la plupart des miracles et des prodiges une imposture à laquelle se sont laissé prendre les populations naïves : « Si on a dit de l'Égypte que tout y était Dieu, il fut un temps qu'on pouvait dire de la Palestine que tout y était prophète ; parmi ce nombre prodigieux de voyants, il y en eut sans doute plus de faux que de vrais : les premiers voulurent s'accréditer par des miracles et cette pieuse obscurité dans les discours qui a toujours fait merveille pour en imposer au peuple... [136] » D'ailleurs, cette imposture est psychologiquement normale : « Il est presque impossible qu'un petit nombre de gens instruits, dans un siècle et dans un pays en proie à une crasse ignorance, ne succombent bientôt à la tentation

131. *Magicien. Encycl.* IX, 852.
132. *Magie. Encycl.* IX, 852.
133. *Mages*. Appendice III, 10e alinéa de l'extrait.
134. *Magicien*, IX, 851.
135. *Maosim*, X, 64.
136. *Magicien*, IX, 851.

de passer pour extraordinaires et plus qu'humains [137]. » Et voici notre pasteur qui va jusqu'au bout de sa pensée ; tout à l'heure, il distinguait encore les vrais et les faux voyants ; maintenant il les confond : « Mages et magicien, quoi qu'en dise l'usage..., ont donc une seule et même origine et désignent des gens habiles à captiver l'admiration de la multitude [138]. » Et les meilleurs de ces magiciens sont tout simplement les « philosophes » de l'époque, particulièrement les astronomes, admirés des ignorants.

De là sort l'idée centrale de tous ces articles : la foule, qui est simple et superstitieuse, a besoin de miracles et de « figuratifs », que l'Église lui a prodigués à souhait ; mais l'homme d'esprit n'est pas dupe, il n'en prend que ce qui est raisonnable, tout en tolérant ces images et ces récits merveilleux qui « servent à soutenir la foi et la piété des fidèles, qui souvent ont besoin de ce secours [139]. » Voici, très clairement exprimée, l'opposition entre la croyance populaire et la raison de l'homme éclairé : « Les liturgies les plus simples sont les meilleures ; mais sur un article aussi délicat, la prudence veut qu'on sache respecter souvent l'usage de la multitude, quelque informe qu'il soit, d'autant plus que celui à qui on s'adresse entend le langage du cœur, et qu'on peut, *in petto*, réformer ce qui paraît mériter de l'être [140]. » Aussi le philosophe admet-il sans difficulté « ces mystérieuses profondeurs qui toutes les religions présentent à la foi des fidèles et qu'il faut croire plutôt que chercher à les comprendre [141]. » Bien mieux ; il se sentirait parfois des aptitudes à jouer le rôle des premiers philosophes qui inventaient les aventures fabuleuses : examinant les divers noms dont on a affublé les rois Mages, Polier les juge bien barbares et sans « goût » : « puisqu'il fallait en composer, on pouvait sans peine en trouver, dans les divers dialectes de l'Orient, de plus expressifs, de plus ronflants [*sic!*], et de plus propres par là-même à en imposer » [142].

Nous sommes là en plein scepticisme. Polier excelle à nous y conduire, de préférence par l'accumulation de détails absurdes, d'opinions contradictoires ; son triomphe dans ce genre, c'est le célèbre article *Messie* [143],

137. *Magie*, IX, 852.
138. *Mages*. App. III, 3e al. de l'extrait.
139. *Manes*, X, 18. Cf. *Kijoun*, IX, 128, à propos des reliques, « ce que l'Eglise a jugé propre à l'édification du peuple, pour exciter et nourrir sa dévotion ».
140. *Liturgie*, IX, 599.
141. *Melchisédec*. App. III, 4e al. de l'extrait.
142. *Mages*. App. III, 8e al.
143. Voir l'Appendice IV.

dont Avenel disait que c'était un des articles les plus hardis du *Dictionnaire philosophique* de Voltaire. Scepticisme aussi le parti qu'il prend d'ignorer, au lieu de choisir sans raison ou d'expliquer grâce à « une imagination dévotement échauffée » [144] ; il félicite le savant Seldenus d'avoir renoncé à expliquer un oracle, car il y aurait eu de la « témérité » à vouloir le faire [145] ; toutes les controverses qui essaient d'interpréter l'inexplicable sont « d'immenses recueils de logomachies », dus au « zèle indiscret de ceux qui ont voulu démontrer ce qu'on devait se contenter de croire » [146] ; pour « répondre d'une manière satisfaisante » à toutes les questions qui se posent au sujet des rois mages, « il faudrait être tout ausssi mages » qu'eux [147]. Saint Paul lui-même reconnaît des difficultés et les laisse dans l'ombre ; c'est que « le plus habile docteur » est celui « qui aura le courage et la bonne foi de ne dire précisément que ce qu'il sait, parce qu'il ne lui en a pas été révélé davantage » [148].

Mais cet *habile docteur* a tout l'air de ne faire qu'un avec le philosophe éclairé : « L'homme né pour la vérité aime le simple, qui en porte le caractère ; tout ce qui s'en éloigne lui devient suspect [149] » ; il lutte par conséquent contre tous les vains prestiges et tous les fanatismes. Heureusement que « le goût de la philosophie gagne et prend insensiblement le dessus [150] » ; la philosophie a « enfin désabusé l'humanité de ces humiliantes chimères ; elle a eu à combattre la superstition et même la théologie, qui ne fait que trop souvent cause commune avec elle » [151]. On aurait d'ailleurs tout à gagner en subordonnant les ecclésiastiques au pouvoir civil et en permettant aux magistrats de « mettre la main à l'encensoir » [152].

Telles sont les principales idées exposées dans les articles de Polier. Si nous ajoutons que l'irrévérence des propos est fréquente [153], nous serons tentés de dire enfin : c'est du Voltaire ! En effet, toutes les attitudes que nous venons d'étudier, respect affecté, prudence ironique, mépris de la multitude

144. *Maosim*, X, 64.
145. *Ibid.*
146. *Logomachie*, IX, 642.
147. *Mages*. App. III, 7e al. de l'extrait.
148. *Melchisédec*. App. III, Voir tout l'extrait.
149. *Mer Rouge*. App. III.
150. *Magicien*, IX, 852.
151. *Magie*, IX, 853.
152. *Liturgie*, IX, 597. Voir notre 1re partie, 3e période, n. 53 et 54.
153. Voir par exemple *Kemos* et l'ensemble de *Mages*. App. III.

et aristocratisme intellectuel, scepticisme et condamnation du merveilleux, bon sens et raison, tout cela est authentiquement voltairien, mais non plus d'un Voltaire académique comme celui qui collaborait à l'*Encyclopédie*, bien plutôt d'un Voltaire véhément et militant, de celui qui écrira le *Portatif* ; et la meilleure preuve en est dans l'hospitalité que trouvera dans ce *Portatif* l'article *Messie*, conservé dans ses passages essentiels [154]. Il suffit néanmoins de lire de suite n'importe lequel de ces articles pour y discerner une main plus lente, des périodes interminables et mal équilibrées, une certaine lourdeur pour dégager le pittoresque ; Polier est un disciple averti, mais ce n'est qu'un disciple [155].

154. D'après l'Appendice IV, on pourra voir que Voltaire allégea l'article de toute une série de digressions ; dans les *Questions*, en 1771, il rétablit l'article primitif de Polier, sauf 2 gros morceaux (après les alinéas 21 et 31), et quelques fragments tout à la fin. Quant à l'article imprimé dans l'*Encyclopédie*, il contient ces 2 morceaux supprimés par Voltaire, mais il a d'autres lacunes (al. 8-15 par exemple). Il semble que Diderot ait partiellement observé en 1765 les suppressions du *Portatif*, paru l'année précédente.

155. Tous ces articles ont une allure bien originale et diffèrent sensiblement de ceux de Diderot et de ses collaborateurs théologiens (Tourneux a cependant attribué à Diderot les articles *Magicien*, *Magie*, *Malachbelus*, *Manes* et *Messie*, sur la foi de manuscrits de Leninegrad ; ce n'est d'ailleurs pas sa seule erreur ; il attribue encore à Diderot *Glorieux*, *Grave*, *Idolâtrie*, qui sont de Voltaire, *Certitude*, qui est de l'abbé de Prades, etc... Cela indique simplement que parmi les manuscrits de Diderot il y a beaucoup de copies, dont il conviendrait de faire le tri). Toutefois, en parcourant les articles théologiques ou d'histoire religieuse des tomes IX et X, il en est un qui m'a frappé pour l'analogie de sa présentation avec celle qu'emploie d'habitude Polier : c'est l'article MANNE DU DÉSERT : récit assez piquant quoique un peu copieux ; tour plaisant dans l'étude étymologique et dans la description des mets, dont les Juifs devaient être finalement dégoûtés ! (T. X, 45-47). Et, en conclusion, ce mot qui est bien dans le genre un peu gauche, et cherchant l'esprit, du pasteur voltairien : « N'est-il pas à craindre qu'à force de subtilités on fasse de cette manne une viande un peu creuse ? » Je serais tenté de voir là un dix-huitième article de Polier (sa place alphabétique est bien conforme à l'époque de sa collaboration, son sujet est tout à fait analogue aux autres), dont le manuscrit se serait perdu.

Enfin, il reste un curieux problème à propos de l'article MAGES ; nous donnons en appendice une grande partie de l'article inédit, qui fut certainement envoyé à l'*Encyclopédie* par Voltaire : c'est bien de celui-là qu'il est question dans la lettre à d'Alembert du 24 mai 1757 : « Il me semble que son article est entièrement tiré des prolégomènes de Dom Calmet, et que mon prêtre n'y ajoute guère qu'un ton goguenard » (ce qui définit fort bien la manière de Polier ; quant à ses sources chez dom Calmet, il n'y a rien de plus exact : par exemple pour le passage sur les divers noms des mages, cf. *Prolégomènes*, t. III, p. 264 ; sur l'étoile des mages, cf. *ibid.*, pp. 266-267, etc...). Mais alors pourquoi cet article ne figure-t-il pas dans l'*Encyclopédie*, où il est remplacé par deux articles, l'un de Jaucourt, l'autre anonyme ? (C'est bien aussi le

Et l'on ne sait ce qu'il y a de plus curieux dans cette affaire : ou la direction de travaux, par laquelle Voltaire hasarde les premiers éléments de son futur *Portatif*, et en même temps s'initie à l'exégèse et prend goût aux discussions bibliques grâce à l'hébraïsant Polier ; ou bien ces travaux eux-mêmes, seuls témoins qui nous restent de ce christianisme philosophique et, pourrait-on dire, de ce socinianisme qu'attendait Voltaire et que d'Alembert chantait, avec cette figure mystérieuse d'un pasteur, qui, une fois en sa vie et malgré une personnalité par ailleurs bien pâle, osa s'avancer jusqu'à l'extrême limite du rationalisme en matière de religion.

A lui seul, Polier justifierait les allégations de d'Alembert dans son article *Genève*, et il est fort possible que sa fréquentation ait encouragé

cas pour *Lares*, *Melchisédéciens* et *Mer Rouge*, mais la contribution de Polier était là beaucoup moins importante). Et surtout, de qui est l'article anonyme qui suit celui de Jaucourt (t. IX, pp. 847-849) ? Car ce n'est pas une étude quelconque : c'est une discussion très serrée et très pertinente des évangiles à propos des rois mages ; saint Matthieu est mis en contradiction avec saint Luc, qui se targue d'une exactitude scrupuleuse et ne rapporte aucun détail sur ces mages si sur leur étoile ; et après l'étalage complaisant de ces difficultés, l'auteur déclare : « Que s'ensuit-il ? rien ; rien sur la vérité de la religion, ni sur la sincérité des historiens sacrés. » Voilà soudain une étonnante prudence. Mais le plus intéressant est la conclusion, où est exposée une très jolie théorie de la certitude historique dans ses rapports avec la sincérité des témoins :

« Il y a bien de la différence entre la vérité de l'histoire, entre la certitude d'un fait et la sincérité de celui qui le raconte...

« C'est en ce qui regarde [le] culte divin et spirituel que Dieu a inspiré les écrivains sacrés, et conduit leur plume d'une manière particulière et infaillible. Pour ce qui est du tissu de l'histoire et des faits qui y sont mêlés, il les a laissé écrire naturellement, comme d'honnêtes gens écrivent, dans la bonne foi et selon leurs lumières, d'après les mémoires qu'ils ont trouvés et crus véritables. Ainsi les faits n'ont qu'une certitude morale plus ou moins forte, selon la nature des preuves et les règles d'une critique sage et éclairée ; mais la religion a une certitude infaillible, appuyée... sur l'infaillibilité de la révélation...

« ...C'est de là que la religion tient sa certitude, et non des faits que M. l'abbé d'Houteville, ni Abadie, ni aucun autre docteur ne pourra jamais mettre hors de toute atteinte, lorsque les difficultés seront proposées dans toute leur force. »

On pourrait rapprocher de ce passage de nombreux textes de Voltaire, singulièrement la dernière phrase de *Péché originel* (dans les *Questions*, 1771) : « Mes Maîtres, que fallait-il dire sur cette matière ? Rien » ; et la dernière de la section II de *Superstition* (*ibid.*) : « Voilà un beau champ ouvert aux Houttevilles et aux Abbadies. » Plus encore, l'idée générale, malgré la conciliation prudente, est très voltairienne. Est-ce à dire que le philosophe des Délices ait trempé dans cet article, substitué à celui de son ami Polier ? Ce serait bien étrange, mais l'hypothèse n'est pas à rejeter ; en tout cas, pour le moment, le mystère reste entier.

Voltaire à orienter l'article dans le sens socinien. Il n'en reste pas moins que Vernet, comme nous l'avons dit, en est le véritable point de départ.

Nous avons, dans la 1re partie (3e période), analysé l'essentiel du travail de d'Alembert, en déterminant sa responsabilité et celle de Voltaire. Nous n'y reviendrons pas ; nous voudrions seulement montrer ici — et ce rapprochement, après l'examen de Polier, achèvera d'éclairer l'annexe voltairienne de l'*Encyclopédie* à Genève — la probité de d'Alembert dans son information religieuse et l'exactitude de ses sources.

On sait que le passage le plus grave de l'article, résumé de toute la partie consacrée à l'Église, attribuait aux pasteurs un « socinianisme parfait, rejetant tout ce qu'on appelle mystère », tout ce qui peut « heurter la raison » ; bien mieux : « quand on les presse sur la nécessité de la révélation..., plusieurs y substituent le terme d'utilité, qui leur paraît plus doux ». Faut-il voir là, comme on l'a longtemps prétendu, sur le témoignage de Rousseau, une interprétation abusive de la pensée calviniste en 1756, ou même seulement une utilisation indiscrète de certains « aveux » réservés à l'intimité ? Nous le disions : il suffirait de relire les articles de Polier pour être convaincu que d'Alembert n'inventait rien ; mais Polier est un Lausannois, et ses articles, d'ailleurs anonymes, ne verront partiellement le jour qu'en 1765. D'Alembert n'avait-il donc aucune source écrite et irrécusable ?

Un contemporain, que nous connaissons déjà, Du Pan, résumant pour Freudenreich l'article *Genève* et insistant sur le passage concernant la révélation, fait une parenthèse explicative et déclare : « *C'est le Vernet* »[156]. Et de toutes ses autres lettres il ressort que l'opinion publique à Genève était nettement édifiée sur la justesse de l'article encyclopédique[157]. Examinons donc ce que Vernet avait écrit et publié en 1756 ; nous serons vite édifiés nous-mêmes.

Ses deux ouvrages principaux à cette date sont : une *Instruction chrétienne* (1754, rééd. en 1756) et des *Dialogues socratiques* (1755) ; tout cela très récent et certainement connu de Voltaire qui tenait, en arrivant en Suisse, à s'informer des idées en cours chez le pasteur le plus réputé du

156. Ms. BPU Genève, fo 140 verso (30 déc. 1757).

157. « Nos ministres n'ont encore rien fait pour justifier leur créance. Ils feraient peut-être prudemment de ne rien dire. » (7 janv. 1758, *ibid*, fo 144). Cf. *ibid.*, fos 131, 139, 153 et 154 : « Il y a beaucoup de gens qui font profession de croire en Jésus-Christ, à qui il faudrait demander s'ils croient un Dieu. »

moment. Que contient donc cette *Instruction chrétienne ?* Elle admet deux sources de vérité : la Religion naturelle et la Révélation ; or il faut commencer par les lumières naturelles ; en effet, « cela sert à nous faire mieux juger les choses ; *puisque une Révélation doit toujours s'accorder avec les principes de la droite Raison*, ce que nous aurons dit de la Religion naturelle sera une introduction et un fondement pour tout ce que nous aurons à dire de la Religion révélée [158]. » Mais encore la Révélation reste-t-elle là un couronnement de l'ensemble ; voici qui est décisif : « En quoi trouvez-vous que l'on pourrait désirer quelque chose de plus que ce que la simple Raison nous découvre en matière de Religion ? — Réponse : Premièrement, à l'égard de la méthode, on a pu s'apercevoir qu'une partie des réflexions que nous faisions étaient *un peu trop philosophiques* [159] *pour le commun peuple. Il serait donc utile* que ces mêmes vérités fussent mises au jour par *quelque moyen populaire* et avec des preuves de fait [160] propres à leur donner, pour ainsi dire, plus de consistance et à *faire plus d'impression sur l'esprit de* la *multitude* [161]. » Tout commentaire est inutile ; Vernet rejoint exactement Polier dans sa conception dualiste : le merveilleux pour la foule, la Raison pour le philosophe. D'Alembert avait-il tort [162] ?

Il reste que l'article *Genève* contenant le mot malheureux de « socinianisme » et surtout, par sa diffusion européenne, vulgarisait une doctrine que Genève admettait, mais entendait ne pas livrer en pâture à la malignité catholique. Des deux tentatives de « direction » qu'avait faites Voltaire, la première, par collaboration directe d'un socinien, était de beaucoup la plus habile et la plus fructueuse ; sans le scandale provoqué par l'autre, elle aurait pu se poursuivre et donner à l'*Encyclopédie* une de ses parties les plus curieuses et les plus représentatives des opinions du clergé « éclairé ».

158. Ed. de 1756, t. I, pp. 18-19.

159. La 1re éd. dit : *un peu abstraites.*

160. La 1re éd. ajoute : *et avec une autorité...*

161. T. I, p. 59.

162. Voir aussi dans les *Dialogues socratiques* le 2e dialogue : allégorie de Philotée (pp. 29-82). Plusieurs critiques, sans utiliser suffisamment ces ouvrages de Vernet, ont traité la question générale et ont conclu, avec plus ou moins de décision, que les pasteurs « donnaient prise à l'accusation » (J. SPINK, *Rousseau et Genève*, p. 158). H. VUILLEUMIER montre l'importance des doctrnes nouvelles (t. IV, pp. 162-250) : « plus qu'ils n'en avaient eux-mêmes conscience [ceci est discutable], les ecclésiastiques vaudois étaient presque tous en quelque mesure influencés par l'esprit du siècle, entraînés par sa tendance rationalisante et moralisante » (p. 242). — A. ROGET estime en tout cas que d'Alembert n'a pas été mauvais prophète et que les Eglises protestantes ont tendu de plus en plus à donner la préférence à la morale sur le dogme. (*Etrennes*, 4e série, p. 158).

Chapitre troisième : L'Influence exercée et subie

Nous voulons chercher maintenant quelles furent les conséquences de cette collaboration et de ces rapports entre l'*Encyclopédie* et Voltaire : celui-ci a-t-il pu exercer une influence ? A t-il lui-même, dans son œuvre, subi le contre-coup d'une telle fréquentation ?

L'INFLUENCE EXERCÉE.

Disons tout de suite qu'elle est insignifiante. C'est ici que l'on mesure le mieux peut-être les limites de la considération dont jouissait Voltaire dans le milieu encyclopédique. Nous l'avons déjà laissé entendre : on lui demande des articles pour la réclame, on respecte l'homme de goût et l'historien, mais on ne fait aucun cas de sa « philosophie » [1], et ses conseils restent lettre morte.

Ce n'est pas que l'*Encyclopédie* n'ait fait à Voltaire un assez grand nombre d'emprunts ; on sait que les auteurs permanents du grand ouvrage ne se privaient pas de ce genre de ressources, surtout à partir du tome VIII, quand le chevalier de Jaucourt dut, à lui seul, assurer les services les plus hétéroclites. L'œuvre de Voltaire est souvent mise à contribution, d'abord l'œuvre poétique, pour agrémenter le tissu trop austère de l'exposé abstrait : Yvon, à propos d'*Amour*, cite quatre vers de l'*Enfant prodigue* [2] ; Deleyre,

1. Il ne convient pas en effet de compter à l'actif de son influence des articles comme *Liberté* (Ed. ASSÉZAT, t. XV, p. 478), où Diderot cite copieusement des passages du *Discours sur la liberté* de Voltaire. C'est surtout un hommage rendu au poète ; c'est aussi du remplissage (l'ensemble de l'article est un démarquage de Locke).

2. *Encyclopédie*, t. I, p. 369.

dans *Fanatisme*, donne un extrait de l'*Orphelin de la Chine* [3] ; Jaucourt surtout ne manque pas une occasion : à *Enfer* [4], voici huit vers où Voltaire a traduit un passage de Virgile ; à *Superstition* [5], une strophe lyrique : « Lorsqu'un mortel atrabilaire... » ; à *Léman* [6], l'épître de « l'auteur arrivant dans sa terre » ; à *Tragédie* [7], le monologue d'Hamlet dans la traduction des *Lettres anglaises*. Ces citations sont, bien entendu, accompagnées d'éloges massifs [8], et Diderot n'est pas le dernier à les lui décerner [9].

Parfois, et du simple point de vue littéraire, les emprunts sont plus significatifs : soit que telle citation serve d'illustration pertinente à un développement technique [10] ; soit que tout un texte de critique soit reproduit par fragments et sans références, comme si l'on puisait dans le domaine public : ainsi, à *Poème épique* [11], Jaucourt donne la plus grande partie de l'*Essai sur la poésie épique*, et c'est à peine s'il le laisse deviner par quelque aveu détourné. Mais dans ce genre, ce sont les emprunts aux ouvrages d'histoire qui sont de beaucoup les plus nombreux [12] : à *Japon*, nous retrouvons la plus grande partie du chapitre CXLII de l'*Essai sur les Mœurs* [13]; à *Indulgence*, la fin du chapitre CXXVII [14] ; à *Inquisition*, l'ensemble du chapitre CXL [15] ; à *Mahométisme*, des extraits du chapitre VII [16] ; à *Mexico* et *Mexique*, de nombreux alinéas du chapitre CXLVII [17] ; et à *Mogol*, à *Normands*, à *Schisme*, à *Suisse*, à *Templiers*, à *Tournois*, pour ne prendre que les articles qui nous ont paru les plus nets à cet égard, ce sont les cha-

3. T. VI, p. 401.
4. T. V., p. 670.
5. T. XV, p. 670.
6. T. IX, p. 382.
7. T. XVI, p. 516.
8. « Le premier poète de nos jours » (art. *Léman*), par exemple. A *Epopée* (t. V, p. 828), Marmontel s'était permis quelques critiques sur la *Henriade;* mais à *Poème épique* (t. XII, p. 832), Jaucourt reprend la question et approuve sans réserves.
9. Dans l'article *Luxe* (t. IX, p. 769), il s'extasie sur la valeur morale de ses poésies et le cite en même temps que Corneille, Addison et Pope.
10. Par exemple, à *Epître* (t. X, p. 821), Marmontel utilise Voltaire et Boileau.
11. T. XII, p. 815.
12. Tous par l'intermédiaire de Jaucourt.
13. *Encycl.*, t. VIII, p. 453. Jaucourt ne le cache pas : « Nous fixerons les yeux du lecteur sur le tableau intéressant qu'en a fait l'historien philosophe de nos jours. »
14. MOLAND, t. XII, pp. 282-283 ; *Encycl.*, t. VIII, p. 690. Avoué par Jaucourt.
15. MOL., XII, 347-354 ; *Encycl.*, VIII, 773-776. Avoué.
16. MOL., XI, 217 et 220 ; *Encycl.*, IX, 864. Non déclaré par Jaucourt.
17. MOL., XII, 391 ; *Encycl.*, X, 479-480. Non déclaré.

pitres CXCIV, XXV, XXXI, LXVII, LXVI et CXCIX du même ouvrage [18]. Les *Lettres philosophiques* sont également exploitées, par exemple, à *Quakers* [19] et à *Société royale de Londres* [20]. Enfin le *Siècle de Louis XIV* a aussi son rôle, mais surtout par ses appendices : le catalogue des *Artistes célèbres* a fourni à Jaucourt toute une série de jugements sur Poussin, Mignard, Santerre, Rigault, Lemoine... [21].

Voilà des dettes importantes, et qu'un dépouillement complet grossirait encore ; mais il ne s'agit pas là d'influence ; c'est de la pure compilation, et c'est la base de tous les Dictionnaires du XVIIIe siècle. L'œuvre de Voltaire est découpée et distribuée par articles au même titre que celle de Montesquieu, ou de Calmet, ou de Pluche. C'est de la collaboration forcée, et il se trouve évidemment qu'à plusieurs reprises, grâce au chevalier de Jaucourt, les colonnes de l'*Encyclopédie* ont abrité l'ironie de l' « historien-philosophe ».

Mais dès qu'on veut pousser plus loin, les traces disparaissent. D'Alembert répondait chaleureusement aux conseils de Voltaire et approuvait ses critiques ; mais rien, dans ses propres articles, ne peut faire soupçonner qu'il en ait fait son profit. Si par exemple Voltaire souhaite qu'à l'article *Matière* on exprime son idée favorite (la matière peut penser comme l'esprit [22]), d'Alembert, qui précisément écrit cet article [23], n'y met rien de ce point de vue et s'y montre très prudent et même tout à fait banal. A plus forte raison quand il s'agit d'autres collaborateurs ; il n'y a aucune différence d'esprit entre les articles de théologie des premiers tomes, qui « serraient le cœur » au patriarche, et ceux de 1765, sinon que ces derniers, comme il était à prévoir, sont beaucoup plus encombrés d'opinions extérieures [24]. Du reste il est probable que d'Alembert, connaissant les dispositions de Diderot

18. Respectivement, MOLAND, XIII, 156; XI, 304; XI, 327; XI, 527; XI, 522; et XII, 145. *Encycl.*, X, 612 ; XI, 228 ; XIV, 766 ; XV, 647 ; XVI, 88 ; XVI, 489. Moland signale seulement *Schisme* mais fait une erreur, croyant qu'il s'agit du schisme d'Occident (t. XX, p. 401), alors qu'il s'agit du schisme grec. Jaucourt ne déclare pas l'emprunt pour *Normands*, *Suisse* et *Tournois*.

19. *Encycl.*, XIII, 648.

20. *Encycl.*, XV, 259. C'est la lettre XXIV sur les *Académies*.

21. MOL. XIV, 147-150 ; *Encycl.*, article *Ecole*, t. V, 318-322. Cet emprunt a été signalé par A. Fontaine, *Les doctrines d'art en France*, 1909, p. 289.

22. A d'Alembert, juillet 1757.

23. *Encycl.*, t. X, p. 189.

24. Les *extraits* de philosophes étaient déjà assez importants dans les articles comme *Déluge* ou *Dieu* (t. IV, pp. 795 et 976) ; ils deviennent l'essentiel dans *Miracle* (X, 560), *Originel* (XI, 648), etc..

pour Voltaire, ne lui a jamais communiqué les réflexions de ce dernier ; on se souvient qu'il ne le mettait même pas au courant des sujets qu'il confiait à ce collaborateur exceptionnel [25].

Si l'on voulait trouver des traces, oh ! bien légères, d'une influence, c'est en dehors de l'*Encyclopédie* qu'il faudrait les chercher : le *Dictionnaire de Trévoux*, dans son édition de 1771, rectifie assez souvent ses développements aux mots traités par Voltaire et reproduit même des passages entiers de celui-ci [26] ; il est vrai qu'il utilise aussi abondamment les *Synonymes* de Girard, et, en fin de compte, ce n'est encore là que de la compilation de détail ; l'esprit de la méthode de Voltaire en est bien absent.

Cette méthode, il faut enfin le reconnaître, était foncièrement étrangère à la tradition des dictionnaires [27] ; ne dire que « l'utile » et entendre par utile ce qui forme l'esprit critique, voilà qui demandait des collaborateurs d'une autre envergure que la plupart des encyclopédistes ; il aurait fallu pour cela, toute une collection d'autres Voltaire. Et puis, ce n'était pas le but de l'entreprise ; la matière y aurait été ainsi beaucoup trop dense ; et les articles du philosophe ont été sûrement admis beaucoup plus à cause de la signature qu'à cause de leur orthodoxie.

Presque simultanément il lui arriva une aventure qui achèvera de nous édifier sur ce point. En juillet 1760, Duclos demanda à Voltaire sa collaboration pour la quatrième édition du *Dictionnaire de l'Académie* ; réponse favorable [28] ; en octobre, l'académicien exilé s'attelle à la lettre T et « rapetasse » trente mots. Mais ce rapetassage était souvent transformation complète : les exemples surtout étaient refaits, et chaque fois avec une pointe bien voltairienne. Au mot *Tenir* (le plus important de la série), au lieu de

25. Inutile, d'autre part, de chercher l'influence possible des articles eux-mêmes écrits par Voltaire. Diderot cesse toutefois de donner des « synonymes ». Mais les articles de théorie littéraire restent « encyclopédiques » et traditionnels.

26. L'article *Faction* est reproduit presque en entier. A *Fantaisie*, Trévoux distingue maintenant caprice, bizarrerie. Emprunts très nets à *Fausseté*, *Faveur*, *Feu*, *Fierté*, *Finesse*, *Foible*, etc..., etc... A *Gloire*, il est remarquable que Trévoux, qui en 1752, commençait par « Majesté de Dieu, éclat de sa puissance... », modifie, en 1771, toute l'ordonnance de l'article, certainement à cause de la remarque philosophique de Voltaire sur la gloire de Dieu (voir ci-dessus, p. 134), et reproduit même ensuite une partie de cette remarque. Par contre, pour des sujets importants comme *Français* et *Goût*, aucune modification de Trévoux.

27. Y compris celui de Bayle, qui n'est « philosophique » que par ses notes, souvent, il est vrai, considérables.

28. A Duclos, 11 août 1760.

« Entre les philosophes, les uns *tiennent* pour Platon, les autres pour Aristote », était proposé : « Les cordeliers *tiennent* pour Scot, et les dominicains pour saint Thomas [29] » ; au lieu de « Je me *tiens* à ce qu'a dit Notre-Seigneur », on avait : « Il s'en *tient* à l'Évangile et rejette la tradition [30] » ; et de nouveaux exemples faisaient des rapprochements cocasses : « On dit que Siméon Stylite se *tint* plusieurs années sur une jambe. Les grues se *tiennent* souvent sur une patte... [31] » Le résultat de ces fantaisies fut que le *Dictionnaire de l'Académie*, dans son édition de 1762, ne donna absolument *rien* du travail de Voltaire [32]. La politesse primitive de Duclos se changeait en affront.

Voilà qui donne bien le ton sur le cas qu'on pouvait faire d'un collaborateur si personnel. Sans vouloir assimiler l'esprit encyclopédique à l'esprit de l'Académie, nous avons bien l'impression, sur cette question précise, qu'ils ne diffèrent pas fondamentalement. Voltaire a été exclu du *Dictionnaire de l'Académie;* il a été toléré dans le *Dictionnaire encyclopédique*, mais il n'y a fait vibrer aucun écho. Sa collaboration n'y est la parente d'aucune autre, et l'on ne doit pas tant la considérer comme un fragment de l'*Encyclopédie* que comme un extrait de l'œuvre de Voltaire lui-même.

L'INFLUENCE SUBIE.

Si Diderot a poursuivi sa route en ignorant les suggestions de Voltaire, celui-ci, toujours sensible aux mouvements de l'actualité littéraire, a gardé de sa fréquentation encyclopédique des souvenirs multiples et des traces d'influence parfois profondes. Il convient de les répartir en deux groupes : l'habitude des collaborations à des œuvres collectives ; la conception du *Dictionnaire philosophique*.

I. *Autres collaborations.*

Ce n'est ici qu'une tournure d'esprit qui se perpétue, mais elle est bien significative. Voltaire éprouve certainement un plaisir d'érudit à écrire des

29. Ed. MOLAND, t. XX, p. 496.
30. *Ibid.*, p. 495.
31. *Ibid.*, p. 493.
32. Il y avait pourtant là, en dehors des facéties, des choses sérieures et neuves qu'on aurait gagné à reproduire : par exemple la distinction de *se tenir* et *s'en tenir* (MOL. XX, 495), la distinction de *tant* et de *si* (p. 478), etc...

études de grammaire ou d'histoire littéraire qui doivent être insérées dans de vastes recueils. Chaque fois qu'il y est invité, il répond sur ce ton de modestie qu'il a déjà pris avec d'Alembert : pour le *Dictionnaire de l'Académie* : « Je ferai de mon mieux pour mettre quelques pierres à l'édifice »[33] ; pour la *Gazette littéraire* : « Je ne veux que servir et être ignoré[34] » ; pour le *Journal de politique et de littérature* : « ... Que M. de la Harpe soit content de ce travail qui n'est entrepris que pour le soulager[35] ». Et sans doute cette modestie est-elle d'abord coquetterie de grand homme : il est pittoresque, quand on est l'auteur de *Mérope* et du *Siècle de Louis XIV*, de mettre la main à des broutilles. Mais il faut y voir en même temps un sens réel du travail d'érudition, d'autant plus qu'avec son esprit sans cesse en éveil il a toujours quelque idée personnelle sur la conduite de ce travail, quelque plan ou « protocole » à proposer (bien que, nous l'avons vu, on ne l'écoute guère !) Pour le *Dictionnaire de l'Académie*, il y a toute une réforme à exécuter : auparavant, « on réduisait le dictionnaire aux termes de la conversation, et la plupart des arts étaient négligés ;... on s'était fait aussi une loi de ne point citer, mais un dictionnaire sans citations est un squelette[36] ». L'échec de ses propositions et le rejet de ses articles ne le rebute pas et c'est vraiment là qu'il fait preuve de longanimité. En 1778, il s'intéresse de nouveau à ce *Dictionnaire*, et, plus heureux cette fois, fait adopter un « protocole » rédigé de sa main[37] ; ce protocole, après avoir énuméré les matières nouvelles à étudier (étymologies, acceptions et exemples, « expressions pittoresques et énergiques » de l'ancien français), ajoutait : « En ne s'appesantissant sur aucun de ces objets, mais en les traitant tous, on peut faire un ouvrage aussi agréable que nécessaire ; ce serait à la fois une grammaire, une rhétorique, une poétique, sans l'ambition d'y prétendre[38]. » Une telle conception

33. A Duclos, 11 août 1760.
34. A d'Argental, 14 mars 1764.
35. A Panckoucke, 15 février 1777.
36. A Duclos, 11 août 1760. Je sais bien que dans cette lettre Voltaire attribue cette réforme à Duclos lui-même : « Votre plan... » Mais c'est là un de ses procédés habituels pour forcer la main. Nous voyons de reste, par l'édition de 1762, que le *Dictionnaire* a continué à se « réduire aux termes de conversation », à « négliger les arts » et à « ne point citer ».
37. Publié dans les *Mémoires de Longchamp et Wagnière* (1826), t. II. Le manuscrit, avec diverses ratures, se trouve à la Bibliothèque publique de Genève, Ms suppl. 1.037, f° 37.
38. Cette dernière phrase est ajoutée en surcharge dans le manuscrit ; c'est une mise au point après le premier jet.

n'a-t-elle pas son origine dans les articles encyclopédiques ? Depuis plus de vingt ans, Voltaire avait conservé son idéal de pédagogie littéraire discrète mais tenace, et c'est lui qui devait absorber ses derniers instants [39]. Il semble donc bien que son expérience de 1756 ait précisé en lui une vocation et l'ait forcé à se prononcer sur la technique du dictionnaire.

Et c'est avec le même zèle qu'il s'occupe des journaux. Son aversion déjà ancienne pour les « folliculaires » ne tient pas devant le désir de donner ici aussi des modèles et des conseils. Quand d'Argental le pressent pour les débuts de la *Gazette littéraire*, il se hâte d'envoyer toute une série d'articles, qui ne paraîtront que dix mois plus tard [40] ; et dans l'intervalle, il s'inquiète, il demande où l'on en est [41] ; de toute évidence, il tient à voir ses articles imprimés. Mais en quoi consistent-ils ? Ce sont des comptes-rendus d'ouvrages en majorité étrangers ; il avait d'abord pensé se spécialiser dans les ouvrages anglais, puis, quand il constate que les auteurs de la *Gazette* connaissent bien l'anglais, il se propose pour l'italien et pour l'espagnol, regrettant de ne pas parler l'allemand assez pour être utile sur ce point. Son intention est donc bien, non pas de s'imposer au journal, mais de « servir », d'y jouer le rôle que les besoins lui indiquent [42]. Quand il enverra plus tard de nouveaux comptes-rendus au *Journal de politique et de littérature*, il voudra qu'ils paraissent sans signature, et Panckoucke ayant mis un V à la fin de ces articles, Voltaire se fâchera assez fort [43] ; est-ce comédie ? Il ne semble pas : la production anonyme était au contraire pour lui une tactique favorite quand il s'agissait de lancer dans le public quelque trait philosophique (et ces comptes-rendus en ont leur part). Multiplier les coups et cacher sa main, c'est toute la manière de Ferney. Ici encore les articles pour l'*Encyclopédie* ont pu avoir leur influence [44].

39. Voir en effet sa dernière lettre à d'Alembert (avril 1778) : « Je vous recommande les vingt-quatre lettres de l'alphabet ». Cette ultime tentative devait échouer elle aussi, puisqu'il n'en sortit que cette ébauche d'un *Dictionnaire historique de la langue française*, dont la lettre A seule a paru (en 4 tomes, de 1858 à 1894) et qui d'ailleurs ne correspondait en rien au projet de Voltaire ; ici encore l'esprit « encyclopédique » triomphait, à la place de l'esprit de choix et d'éducation.

40. En avril 1764. Ils étaient écrits dès juin 1763.

41. Voir lettres à d'Argental et à Praslin pendant cette période.

42. Voir lettres à d'Argental, de mars à juillet 1764, et surtour le 14 mars et le 21 juillet.

43. A La Harpe, 4 juin 1777.

44. Surtout les derniers. N'oublions pas que Voltaire avait d'abord demandé à Diderot que *Histoire*, *Idole* et *Imagination* parussent sans signature.

En résumé, de la collaboration au grand *Dictionnaire* datent pour Voltaire l'accentuation décisive d'un goût déjà ancien pour le travail précis de la critique littéraire [45], et l'habitude de mêler certains fragments de son œuvre à des ensembles faits de plusieurs mains, ce qui peut avoir développé chez lui l'attrait de l'anonymat, mais ce qui certainement lui a suggéré de présenter aussi comme un ensemble collectif une production entièrement personnelle : et nous sommes ainsi conduits au *Portatif*.

II. *Conception du Dictionnaire philosophique.*

Nous avons vu que très probablement l'*Encyclopédie* est à l'origine du *Dictionnaire philosophique* et de ses annexes [46], et qu'elle lui a même fourni les circonstances les plus favorables de publication clandestine [47]. Ces annexes, beaucoup plus considérables que le *Portatif* du début, ont du reste reçu le titre intentionnel de *Questions sur l'Encyclopédie* : ainsi Voltaire a, de propos délibéré, accroché une de ses œuvres les plus importantes à la pancarte de Diderot. Or, il semble, au premier abord, que ce soit là un subterfuge ; les « questions » posées nommément à propos de l'*Encyclopédie* sont rares et portent presque toujours sur des détails secondaires ; l'ouvrage ne correspond pas à son titre pour un lecteur attentif aux seules déclarations du texte. Il convenait donc d'aller plus avant et de comparer le fond des articles de Voltaire à ceux de l'*Encyclopédie* qui traitent des mêmes sujets.

Cette comparaison nous permet d'affirmer qu'une centaine d'articles du *Dictionnaire philosophique* [48] complet (soit un sixième de l'ensemble) ont leur point de départ réel dans l'*Encyclopédie;* sur ces cent articles, vingt-cinq environ figurent dans le *Portatif* [49], ce qui montre que ce dernier pouvait déjà s'intituler *Questions* [50]. Par conséquent, s'il est vrai que la plus grande part de l'Alphabet de Voltaire relève de sa seule fantaisie et a été

45. Le *Commentaire sur Corneille* (1764) n'est-il pas lui aussi commandé par cette humeur ?

46. Voir ci-dessus, pp. 8 et 64.

47. Ci-dessus, pp. 89 et 96.

48. Appelons ainsi, suivant la tradition, la réunion des *Questions* et du *Portatif*.

49. Cette proportion du quart ne représente pas tout à fait l'importance respective du *Portatif* et des *Questions*, qui serait plutôt comme un et six.

50. La plupart de ces articles vont être énumérés au cours de l'étude méthodique qui suit.

ajoutée artificiellement à une première liste restreinte, il n'en est pas moins vrai que l'*Encyclopédie* n'est pas un simple prétexte et qu'elle a suscité un nombre imposant de sujets. Qu'en a fait Voltaire et à quoi aboutit cette influence ? C'est ce qui nous reste à examiner.

Ce sera, on s'en doute un peu, une influence par contradiction. La préface de 1770 le laisse prévoir : « Quelques gens de lettres, qui ont étudié l'*Encyclopédie*, ne proposent ici que des questions, et ne demandent que des éclaircissements ; ils se déclarent douteurs et non docteurs [51]. » Mais c'est à l'article *Pères, Mères, Enfants* que l'on peut lire la profession de foi la plus catégorique : « ... Pour nous qui ne vendons point nos feuilles à un libraire ; nous qui sommes des êtres libres, et qui ne mettons du noir sur du blanc qu'après avoir examiné, autant qu'il est en nous, si ce noir pourra être utile au genre humain ; nous enfin qui aimons la vertu, nous exposerons hardiment notre pensée. » Enfin, en tête de l'article *Alger*, voici une déclaration précise : « La philosophie est le principal objet de ce dictionnaire. Ce n'est pas en géographes que nous parlerons d'Alger. » Rien ne montre mieux la volonté de s'opposer à la conception *encyclopédique*.

Ce n'est pas que Voltaire ait méprisé la documentation ; sur certains points il ne craint pas d'être long et touffu, et en particulier l'abondance de ses connaissances théologiques a pu faire dire à un philosophe de nos jours [52] : « ... une ampleur d'information et une sensibilité historique qu'on ne trouvera plus chez [ses disciples.] » D'autre part, il est fréquent que dans ses *questions* il rectifie et complète, du simple point de vue documentaire, les indications de l'*Encyclopédie* : comme on doit s'y attendre, ce sont les articles de Mallet qui ont provoqué le plus grand nombre de rectifications [53] ; mais on en trouve aussi à propos de Toussaint [54], de Daubenton [55], de

51. Comparer cette phrase de l'article *Certain* (addition de 1770) : « Pour nous qui n'avons entrepris ce petit *Dictionnaire* que pour faire des questions, nous sommes bien loin d'avoir de la *certitude*. » Cf. à *Patrie*, etc...

52. M. J. Benda, dans son *Introduction* au *Dictionnaire philosophique* (Ed. GARNIER, 1936, t. I, p. XIII).

53. En voici toute une série : *Arot et Marot, Asmodée, Blasphème, Bulgares, Enfer*... et pour des documents supplémentaires : *Ange, Anthropophages, Antiquité, Apocryphes, Apôtres, Arianisme, Bulle, Charité, Franc*. Il arrive d'ailleurs, comme dans *Bulle*, que Voltaire reproduise aussi des détails pris à Mallet ; il complète mais garde ce qu'il juge exact.

54. A *Abus, Affirmation par serment*.

55. *Blé*.

Jaucourt [56], de Dumarsais [57], de Diderot [58]. Précisions historiques ou techniques, rien ne semble trop petit.

Cependant il est rare que ces précisions ne s'accompagnent pas de réflexions personnelles, et beaucoup plus nombreux sont les articles où la lecture de l'*Encyclopédie* a provoqué un développement « philosophique ». Tantôt ce développement prend l'allure d'une controverse, si Voltaire défend vivement une de ses thèses préférées : par exemple l'utilité du déisme et le danger du mot *athéisme* [59] ; l'unité du monde en Dieu et la matière capable de pensée [60] ; la laideur du patriotisme quand il crée la haine pour d'autres patries [61]. Tantôt ce sont des suppléments critiques ajoutés à des articles inoffensifs ou simplement consciencieux [62]. Il peut arriver, mais c'est exceptionnel, que Voltaire, trouvant dans l'*Encyclopédie* un article assez vigoureux, se contente d'en développer un aspect sans le reprendre dans ses lignes générales [63].

Si l'on voulait dégager de cet ensemble une tendance commune, elle s'exprimerait assez bien par le mot Doute : « douteurs et non docteurs », disait la préface ; doute en face de toutes les affirmations prétentieuses et les certitudes grandiloquentes, doute devant les croyances miraculeuses et les systèmes imaginaires, doute enfin à l'égard de toute la métaphysique. Yvon a étudié très sérieusement la philosophie des Celtes ; voici la réplique : « O braves et généreux compilateurs, qui avez tant écrit sur des hordes de sauvages qui ne savaient ni lire ni écrire, j'admire votre laborieuse opiniâtreté [64] ! » Gibert, dont Diderot fait grand cas, a fait d'étonnants travaux sur la chronologie ancienne ; Voltaire fait des gorges chaudes sur toutes ces

56. *Charlatan, Eglogue, Gouvernement, Péché originel, Vampires.*

57. *Euphémie.*

58. *Christianisme.*

59. Art. *Athéisme*, répondant à *Athée*, de l'abbé Yvon. Voir aussi *Chine*.

60. Article *Idée*, où Voltaire se moque d'abord de Malebranche, puis défend une de ses opinions contre les attaques de Jaucourt.

61. *Patrie*. Réponse à *Patrie*, de Jaucourt, et surtout à *Fanatisme du patriote*, de Deleyre.

62. De Mallet : *Annates, Apocalypse, Coutumes*; de Diderot : *Adorer, Apis, Argent, Croire* (et *Crédulité*) etc. ; de d'Alembert : *Apparence*; de Leblond : *Armes, Armées*; de Boucher d'Argis : *Confiscation, Mariage*; de Bouchaud : *Concile* ; de Marmontel : *Critique*; de Jaucourt . *Conscience, Généalogie, Samothrace, Scandale*, etc...

63. Voir par exemple *Jésuites*. L'article de Diderot est extrêmement violent ; il énumère complaisamment tous les crimes et les malversations dont il accuse l'ordre. Voltaire se borne à leur reprocher l'Orgueil.

64. *Celtes* (MOLAND, XVIII, p. 107). L'article d'Yvon : *Encycl.*, II, 808.

précisions fantaisistes [65]. Boucher d'Argis cherche la règle du divorce chez les Mérovingiens ; quel ridicule [66] ! Jaucourt, définissant les lois, y voit l'expression de la raison humaine, et même « la sublimité de la raison » ; on lui répond : « Les lois ont été établies dans presque tous les Etats par l'intérêt du législateur, par le besoin du moment, par l'ignorance, par la superstition... [67] » Diderot se fie au P. Ruinart pour le catalogue des martyrs qui, selon lui, n'a point été « enflé » artificiellement ; Voltaire raconte toute une série d'histoires où la tradition glorifie des martyrs et en souligne toutes les circonstances invraisemblables ; il termine par ce mot : « Prions Dieu pour le bon sens de dom Ruinart [68] ! » Voilà pour les affirmations prétentieuses et les certitudes hâtives [69].

Et voici pour les systèmes imaginaires et la métaphysique. Comment Yvon peut-il se représenter l'âme des bêtes comme une « substance immatérielle » [70] ? Que signifie cette théorie de Beauzée sur l' « origine divine » des langues [71] ? Quelle réalité derrière cette affirmation des géomètres qu'il y a des infinis de plusieurs ordres ($y = x^2$) [72] ? Voici encore plus inconcevable : d'Alembert ne veut pas que l'air soit une vapeur et il le définit : « une matière subtile, homogène et élastique » ; ici Voltaire, partisan farouche de la science expérimentale contre tous les rêves métaphysiques, intervient avec vigueur : « J'ai toujours demandé pourquoi on admettait une matière invisible, impalpable, dont on n'avait aucune connaissance... On nous parle d'un éther, d'un fluide secret ; mais je n'en ai que faire ; je ne l'ai ni vu ni manié, je n'en ai jamais senti, je le renvoie à la matière subtile de René et à l'esprit recteur de Paracelse. Mon esprit recteur est le doute, et je suis de

65. *Chronologie* (MOL., XVIII, 177) : « Vient un Parisien qui leur dit ...» Le Parisien, c'est Gibert. L'article de Diderot : *Encycl.*, III, 393.

66. *Divorce* (MOL., XVIII, 409). Boucher d'Argis : *Encycl.*, IV, 1.084.

67. *Lois* (MOL., XIX, 614). Jaucourt : *Encycl.*, IX, 643 et 644.

68. *Martyrs* (MOL., XX, 46). Diderot : *Encycl.*, X, 167.

69. Rattachons à ce chef les articles suivants : de Mallet : *Allégories* ; de Malouin : *Alchimiste* ; de Diderot : *Aristote, Prophéties, Théocratie* ; de Cahusac : *Enthousiasme, Fêtes*. Un sujet sur lequel Voltaire revient souvent est celui des étymologies : il se moque des trouvailles trop ingénieuses de certains érudits, comme Pluche s'escrimant sur Briarée et Deucalion (article *Déluge*, MOL., XVIII, 329 ; *Encycl.*, IV, 799), et veut leur enseigner la modestie et l'ignorance. Voir aussi *Almanach* (par d'Alembert), *Augure* (par Mallet), *Alouette*, etc...

70. *Ame* (MOL., XVII, 138). Yvon : *Encycl.*, I, 348.

71. *Langues* (MOL., XIX, 552). Beauzée : *Encycl.*, IX, 249.

72. *Infini* (MOL., XIX, 457). Article de d'Alembert : *Encycl.*, VIII, 703.

l'avis de saint Thomas Didyme qui voulait mettre le doigt dessus et dedans [73]. » Cet esprit de doute et d'expérience, qui, on le sait, poussa Voltaire à nier certaines vérités scientifiques parce qu'elles gardaient encore leur forme première d'hypothèses [74], n'en est pas moins par lui-même une condition de la science exacte et de la philosophie humaine [75].

Cette revue sommaire des principaux articles inspirés à Voltaire par l'*Encyclopédie* [76] montre bien cette influence par contradiction que nous annoncions tout à l'heure. Et si on la complète par une dernière liste, celle des articles d'abord promis à Panckouche pour le *Supplément* puis détournés au profit des *Questions* [77], on conviendra que le *Dictionnaire philosophique* mérite la réputation qu'il eut tout de suite auprès des contemporains [78] : d'être comme l'abrégé spirituel du grand ouvrage en souffrance, mais abrégé beaucoup plus hardi et souvent infidèle.

Car, de cette étude sur l'influence subie par Voltaire nous retiendrons deux directions dominantes : l'une, qui fait de lui un disciple et le pousse à écrire, au moment où le *Portatif* va s'imprimer : « Je crois qu'il faudra dorénavant tout mettre en dictionnaires » [79] ; l'autre, qui le fait dissident et

73. *Air* (Mol., XVII, 93 et 96). D'Alembert : *Encycl.*, I, 225-230. Voltaire dit aussi : « Je suis comme certains hérétiques ; ils commencent par proposer modestement quelques difficultés ; ils finissent par nier hardiment de grands dogmes. »

74. Pour les articles qui nous occupent, voir en particulier la réfutation de la théorie sur la reine des abeilles : *Abeille* (Mol., XVII). Article de Daubenton dans l'*Encyclopédie*.

75. A rapprocher la réfutation de l'abbé de Prades à l'article *Certitude* (voir plus haut, p. 106), et aussi *Anneau de Saturne* (d'Alembert), *Blé* (article *Froment* de Leroi, à propos d'une théorie de Buffon) ; *Climat* (d'Alembert et la thèse de Montesquieu), *Défloration* (Mallet), *Faculté* (Bouillet), *Polypes* (théorie de Trembley), *Population* (Damilaville), *Résurrection* (Diderot), etc...

76. Il conviendrait d'y ajouter encore les articles facétieux qui répondent à des articles moroses, par exemple : *Abbaye* et *Abbé*, *Ane*, *Anthropomorphite*, *Druides* (répondant à *Celtes*), *Intolérance*, *Sicles*.

77. Ce sont (d'après la lettre à Panckoucke du 29 sept. 1769) : *Egiogue*, *Epopée*, *Epreuve*, *Fable*, *Fanatisme*, *Femme*, *Folie*, *Génie*, *Langues*, *Juifs*, *Loi*, *Locke*. Tous ces articles figurent dans les *Questions* (il est curieux que, par une sorte d'habitude, Voltaire propose sa collaboration pour les mêmes lettres alphabétiques qui l'avaient accueilli dans l'*Encyclopédie* primitive ; ne serait-ce pas là une série de sujets qu'il avait déjà médités en 1756 et 1757 et qu'il n'avait pu fournir à ce moment ?) Dans sa lettre, il propose aussi *Entendement humain*, *Elégie*, *Fatalité* et *Malebranche*, qu'il n'a pas écrits (mais il a écrit *Idée* et *Liberté*, qui sont voisins des deux derniers), enfin *Métempsycose* et *Métamorphose*, qui avaient déjà paru dans le *Portatif*.

78. Voir plus haut, p. 88.

79. A Bertrand, le 9 janvier 1763.

se doit d'être philosophe. Propagandiste : Voltaire n'a pas confiance dans l'information brute et dans l'accumulation des connaissances ; bien peu d'esprits sont capables de tirer de là une véritable éducation ; la culture doit être orientée, car l'esprit critique a lui aussi ses principes, dont il convient de faciliter l'acquisition en supprimant les broussailles des faits inertes : toujours l'utile, et rien que l'utile. Enfin n'oublions pas que le philosophe doit être aussi honnête homme ; la liberté de l'esprit ne suffit pas, il faut en favoriser l'ornement, et le goût raffiné de la littérature est le complément nécessaire des clartés intellectuelles.

Autant d'affirmations, autant de divergences avec l'esprit *encyclopédique* : celui-ci a foi dans la science et dans la vertu émancipatrice des métiers ; connaître est pour lui le début de la sagesse (pour Voltaire la sagesse est dans l'ignorance consciente) ; s'il n'est pas franchement démocratique — le siècle n'y conduisait pas encore — il contient déjà les germes de la curiosité populaire : il s'intéresse plus aux machines et aux statistiques qu'aux lettres pures. Il n'est pas religieux — Voltaire non plus — mais il ne fonde aucun espoir dans une future Église rationaliste (ici le différend aurait pu s'aggraver, entre l'athéisme et Diderot et le déisme pratique de Voltaire, mais les deux philosophes ont toujours évité la controverse directe sur ce point) ; quant au pouvoir civil et à la cour, on les ménage, mais avec très peu d'illusions sur leur compte. Enfin l'esprit encyclopédique utilise bien la dissimulation mais il n'en a pas la virtuosité; Diderot ne sait pas insinuer : tantôt il est du conformisme le plus épais, tantôt il se soulage en éclats révolutionnaires ; et puis il veut rester à Paris, quel que soit le risque, et il veut publier, et il publie ses in-folio au vu et au su de tout le monde. Nous avons successivement retrouvé la contre-partie exacte de toutes les attitudes voltairiennes.

C'est qu'en dernière analyse nous avons affaire là à deux tempéraments. Il y a chez Diderot et chez les principaux « cacouacs » (dont d'Alembert n'est pas toujours, mais dont Rousseau pourraît être) un fond de croyance dans un absolu, un élan sentimental qui, faute de religion, se porte sur l'humanité et provoque à la fois des effusions de fraternité et des accès d'intransigeance ombrageuse à l'égard de ceux dont on soupçonne la foi. Voltaire est très différent : il se méfie de tous les enthousiasmes que ne contrôle pas l'esprit critique, il voit trop les limites de l'homme et ne croit pas possible de fonder beaucoup sur lui ; il n'est pas absolument sceptique, mais ses connaissances et ses espoirs sont modestes : relativisme d'expérience, élite à cultiver soigneusement, tolérance pratique à défaut de révélation transcendante. Chose amusante, ce tempérament critique, qui aurait pu faire un autre Montaigne, se compliquait d'une naïveté et d'une imagination chimérique dépassant d'un coup les rêves des cacouacs et dont la Salente genevoise tant espérée est un exemple typique ; comme quoi le romantisme prend souvent sa revanche.

Le rapprochement fortuit mais prolongé de ces deux forces spirituelles du XVIIIe siècle a été le sujet de notre étude. Nous avons constaté entre elles une incompréhension assez grave et un parallélisme plutôt qu'une convergence d'efforts. Loin d'avoir été le chef des encyclopédistes, Voltaire n'a été que leur franc-tireur, mais à leur service il a pris tout à fait conscience de lui-même ; ce n'est pas le moindre intérêt de cette histoire.

APPENDICE I

Le texte des articles de Voltaire

Sur les quarante-trois articles de Voltaire, il y en a trente-six que l'édition de Kehl, et après elle Beuchot [1] ont reproduits avec exactitude ; il y en a deux *(Elégance* et *Imagination)* où les variantes à relever sont insignifiantes ; enfin il y en a cinq où les variantes et les remaniements sont importants : *Eloquence, Figure, François, Histoire* et *Idole.* Je donne ci-dessous la liste de ces variantes, en étendant chaque fois la citation suffisamment pour qu'on puisse en comprendre la portée sans avoir recours au texte complet.

* * *

ÉLOQUENCE.

Texte Beuchot [2]	*Texte de l'Encyclopédie*
1. ... Un capitaine des premiers califes, voyant fuir les musulmans, s'écria : « Où courez-vous ? ce n'est pas là que sont les ennemis. » On attribue ce même mot à plusieurs capitaines ; on l'attribue à Cromwell. Les âmes fortes se rencontrent beaucoup plus souvent que les beaux esprits. Rasi, un capitaine musulman du temps même de Mahomet,	... *Début identique.* ... ce n'est pas là que sont les ennemis. On vous a dit que le calife est tué ; eh ! qu'importe qu'il soit au nombre des vivants ou des morts? Dieu est vivant et vous regarde : marchez. »

1. Moland ne faisant que reproduire Beuchot (et parfois des notes d'Avenel), toutes les fois que je dirai *Beuchot* il faudra sous-entendre *Moland* ; mais les références sont, bien entendu, prises sur cette dernière édition.

2. Conforme à la réédition de l'article dans les *Questions sur l'Encyclopédie* (1771), sauf pour les 3 derniers alinéas (voir variante 7).

Texte Beuchot	*Texte de l'Encyclopédie*
voit des Arabes effrayés qui s'écrient que leur général Dérar est tué : « Qu'importe, dit-il, que Dérar soit mort ? Dieu est vivant et vous regarde ; marchez. » (MOLAND, XVIII, 514, al. 3)	
2. *Add.* C'était un homme bien éloquent que ce matelot anglais... *et tout l'alinéa.* (XVIII, 514, al. 4)	Néant.

3. La nature fait donc l'éloquence ; et si on a dit que les poètes naissent et que les orateurs se forment, on l'a dit quand l'éloquence a été forcée d'étudier les lois, le génie des juges et la méthode du temps.

Addition : la nature seule n'est éloquente que par élans. (XVIII, 514, al. 5)	*Fin de l'alinéa.*
4. [Cicéron] suit presque toute la méthode d'Aristote, et s'explique avec le style de Platon. (XVIII, 516, al. 2)	[Cicéron] suit presque toute la méthode d'Aristote, et l'explique avec le style de Platon.
5. [Les Anglais] évitèrent dans les sermons les traits véhéments... et ils se défièrent de cette méthode des divisions recherchées... (XVIII, 517, al. 4)	[Les Anglais] évitèrent dans les sermons les traits véhéments... et ils se défirent de cette méthode des divisions recherchées...

6. Une harangue directe qu'on met dans la bouche d'un héros qui ne la prononça jamais, n'est guère qu'un beau défaut.

Addition : au jugement de plusieurs esprits éclairés. (XVIII, 518, al. 3)	*Fin de l'alinéa.*

7. *Les trois derniers alinéas de l'article* (« Si pourtant ces licences... »), *qui traitent de l'Histoire de Mézerai, figuraient dans l'Encyclopédie, puis ont*

été supprimés dans les Questions de 1771, *et enfin rétablies dans l'édition de Kehl* [3].

(XVIII, 518-519)

* * *

FIGURÉ.

Texte Beuchot [4]	*Texte de l'Encyclopédie*

8. Balthazar Gratian dit que « les pensées partent des vastes côtes de la mémoire, s'embarquent sur la mer de l'imagination, arrivent au port de l'esprit, pour être enregistrées à la douane de l'entendement ».

Addition : C'est précisément le style d'Arlequin. Il dit à son maître : « La balle de vos commandements a rebondi sur la raquette de mon obéissance. » Avouons que c'est là souvent le style oriental qu'on tâche d'admirer. (XIX, 132, al. 4)	*Fin de l'alinéa.*

9. Quand on écrit contre les philosophes, il faudrait mieux écrire.

Addition : Comment des pygmées ambitieux, redressés sur leurs pieds, sur des montagnes d'arguments, continuent-ils des escalades ? Quelle image fausse et ridicule ! Quelle platitude recherchée ! (XIX, 132, al. 6)	*Fin de l'alinéa.*
10. *Très longue addition de douze alinéas, à partir de :* « Dans une allégorie du même auteur... » *jusqu'à :* « Quel inconcevable galimatias ! » *C'est une série de critiques contre*	*A la place on trouve ces lignes :* Les Orientaux emploient presque toujours le style figuré [5], même dans l'histoire : ces peuples, connaissant peu la société, ont rarement eu le bon

3. Signalé par Beuchot.

4. Entièrement conforme à la réédition de l'article dans les *Questions sur l'Encyclopédie* (1771).

5. Dans les *Nouveaux Mélanges* (1765), qui, bien entendu, ne contiennent pas l'addition de 1771, les lignes suivantes sont supprimées, et on passe tout de suite à : « On peut dans une allégorie... »

Texte Beuchot	*Texte de l'Encyclopédie*
plusieurs passages de J.-B. Rousseau. (XIX, 132-135)	goût que la société donne, et que la critique éclairée épure. L'allégorie, dont ils ont été les inventeurs, n'est pas le style figuré. *Et la fin de l'article identique* :

On peut dans une allégorie ne point employer les figures...

* * *

FRANÇOIS.

Texte Beuchot [6]	*Texte de l'Encyclopédie*

11. *Fragment* A : « On prononce aujourd'hui *français...* » *Deux alinéas consacrés à la prononciation du mot.* (XIX, 182)

12. Supprimé.	*Fragment* B : Les Français avaient été d'abord nommés Francs ; et il est à remarquer que presque toutes les nations de l'Europe accourcissaient les noms que nous allongeons aujourd'hui. Les Gaulois s'appelaient Velchs [*sic*], nom que le peuple donne encore aux Français dans presque toute l'Allemagne ; et il est indubitable que les Velchs d'Angleterre, que nous nommons Galois [*sic*], sont une colonie de Gaulois.
13. *Fragment* C. *Addition du titre :* De la nation française.	

« Lorsque les Francs s'établirent... » *Quinze alinéas traitant du caractère français, du gouvernement et des mœurs.* (XIX, 178-182)

6. Conforme à l'édition de Kehl. Dans les *Questions* (1771), une partie seulement de l'article de l'*Encyclopédie* était reproduite sous le titre *De la Nation française* (fragment C). Les éditeurs de Kehl imprimèrent à la suite le reste de l'article primitif en lui maintenant le titre de *François* (fragments A et D), si bien que Beuchot et ses successeurs s'y sont trompés et ont cru que c'était là tout l'article primitif. Avenel va jusqu'à dire : « Voltaire n'a traité l'article FRANÇAIS pour l'*Encyclopédie* que sous l'acception de la langue » ; ce qui est une grosse erreur, puisqu'il faut y replacer tout le développement sur la *Nation française*. Ajoutons que l'édition de Kehl, et Beuchot après elle, ont omis un alinéa que nous rétablissons (fragment B). Pour retrouver l'article entier de l'*Encyclopédie*, il suffit donc de suivre l'ordre des fragments ainsi recousus : A, B, C, D.

14. *Fragment* D. « La langue française ne commença à prendre quelque forme... » *Huit alinéas sur la langue* [7].
(XIX, 182-185)

* * *

HISTOIRE.

Texte Beuchot [8]	*Texte de l'Encyclopédie*

15. *Fragment* A : *Toute la première section de Beuchot, avec les variantes ci-après. Sujet : définition, fondements et sources de l'Histoire.*
(XIX, 346-352)

16. *Les sous-titres* (Définition, Premiers fondements de l'Histoire, Des Monuments) *sont ajoutés en* 1771.	

17. L'histoire sacrée est une suite des opérations divines et miraculeuses, par lesquelles il a plu à Dieu de conduire autrefois la nation juive, et d'exercer aujourd'hui notre foi.

Var. Si j'apprenais l'hébreu, les sciences, l'histoire, Tout cela, c'est la mer à boire. LA FONTAINE, l. VIII, fable XXV. (XIX, 347, al. 3)	Je ne toucherai point à cette matière respectable.

7. Le fragment D ne fut pas reproduit dans les *Questions* ; il y était remplacé par une étude beaucoup plus longue et plus technique, que l'édition de Kehl et Beuchot ont imprimée à la suite du fragment D avec le sous-titre : *Langue française.* (MOLAND, XIX, 186 et suiv.)

8. Conforme à l'édition de Kehl, sauf pour un fragment. Dans les *Questions* (1771), l'article *Histoire* présentait des remaniements et des additions considérables, particulièrement toute une série de morceaux déjà parus dans le *Pyrrhonisme de l'Histoire* (1769). Kehl et Beuchot, laissant ces morceaux dans le *Pyrrhonisme,* les ont retirés de l'article. Mais d'autre part le *Pyrrhonisme* reproduisait des morceaux déjà parus dans l'article de l'*Encyclopédie* (ici fragment B); Kehl et Beuchot les ont également laissés dans le *Pyrrhonisme,* si bien que pour avoir l'article primitif de l'*Encyclopédie* il nous faut encore recoudre des fragments dispersés. Enfin Beuchot a signalé seulement les additions d'alinéas sans s'arrêter à tous les changements partiels. Nous donnons donc à la fois, dans la série des fragments A, B, C, D, l'ordre exact de l'article primitif et, chemin faisant, les variantes et additions des *Questions* ou du *Pyrrhonisme.*

Texte Beuchot	*Texte de l'Encyclopédie*
18. Les Phéniciens du temps d'Alexandre prétendaient (XIX, 348, al. 2)	Les Phéniciens prétendaient

19. Ces trente mille ans étaient remplis d'autant de prodiges que la chronologie égyptienne.

Addition : J'avoue qu'il est physiquement très possible que la Phénicie ait existé, non seulement trente mille ans, mais trente mille milliards de siècles, et qu'elle ait éprouvé, ainsi que le reste du globe, trente millions de révolutions. Mais nous n'en avons pas de connaissance . (XIX, 348, al. 2)	*Fin de l'alinéa.*
20. Les choses prodigieuses et improbables doivent être quelquefois rapportées... ; elles entrent dans l'histoire des opinions et des sottises ; mais le champ est trop immense. (XIX, 348, al. 5)	Les choses prodigieuses et improbables doivent être rapportées... ; elles entrent dans l'histoire des opinions.

21. Qu'on en juge... par tous les peuples que nous avons trouvés dans l'Amérique, en exceptant à quelques égards les royaumes du Pérou et du Mexique, et la république de Tlascala.

Addition : Qu'on se souvienne que dans tout ce nouveau monde personne ne savait ni lire ni écrire. (XIX, 349, al. 1)	*Fin de l'alinéa.*

22. Quand un Espagnol et un Français faisaient le dénombrement des nations, ni l'un ni l'autre ne manquait d'appeler son pays la première monarchie du monde.

Addition : et son roi le plus grand roi du monde, se flattant que son roi lui donnerait une pension dès qu'il aurait lu son livre. (XIX, 349, al. 2.)	*Fin de l'alinéa.*
23. Voilà... les seules époques incontestables que nous ayons.	Voilà... les seules connaissances incontestables que nous ayons.

Texte Beuchot	*Texte de l'Encyclopédie*
24. *Addition de quatre alinéas* [9] : « Faisons une sérieuse attention à ces marbres... » *(sur des inscriptions grecques, qui ne contiennent aucun détail fabuleux et miraculeux.)* (XIX, 349, al. 3)	*Néant.*
25. *Addition :* Toute histoire est récente.	

Il n'est pas étonnant qu'on n'ait point d'histoire ancienne...
(XIX, 350, al. 5.)

26. On voit par là combien le très petit nombre d'hommes qui savaient écrire pouvaient en imposer.

Addition : et combien il a été facile de nous faire croire les plus énormes absurdités. (XIX, 351, al. 1)	*Fin de l'alinéa.*
27. ... Sur cent nations, il y en avait à peine deux ou trois qui employassent des caractères. Il se peut que, dans un ancien monde détruit, les hommes aient connu l'écriture et les autres arts ; mais dans le nôtre ils sont tous très récents. (XIX, 351, al. 3)	... Sur cent nations il y en avait à peine deux ou trois qui usassent des caractères. *Fin de l'alinéa.*
28.	*Fragment* B : *Vingt-cinq alinéas, sur divers historiens ; imprimés depuis* 1769 *dans le*
PYRRHONISME DE L'HISTOIRE	
Chapitre V	*Le dernier alinéa seulement, sauf la première phrase.*
Chapitre VI (*Titre ajouté :* De l'Histoire d'Hérodote.)	*En entier.*

9. Signalée par Beuchot.

Texte Beuchot	*Texte de l'Encyclopédie*
Chapitre VII (*Titre ajouté :* Usage qu'on peut faire d'Hérodote).	*Le premier alinéa seulement.*
Chapitre VIII (*Titre ajouté :* De Thucydide.)	*En entier, sauf la première phrase.*
Chapitre IX (*Titre ajouté :* Époque d'Alexandre.)	*Les deux premiers alinéas.*
Chapitre XI (*Titre ajouté :* Des autres peuples nouveaux.) (Cf. MOLAND, XXVII, 245-256)	*En entier, sauf le premier alinéa* [10].

Variantes du fragment B :

29. C'est dommage que Rollin, d'ailleurs estimable, répète tous les contes de cette espèce. (XXVII, 246, al. 6)	C'est dommage que Rollin répète tous les contes de cette espèce.

30. Les premiers âges... ne sont... que des aventures barbares sous des noms barbares, excepté le temps de Charlemagne.

Addition : Et que d'obscurités encore dans cette grande époque ! (XXVII, 255, al. 1)	*Fin de l'alinéa.*

31. Quelques anciens couvents ont conservé des chartes..., qui contiennent des donations dont l'autorité est

très suspecte.	quelquefois contestée.
Addition : L'abbé de Longuerue dit que de quinze cents chartes il y en a mille de fausses, et qu'il ne garantit pas les autres. (XXVII, 255, al. 5)	*Fin de l'alinéa.*

32. *Fragment* C : *La section III de Beuchot, avec les variantes ci-après. Divers sujets, indiqués par les sous-titres :* De l'utilité de l'histoire ; certitude... incertitude de l'histoire ; preuves historiques ; harangues et portraits ; histoire satirique. *Tous ces sous-titres figurent dans l'Encyclopédie.*

10. Tous ces renseignements généraux sont donnés par Beuchot.

Texte Beuchot	*Texte de l'Encyclopédie*

33. De l'utilité de l'histoire[11]. *Ce chapitre se trouve dans l'Encyclopédie, sauf les trois derniers alinéas*[12].
(Moland, XIX, 356-358)

Texte Beuchot	*Texte de l'Encyclopédie*
34. On ne saurait trop remettre devant les yeux les crimes et les malheurs. On peut, quoi qu'on en dise, prévenir les uns et les autres. L'histoire du tyran Christiern peut empêcher une nation de confier le pouvoir absolu à un tyran ; et le désastre de Charles XII devant Pultava avertit un général de ne pas s'enfoncer dans l'Ukraine sans avoir des vivres[13]. (XIX, 357, al. 2)	On ne saurait trop remettre devant les yeux les crimes et les malheurs causés par des querelles absurdes. Il est certain qu'à force de renouveler la mémoire de ces querelles, on les empêche de renaître.
35. Un avantage que l'histoire moderne a sur l'ancienne... (XIX, 357, al. 7)	Enfin la grande utilité de l'histoire moderne et l'avantage qu'elle a sur l'ancienne...
36. Ce sont là les premières notions de la saine logique. Un tel Dictionnaire ne devait être consacré qu'à la vérité. (XIX, 359, al. 1)	Ce sont là les premières notions de la saine Métaphysique. Ce Dictionnaire est consacré à la vérité ; un article doit corriger l'autre[14], et s'il ne trouve ici quelque erreur, elle doit être relevée par un homme plus éclairé.

37. Polybe dit que Porsenna subjugua les Romains.

Texte Beuchot	*Texte de l'Encyclopédie*
Addition : Cela est bien plus probable que l'aventure de Scévola, qui se brûla entièrement la main parce	*Fin de l'alinéa.*

11. Ce chapitre a eu une destinée spéciale. Il est d'abord le seul fragment de l'article *Histoire* qui soit reproduit dans les *Nouveaux Mélanges* (1765), et d'ailleurs tout à fait à part (tome III, p. 187). Puis l'édition de Kehl l'inséra dans les *Fragments sur l'histoire*, et Beuchot le réintégra dans l'article, en tête de la section III.

12. Ces trois alinéas ont paru pour la première fois dans les *Nouveaux Mélanges*, puis ils furent reproduits dans les *Questions sur l'Encyclopédie*.

13. *Var.* de 1771.

14. Voltaire vient de critiquer l'article *Certitude*, de l'abbé de Prades.

Texte Bouchot	*Texte de l'Encyclopédie*
qu'elle s'était méprise. J'aurais défié Poltrot d'en faire autant. (XIX, 360, al. 1)	
38. *Sous-titre :* LES TEMPLES, LES FÊTES, LES CÉRÉMONIES ANNUELLES. (XIX, 360)	LES MONUMENTS, LES CÉRÉMONIES ANNUELLES.
39. *Addition :* Un de nos plus anciens monuments est la statue de saint Denys portant sa tête dans ses bras [15]. (XIX, 361, al. 5)	
40. *Sous-titre ajouté :* DES PORTRAITS. (XIX, 362)	

41. Les Mémoires frauduleux imprimés depuis peu.

Addition : sous le nom de Mme de Maintenon [16]. (XIX, 363, al. 3)	

42. C'est écrire au hasard des calomnies.

Addition : qui méritent le carcan. (XIX, 363, al. 4.)	
43. *Les cinq derniers alinéas de la section III ont été ajoutés en* 1771 : « L'appât d'un vil gain... » [16]. (XIX, 364-365)	*Néant.*

44. *Fragment* D : *La section IV de Beuchot :* « De la méthode, de la manière d'écrire l'histoire, et du style », *en retranchant les additions de* 1771 *signalées par Beuchot : le troisième alinéa, une partie du sixième et du septième.*

15. Signalé par Beuchot.
16. Signalé par Beuchot.

Texte Beuchot	*Texte de l'Encyclopédie*
(XIX, 365-367)	*A la place du septième alinéa on trouve :* Cette réflexion peut s'appliquer à presque toutes les histoires des pays étrangers.

* * *

IDOLE, IDOLATRE, IDOLATRIE.

Texte Bouchot [17]	*Texte de l'Encyclopédie*

45. [Ce mot] signifie... se courber, se mettre à genoux, saluer, et enfin communément rendre un culte suprême.

Addition : Toujours des équivoques. (XIX, 403, al. 1)	*Fin de l'alinéa.*

46. Leurs images figuraient des êtres fantastiques dans une religion fausse, et les images chrétiennes figurent des êtres réels dans une religion véritable.

Addition : Les Grecs avaient la statue d'Hercule, et nous celle de saint Christophe ; ils avaient Esculape et sa chèvre, et nous saint Roch et son chien ; ils avaient Mars et sa lance, et nous saint Antoine de Padoue et saint Jacques de Compostelle. (XIX, 404, al. 2)	*Fin de l'alinéa.*

47. Le *palladium*, quoique tombé du ciel, n'était qu'un gage sacré de la protection de Pallas ; c'était elle qu'on vénérait dans le *palladium*.

Addition : C'était notre sainte ampoule. (XIX, 404, al. 4)	*Fin de l'alinéa.*

48. Si un Turc, un lettré chinois était témoin de ces cérémonies, il pourrait par ignorance accuser les Italiens de mettre leur confiance dans les simulacres qu'ils promènent ainsi en procession.

17. Conforme au texte du *Dictionnaire philosophique* (1764), où l'article parut pour la première fois, avant d'être inséré dans l'*Encyclopédie* (1765). Nous considérons cependant le texte de l'*Encyclopédie* comme primitif ; il fut écrit en 1757.

Texte Beuchot	*Texte de l'Encyclopédie*
Supprimé. (XIX, 405, al. 1)	Mais il suffirait d'un mot pour le détromper.
49. *Addition de* 1771 : Du temps de Charles Ier on déclara la religion catholique idolâtre en Angleterre... (*Tout l'alinéa.* XIX, 405, al. 2)	*Néant.*

50. ... On est surpris... quand on voit qu'ils [les Romains et les Grecs] n'étaient pas idolâtres ;

Supprimé. (XIX, 405, al. 3)	que leur loi ne leur ordonnait point du tout de rapporter leur culte à des simulacres.
51. *Addition : tout l'alinéa sur Notre-Dame de Lorette et la multiplicité des images chrétiennes, et la transition* : Il en était absolument de même chez les païens. (XIX, 405, al. 5)	*Néant.*

52. On n'a pas manqué de les instruire [nos paysans] que c'est aux bienheureux... qu'ils doivent demander leur intercession, et non à des figures de bois ou de pierre,

Supprimé. (XIX, 406, al. 3)	et qu'ils ne doivent adorer que Dieu seul.

53. Dacier... n'a pas manqué d'observer que Baruch avait prédit cette aventure [du Priape d'Horace]... ; mais il pouvait observer aussi qu'on en peut dire autant de toutes les statues.

Addition : Baruch aurait-il eu une vision sur les satires d'Horace ? (XIX, 407, al. 2)	*Fin de l'alinéa.*
54. *Addition des traductions française de vers de Martial, Ovide, Stace, Lucain.* (XIX, 407-408)	

Texte Beuchot	Texte de l'Encyclopédie

55. Il n'y a pas dans toute l'antiquité la moindre trace d'une prière adressée à une statue.

Addition : Si on croyait que l'esprit divin préférait quelques temples, quelques images... Combien avons-nous d'images miraculeuses ! Les anciens se vantaient d'avoir ce que nous possédons en effet ; et si nous ne sommes point idolâtres, de quel droit dirions-nous qu'ils l'ont été ? (XIX, 408, al. 3)	*Fin de l'alinéa.*
56. *Addition de l'alinéa :* Nous leur prodiguâmes cette injure quand nous n'avions ni statues ni temples... (XIX, 408, al. 6)	*Néant.*
57. C'est une grande erreur d'appeler idolâtres les peuples... (XIX, 409, al. 2)	C'est un abus des termes d'appeler idolâtres les peuples.

58. Les chrétiens... ne révèrent dans les bienheureux que la vertu même de Dieu

qui gît dans ses saints. (XIX, 409, al. 3)	qui agit dans ses saints.

59. *Les deux alinéas* « Mais quelle notion précise... On peut se faire la même idée... », *sur l'idée que les Anciens se faisaient des simulacres, sont supprimés en* 1771 [18]. (XIX, 412.)

60. *Quatre alinéas (depuis* « Les premières offrandes... »), *sur les sacrifices humains, sont supprimés en* 1771 [19]. (XIX, 413-414.)

61. Il est vrai que ceux qui étaient voués au Seigneur par anathème ne pouvaient être rachetés... et qu'il fallait qu'ils périssent ;

18. Signalé par Beuchot.
19. Signalé par Beuchot.

Texte Beuchot	*Texte de l'Encyclopédie*
Supprimé. (XIX, 414, al. 1)	mais Dieu qui a créé les hommes peut leur ôter la vie quand il veut et comme il veut ; et ce n'est pas aux hommes à se mettre à la place du maître de la vie et de la mort, et à usurper les droits de l'Etre suprême.

62. Toutes les idées d'Epictète roulent sur ce principe.

Addition : Est-ce là un idolâtre ? (XIX, 414, al. 6)	*Fin de l'alinéa.*

63. Où étaient donc les idolâtres ?

Addition : Tous nos déclamateurs crient à l'idolâtrie comme de petits chiens qui jappent quand ils entendent un gros chien aboyer. (XIX, 415, al. 2)	*Fin de l'alinéa.*
64. *Addition des deux derniers alinéas, dont le deuxième en* 1771 [20]. (XIX, 415)	*Néant.*

20. Signalé par Beuchot.

APPENDICE II

Transformations de l'article « Histoire »

On trouvera ci-dessous le tableau sommaire de tous les fragments qui, une fois ou l'autre, ont fait partie de l'article *Histoire*, soit dans l'*Encyclopédie*, soit dans le *Dictionnaire philosophique*, soit dans les *Questions sur l'Encyclopédie*, soit dans l'édition de Kehl. On remarquera que l'article, après s'être gonflé, n'a pas conservé toutes ces acquisitions, puisque les éditeurs de Kehl en ont rejeté un certain nombre et que Beuchot n'a fait ensuite qu'une seule réintégration. Tout cela purement arbitraire. Une édition rationnelle ne pourrait admettre que deux partis : ou bien publier tous les textes dans leur première édition (notre première colonne), ce qui aurait l'inconvénient de désarticuler l'ensemble, ou bien publier intégralement le texte des *Questions* (notre deuxième colonne), qui est le seul groupement voulu par Voltaire.

On a trouvé à l'*Appendice I* les additions et variantes concernant l'article de l'*Encyclopédie*.

1re Édition	Rééditions de Voltaire	Kehl, Beuchot, Moland
1764. — *Dictionnaire philosophique portatif* : « Histoire des rois Juifs et Paralipomènes ».		Article *Histoire*, section V.
1764. — *Contes de Guillaume Vadé* : « De l'Histoire ». (Bibl. Nat. : Z Beuchot 173, pp. 156-162).	1771. — *Questions sur l'Encyclopédie*, article *Histoire*, début (les trois premiers alinéas seulement).	Article *Histoire*, section II.

1re Édition	Rééditions de Voltaire	Kehl, Beuchot, Moland
1765. — *Encyclopédie*, article *Histoire*.		
— Fragment A [1].	1771. — *Questions*... Suite de l'article *Histoire*, avec des additions.	Article *Histoire*, section I.
— Fragment B.	1769. — *Evangile du jour* (Pyrrhonisme de l'histoire), seulement pour le chapitre IX actuel ; Et 1771. — *Questions*, suite.	*Pyrrhonisme de l'Histoire*, chapitres V, VI, VII, VIII, IX, XI (partiellement, voir l'appendice I).
— Fragment C. « Utilité de l'histoire ».	1765. — *Nouveaux Mélanges*, tome III, p. 187, avec une addition ; Et 1771. — *Questions*, suite.	Kehl : *Fragments sur l'histoire, XIV*. Beuchot-Moland : Article *Histoire*, début de la section III.
« Certitude..., etc... »	1771. — *Questions*, suite, avec des additions.	Article *Histoire*, section III, suite et fin.
— Fragment D.	1771. — *Questions*, suite, avec des additions.	Article *Histoire*, section IV.
1765. — *Nouveaux Mélanges*, tome III : « Des mauvaises actions consacrées ou excusées ».		Article *Histoire*, section VI.
1769. — *Evangile du jour*, tome IV : « Pyrrhonisme de l'histoire. » (Bibl. Nat. : Z Beuchot 290.)	1771. — *Questions*, fin de l'article *Histoire*.	*Pyrrhonisme de l'Histoire*, chapitres III, XII, XIII, XV, XVI, XVII.

1. Pour les limites de ces fragments, voir l'*Appendice I*.

APPENDICE III

Extraits des Articles inédits de Polier

Kemos, Kamos.

[Manuscrit de M. Monod ; 4 pages in-f° petit format. Polier cherche l'origine et le sens de ce faux Dieu des Moabites ; il finit par l'assimiler à Priape. Or, Salomon a consacré un « haut lieu » à Kamos.]

... L'âge avancé de Salomon, peut-être rassasié de toute les vanités parce qu'il n'était plus en état de les goûter, me persuade qu'un Philosophe qui joint à sept cents princesses trois cents concubines a besoin, pour les satisfaire, des secours de Priape ; et si toutes ces femmes étrangères sacrifient à leurs dieux, il est permis de penser que ce n'était pas à ceux de la chasteté et de la continence, et que, dans les hauts lieux que le sage dévoyé bâtit à Kemos, elles cherchaient, si ce n'est à satisfaire avec lui leur lascivité, du moins à l'exciter et l'entretenir par des mystères, à la faveur desquels le Roi qui payait les violons n'était vraisemblablement pas celui qui dansait le plus...

Lares.

[Manuscrit de M. Monod, 4 pages in-f° petit format. Article purement documentaire. Discussion étymologique sur *Lares*, *Larves* et *Manes*.]

Mages.

[Manuscrit de M. Monod, 16 pages in-f°. *Mages* n'occupe que les neuf premières pages. *Maosim* se trouve aux pages 11 à 15.]

Nom que les anciens Orientaux donnaient à leurs sages, à leurs philosophes, et même, si l'on en croit divers auteurs, à leurs rois ; usage qui, pour le dire en passant, a été renouvelé par les peuples de l'Occident qui donnent de la majesté aux têtes couronnées.

[Suit une discussion sur l'étymologie du mot.]

... L'ancienne racine arabe *maoga* signifie *faire des choses prodigieuses et extraordinaires*; or du mot *maoga* vient le mot persan *magoer*, un enchanteur, un homme qui peut par son art faire des choses extraordinaires. C'est de cette ancienne racine que les Chaldéens ont fait leur גָבמ[1], *praefectus majorum*, c'est-à-dire « le chef des philosophes », car les premiers sages n'étaient que des gens qui aimaient l'étude et qui, pour peu qu'ils poussassent leurs connaissances, surtout dans l'astronomie, passaient chez les ignorants pour de grands magiciens.

Mages et magicien, quoi qu'en dise l'usage aussi favorable au premier qu'il est peu au second, ont donc une seule et même origine et désignent des gens habiles à captiver l'admiration de la multitude par leur savoir ou par leurs prodiges.

Mais l'espèce de scandale de voir les mages adorateurs de l'enfant Jésus cessera : 1° si, comme l'ont cru bien des pères de l'Église, on regarde la magie comme un art innocent ou du moins toléré jusques à la prédication de l'Évangile ; 2° si l'on fait réflexion que l'être suprême a pu se servir de l'art magique des hommes pour la manifestation de son œuvre, tout comme la multitude des démoniaques est entrée dans les plans de son infinie sagesse pour illustrer les temps évangéliques.

Quoi qu'il en soit, on ne peut refuser du respect et de la vénération à ceux que leur art a pu conduire à la découverte d'une vérité très importante, plus encore lorsqu'ils y sont parvenus par une miraculeuse direction de la Providence. C'est sur ce pied-là que nous sont présentés les mages dont il est parlé dans l'histoire de la naissance du Sauveur et qui, conduits par un nouvel astre, vinrent de l'Orient à Bethléem pour adorer ce miraculeux enfant.

Combien étaient-ils ? Quels furent leurs noms ? Quelle était leur patrie ? D'où venaient-ils ? Etaient-ils rois, princes, astronomes ou anachorètes, quel était leur langage, combien de temps furent-ils en chemin ? Quand arrivèrent-ils ? Connaissaient-ils les oracles des Juifs ou n'étaient-ils que les disciples de Balaam qui, plusieurs siècles auparavant, avaient prophétisé qu'il viendrait une étoile de Jacob et qu'il sortirait du milieu d'Israël un dominateur qui frapperait les chefs de Moab et qui détruirait tous les enfants de Seth ou tous les enfants de l'orgueil ?

Toutes ces questions ont été gravement agitées par les pères et les docteurs de l'Église, mais, en vérité, pour y répondre d'une manière un peu satisfaisante, il faudrait être tout aussi mages que ceux qui de l'Orient passèrent à Bethléem.

On peut se convaincre de la vanité des conjectures sans nombre qu'on a faites sur ce morceau de l'histoire évangélique par la diversité des noms qu'on a donnés à ces mages, que depuis très longtemps l'Église a fixés au nombre de trois. L'Église latine les appelle Balthazar, Melchior, Gaspard, la grecque Magalat, Galgalat, Saracin, les chrétiens de Palestine Amérus

1. *Rab Mag* ; lecture probable sur un manuscrit assez peu lisible.

et Damascus, ceux d'Arménie enfin Ator, Sator, Paratoras. Il y a peu de goût dans le choix de ces noms ; et l'on s'aperçoit sans peine que ces noms forgés à plaisir et inconnus avant le XIIe siècle ont été inventés, par des gens également ignorants en grec et en hébreu ; puisqu'il fallait en composer, on pouvait sans peine en trouver, dans les divers dialectes de l'Orient, de plus expressifs, de plus ronflants, et de plus propres par là-même à en imposer.

[Polier rapporte ensuite les opinions divergentes de saint Augustin, saint Chrysostome et saint Ignace sur l'étoile des Mages ; nous reprenons l'extrait à la page 6 du manuscrit, avec l'opinion de Chalcidius :]

Le passage de Chalcidius, philosophe platonicien converti à la foi chrétienne, et qui se trouve dans un commentaire sur le *Timée* de Platon, page 19, porte avec soi tous les caractères d'une fraude pieuse. L'ignorance où nous sommes et du temps où a vécu le dit Chalcidius et de sa profession, doit nous rendre suspect ce qui vient d'un prétendu philosophe qui n'a mérité ce nom que par un assez mauvais commentaire sur ce que Platon a fait de moins philosophique.

Des astronomes Chaldéens ont découvert une nouvelle étoile en Orient, cet astre miraculeux les a conduits à Jérusalem et de là à Bethléem, l'Évangile le dit et nous devons le croire. Mais pour fixer nos idées au milieu de cette variété de sentiments, ne devrions-nous pas regarder cet astre miraculeux comme un météore enflammé dans la moyenne région de l'air, lequel fut pris pour un phénomène miraculeux par les Mages qui, connaissant d'un côté les prédictions de Balaam dont tout l'Orient attendait le prochain accomplissement, et de l'autre conduits par une inspiration intérieure et la vive lumière qu'elle répandit dans leur esprit, furent déterminés à entreprendre ce voyage. C'était donc un feu qui marchait devant et au-dessus d'eux, à peu près comme la colonne de feu qui précédait les Israélites dans leur miraculeux séjour au désert.

Le roi Hérode ayant appris ces choses, il en fut troublé, et tout Jérusalem avec lui ; les mœurs et les usages du siècle d'Hérode sont si opposés à ceux du nôtre qu'on ne peut que difficilement les comprendre ; Hérode n'est au fait de rien, les docteurs assemblés par lui l'instruisent ; il fait appeler en secret les mages. Mais *quos Deus vult perdere dementat* ; le bon prince veut leur donner le change sur la pureté de ses intentions à l'égard du Roi nouveau-né ; il néglige de les faire accompagner l'espace de deux lieues de chemin, et attend tranquillement au milieu de son trouble extrême l'accomplissement de la promesse que lui ont faite des étrangers, envers lesquels il n'a pas même rempli les premiers devoirs de l'humanité, qui est de leur donner un guide pour se rendre à la ville où les conduit leur dévotion surnaturelle. Enfin quel est le bon bourgeois de Paris qui, pour être édifié sur un fait qui l'intéresse extrêmement, n'irait lui-même avec empressement à Saint-Cloud ou du moins n'y enverrait des gens très affidés et sur le retour desquels il pourrait compter ?

Les mages offrirent à l'enfant qu'ils adorèrent, de l'or, de la myrrhe et de l'encens ; il est permis de croire qu'ils offrirent de tout cela en très petite quantité, puisqu'il ne paraît pas que ces présents, ni les prodiges en quelque sorte publics qui arrivèrent à la naissance de l'enfant Jésus, aient changé la médiocre fortune de Joseph et Marie et leur ait fourni de quoi vivre d'une manière plus assortie à leur royale origine. On a une ancienne estampe en bois de l'adoration des mages, où ils paraissent à la tête d'une caravane de pèlerins ; ils offrent à l'enfant Jésus des *agnus Dei*, des chapelets, des croix, et autres pieux brimborions de cette espèce ; on ne peut rien de plus ridicule que cet anachronisme, mais du moins la valeur de ces présents donne une idée assez juste de ce que pouvaient valoir ceux que les mages offrirent...

... Que devinrent ces Mages, premiers adorateurs du Messie ? Un ancien auteur dit que saint Thomas, les ayant trouvés dans la Perse, les instruisit et les baptisa. Quelle gloire pour celui qui avait mis sa main et ses doigts dans la plaie et dans les trous du Seigneur, de pouvoir apprendre la mort, la résurrection et l'ascension glorieuse de son divin Maître à ceux qui l'avaient vu et adoré dans les humiliantes circonstances d'une naissance très abjecte !...

[L'article n'est pas achevé.]

MELCHISEDEC.

[Manuscrit de M. Monod ; cahier de 12 pages in-f°. *Melchisedec* occupe les deux premières pages.]

Le silence de l'Écriture sur l'origine de cet homme extraordinaire, dont elle ne fait connaître ni la généalogie ni le père ni la mère ni la naissance ni la mort, a jeté les docteurs juifs et chrétiens de tous les âges, les pères de l'Église, les commentateurs et les critiques dans des recherches aussi vaines que hasardées ; à quoi, pour dire le vrai, n'a pas peu contribué la doctrine de l'auteur de l'Épître aux Hébreux, et les réflexions mystiques qu'il fait dans le VIIe chapitre sur le sacerdoce de ce grand prêtre, qu'il présente comme le type du seigneur Jésus. Enfin, frappé lui-même des caractères de Melchisedec, saint Paul les trouve si singuliers, si élevés, si opposés entre eux, si difficiles à concilier, qu'il se défie en quelque sorte de ses forces, qu'il sent toute la difficulté de traiter une matière aussi sublime, quoiqu'il s'adresse à des Juifs instruits des Saintes Écritures et tous accoutumés aux explications figurées des docteurs de la synagogue. C'est pourquoi, après avoir rapporté ce qui se lit au psaume 109e, il ajoute, au § 11e du 5e chapitre de son Épître aux Hébreux : *Melchisedec, sur lequel nous aurions beaucoup de choses à dire, qui sont très difficiles à expliquer.*

En effet, le peu qu'il en dit au chapitre VII est si profond et si obscur, qu'il n'a pu jusqu'à cette heure être entendu d'aucun interprète ou commentateur, et qu'on ne peut rien de plus ridicule que toutes les hypothèses qu'a enfantées sur ce sujet la fureur de vouloir tout expliquer...

[Suit une liste de ces hypothèses.]

... Après un sérieux examen de tous ces divers sentiments, on sera convaincu que dans la Religion comme dans toutes autres sciences, il n'est rien de plus déraisonnable que la fureur de vouloir trouver du mystère où il n'y en a point, ou expliquer des choses trop enveloppées ou trop peu connues pour pouvoir être expliquées.

A s'en tenir sur l'article de Melchisedec à ce que Moïse et après lui Josèphe, historien juif, nous rapportent, rien de plus simple ; à ne considérer ce que l'auteur du psaume 109 et après lui saint Paul nous disent du sacerdoce de Melchisedec que comme de ces mystérieuses profondeurs que toutes les religions présentent à la foi des fidèles, qu'il faut croire plutôt que chercher à les comprendre, rien de plus simple encore ; en sorte que sur ce point, celui-là sera le plus habile docteur qui pourra se renfermer dans ces justes bornes, et qui aura le courage et la bonne foi de ne dire précisément que ce qu'il sait, parce qu'il ne lui en a pas été révélé davantage.

MELCHISEDECIENS.

[Troisième page du manuscrit *Melchisedec.*]

... Leur hérésie consistait à prétendre que Melchisedech n'était pas un homme, mais une intelligence céleste autant au-dessus de Jésus-Christ que les anges le sont au-dessus des hommes, puisque suivant eux Melchisedech était le médiateur entre les anges et Dieu, au lieu que Jésus n'était intercesseur qu'en faveur des mortels...

MER ROUGE.

[Pages 4-9 du manuscrit *Melchisedec* ; les pages 4 à 6 sont consacrées à des critiques géographiques et historiques du *Dictionnaire de Trévoux* ; nous commençons l'extrait à la page 7, à propos du passage de la Mer Rouge par les Hébreux.]

... L'homme né pour la vérité aime le simple, qui en porte le caractère ; tout ce qui s'en éloigne lui devient suspect ; il s'en défie et cherche à le combattre. C'est ce qui a produit de nos jours ces différents systèmes contre les miracles et prodiges qui nous sont rapportés dans nos Saintes Écritures, et tous les efforts que les ennemis de la Religion font pour les révoquer en doute ou du moins les expliquer par des lois de la Nature. Le passage des Hébreux sous la conduite de Moïse à travers les eaux de la mer Rouge est un des prodiges qui a été le plus combattu, parce que c'est un de ceux qui est rapporté avec le plus d'emphase, sur lequel les auteurs sacrés insistent souvent et dont les Juifs de tous les siècles ont fait le plus de trophées.

Et l'on ne peut assez s'étonner de voir Josèphe, historien juif, si fort attaché à la religion de ses pères, dont il adopte et les traditions et les préjugés, donner la première atteinte à la foi de ce miracle, et après avoir rapporté, avec toute la sincérité et la bonne foi d'un historien convaincu de la vérité de ce qu'il croit et fait profession de croire, les miracles de Moïse à la cour de Pharaon, les dix plaies dont Dieu affligea les Égyptiens par le moyen de la miraculeuse et redoutable verge de Moïse, il détaille l'incompréhensible passage de la mer Rouge, et, comme s'il avait honte et se reprochait une trop grande crédulité, il ajoute, à la fin du deuxième livre de son Histoire : « J'ai rapporté tout ceci en particulier selon ce que je l'ai trouvé écrit dans les livres saints ; et personne ne doit considérer comme une chose impossible, que les hommes qui vivaient dans l'innocence et la simplicité de ces premiers temps aient trouvé, pour se sauver, un passage dans la mer, soit qu'elle se fût ouverte d'elle-même, ou que cela soit arrivé par la volonté de Dieu, puisque la même chose est arrivée longtemps depuis aux Macédoniens, lorsqu'ils passèrent la mer de Pamphilie sous Alexandre, lorsque Dieu voulut se servir de cette nation pour ruiner l'Empire des Perses, ainsi que le rapportent tous les historiens qui ont écrit de la vie de ce Prince. Je laisse néanmoins à chacun d'en juger comme il voudra. » C'est, il faut en convenir, affecter un peu tard, et assez mal à propos, l'esprit philosophique, et chercher à le soutenir par des arguments plus propres à jeter dans le doute qu'à conduire à la vérité.

[Polier étudie ensuite les « dangereuses conséquences » de l'exemple de Josèphe chez tous ceux qui ont nié le miracle de la mer Rouge. L'article est inachevé et s'arrête au milieu d'un mot.]

MESSIA.

[Manuscrit de M. Monod, une grande feuille in-plano. Le verso porte l'article *Mutinus*.]

... Pamelius pense que cette Messia pourrait bien être la même que la déesse *Ségeste* de Pline, que Macrobe appelle *Ségestie* ; à quoi il y a grande apparence. C'est à la faveur de ces divers noms que le catalogue des divinités du paganisme s'est augmenté au delà de toute imagination ; en remontant à l'origine des choses, il serait aisé d'innocenter la plupart des cultes des païens, dont plusieurs n'ont de fondement que dans le style allégorique d'anciens auteurs mal entendus par ceux qui les ont suivis. C'est aujourd'hui le goût de personnifier les facultés de l'âme, les vertus, la passion, en un mot toutes nos affections, et peut-être que, dans quelques mille ans, les critiques feront des volumes sur la multitude de nos divinités.

[Suit un rapprochement entre la déesse païenne Messia et le Messie chrétien.]

MUTINUS.

[Même feuille manuscrite que *Messia*. Faux dieu des païens, qui symbolise le lit nuptial. Polier rapproche ce mot du terme *motino* usité en Engadine.]

APPENDICE IV

L'article « Messie »

M. Henri Monod possède à Morges deux manuscrits de l'article *Messie*, tous deux de la main de Polier. L'un, que nous appellerons le manuscrit A, comprend 23 pages en grand format ; c'est certainement le brouillon authentique ; il est modérément corrigé et porte en marge neuf additions importantes. Le deuxième manuscrit — qui sera le manuscrit B, 43 pages, petit format — est de toute évidence une copie du précédent, car les additions marginales de A ont été insérées dans le texte, avec néanmoins quelques ratures partielles. Mais l'intérêt du manuscrit B réside essentiellement dans de nombreux passages, souvent considérables (des pages entières), rayés verticalement ou en croix. Après examen et comparaisons, nous croyons pouvoir affirmer que ces larges ratures sont de la main de Voltaire. Le tableau synoptique, que nous donnons ci-après, des divers remaniements de l'article fait ressortir que, pour la plupart, ces ratures correspondent aux suppressions faites par Voltaire pour l'article *Messie* de son *Dictionnaire philosophique* (1764). On constatera d'autre part que, soit par l'*Encyclopédie* (al. 21 *a*-21 *m*, 31 *a*-31 *d*), soit par les *Questions sur l'Encyclopédie* (al. 8 à 15, 18-19), on peut retrouver le texte primitif du manuscrit dans la plupart des cas. Seuls restent inédits quelques fragments de pure documentation (dans les alinéas 22, 31 *a*-31 *d*, 33, 34, 35 et 36), tous à la fin de l'article, ce qui semble surtout indiquer de la lassitude chez les éditeurs de Polier, aussi bien chez Diderot que chez Voltaire.

(Pour permettre de retrouver facilement les divers états du texte, nous prenons pour base le texte de Beuchot, reproduit par Moland — qui est celui des *Questions sur l'Encyclopédie*, 1771 —, en y numérotant les alinéas. On pourra trouver dans l'édition Benda (Garnier, 1936, t. II, pp. 131-143) le texte du *Dictionnaire philosophique* de 1764).

Pages du ms B	Alinéas Beuchot	Manuscrit B de Polier	Passages *raturés* sur B par Voltaire	Article du *Dict. Phil.* 1764	Article de l'*Encyclopédie* 1765	Article des *Questions* 1771
1	1.	*Messie...,*	R en entier	R, mais 2 lignes de résumé	1	1
	2.	*Nous voyons*	R de 7 lignes	2, sauf R	2	2
	3.	*Au XLV*e		3	3	3
2	4.	*Ezéchiel*		4, sauf 4 lignes à la fin	4	4
	5.	*Au reste*		5	5	5
				5*a*. *Hérode* Addition de 2 l.		
3	6.	*Si le beau*	R de 12 lignes	6, sauf R	6	6
	7.	*Que si l'on*		7	7	7
	8.	*Comment*	R			8
4	9.	*Tous les*	R			9
5	10.	*Nous en*	R			10
	11.	*Lors de son*	R			11
	12.	*Sur le Thabor*	R			12
	13.	*Dans Gethsémané*	R			13
	14.	*Le judicieux*	R			14
	15.	*Après cela*	R			15
6	16.	*Mais aussi*		16 remanié	16	16
	17.	*Au reste*	R de 3 lignes	17 très résumé	17 très résumé	17
7	18.	*Ainsi, lorsqu'ils*			18	18
	19.	*Quelques-uns*			19	19
	19*a*.	*Si on pousse*		19*a* résumé	19*a*	
8	20.	*Le fameux*	R de 3 lignes	20, sauf R	20	20
	21.	*Le rabbin*		21	21	21
9 à 14	21*a*, *b*, *c*, *d*, *e*, *f*, *g*, *h*, *i*, *j*, *k*, *l*. *m*.	*Plusieurs rabbins*	Ces 6 pages sont entièrement rayées, sauf une trentaine de lignes. (al. 21 *b*, *c*, *d*.)		21*a* à 21*m* intégralement	
15	22.	*Les auteurs*	R de 13 lignes	22, sauf R, avec variantes	22, avec variantes	22, sauf R, avec variantes

16	23. *On servira*	R de 1 ligne	23, sauf R	23	23, sauf R
	24. *Les rabbins*		24	24	24, avec add. de la dernière ligne
17	24a. *Enfin l'oiseau*			24a	
	25. *Après des idées*		25, sauf la dernière phrase	25	25, sauf la dernière phrase
			25a. *On sait*. Addition de 2 l.		
18	26. *Lorsque le Sauveur*		26, sauf la dernière phrase	26	26, sauf la dernière phrase
19	27. *Les Juifs*		27	27	27
	28. *Enfin ils*		28, sauf la dernière phrase	28	28, sauf la dernière phrase
20	29. *Si les Juifs*	R de 2 lignes	29, sauf R	29	29, sauf R
	30. *De tous les*		30	30	30
	31. *C'est dans ce*		31, sauf quelques mots	31	31, sauf quelques mots
21 à **25**	31. *a, b, c, d.* *Le jeune homme*	Nombreuses ratures		31 *a, b, c, d,* mais avec de grosses suppressions correspondant à R	
			32. *Ce détestable*. Add. de 3 lignes		32
26	33. *Il y a un*	R de 7 lignes	33, sauf	33, sauf R	33, sauf R
27	34. *L'auteur*	R de 6 lignes	34, sauf R	34, sauf R	34, sauf R
	35. *Cependant*	R de 7 lignes	35, sauf R	35, sauf R	35, sauf R
28 - **29**	36. *Ahmed*	R de 20 lignes	36, sauf R et une suppression de 15 autres lignes	36, sauf R	36, sauf R et les 15 autres lignes.

30 à **43**. — Alinéas 37 à 53 sur les *faux messies*

Parmi les articles de Polier imprimés, LOGOMACHIE est le seul, avec *Messie*, qui présente des remaniements importants, consistant surtout en une répartition très différente des alinéas. Je n'ai relevé dans le manuscrit qu'une seule phrase inédite ; c'est au début ; Polier vient d'écrire : « Je ne sais pourquoi ce mot ne se trouve ni dans Furetière, ni dans Richelet » ; le manuscrit continue : « ni dans le célèbre *Dictionnaire de Trévoux ;* ce silence affecté semble donner lieu à la malignité de leurs critiques, très autorisés à dire que s'ils n'ont pas mis le mot de *logomachie* dans leurs ouvrages, c'est qu'ils ont craint qu'on ne leur en fît l'application, toute naturelle et souvent très méritée de leur part. » On comprend assez pourquoi Diderot n'imprima pas cette phrase.

BIBLIOGRAPHIE

A) Manuscrits

1° Archives d'Etat de Genève.

— Portefeuille des pièces historiques. Suppl. n° 208. Une liasse de cinq pièces. Lettres de Vernet à Chapeaurouge et à Calandrini. Réponses de Calandrini.

— Registres du Conseil. Années 1757-1758.

2° Bibliothèque publique et universitaire de Genève.

— Lettres à Vernes. Ms suppl. 1.036 et 1.037 (Lettres de Voltaire à Vernes, et réponses).

— Lettres de Voltaire à Allamand et d'Allamand à Voltaire. Ms suppl. 1.415. (De 1755 à 1771, 60 feuilles).

— Lettres de Du Pan à Freudenreich (Jean-Louis Du Pan, conseiller à Genève ; Freudenreich, avoyer à Berne). Tome des années 1755-1758.

3° Chez M. Henri Monod, à Morges (Vaud).

— Dix-sept articles de Polier de Bottens pour l'*Encyclopédie* (Voir ci-dessus, pp. 31-32 et 185-190).

B) Ouvrages du xviiie siècle

Alembert (d'). *Mélanges de littérature, d'histoire et de philosophie*, 1re éd. 1759 ; nouv. éd. Amsterdam, 1763, 4 vol. 12° (5e vol. aiouté en 1767).

— *Correspondance inédite de d'Alembert avec Cramer, Lesage* ; p. p. Charles Henry, Rome, 1886, 4°.

Calmet (dom Augustin). *Dissertations qui peuvent servir de Prolégomènes de l'Ecriture sainte*. Nouv. éd. 1720, 3 vol. 4°. *BN*. A 3.409.

Chaumeix (Abraham-Joseph de). *Préjugés légitimes contre l'*Encyclopédie *et essai de réfutation de ce dictionnaire*. Bruxelles, 1758-1759. 8 vol. 12°.

Coyer (abbé). *Discours sur la satyre contre les philosophes*. Athènes [*sic*]. 1760. 12°.

Diderot (Denis). *Œuvres*, p. p. Assézat et Tourneux.

— *Lettres à Sophie Volland*, p. p. A. Babelon. 1930. 3 vol. 8°.

— *Correspondance inédite*, p, p. A. Babelon, 1931. 2 vol. 8°.

Epinay (Mme d'). *Mémoires*, p. p. Paul Boiteau, 1863. 2 vol. 8°.

Frédéric II. *Briefwechsel Friedrichs des Grossen mit Voltaire*, p. p. Reinhold Koser et Hans Droysen. Leipzig. 1908-1911. 3 vol. 8°.
(Publikationen aus den Preussischen Staatsarchiven, t. 83-86.)

Girard (abbé). *Synonymes français*, 10e éd. Genève, 1753. 12° (1re éd. Paris, 1718).

Grimm. *Correspondance littéraire*.

GUYON (abbé Claude-Marie). *L'oracle des nouveaux philosophes.* Berne, 1759, 8° (2 vo- 8° en 1760).
LERESCHE (J.-P.). *Guerre littéraire ou Choix de quelques pièces polémiques de M. de *** avec les Réponses.* 1759. *BN.* Beuchot 1303.
MOREAU (J.-N.). *Nouveau mémoire pour servir à l'histoire des Cacouacs.* 1758.
MORELLET. *Préface de la Comédie des* Philosophes *ou la Vision de Charles Palissot.* 1760.
PALISSOT (Charles). *Œuvres complètes,* nouv. éd. 1809. 6 vol. 8°. Au tome I : le *Cercle,* les *Petites-lettres,* les *Philosophes, Correspondance avec Voltaire.* Au tome VI : le *génie de Voltaire apprécié dans tous ses ouvrages.*
POLIER DE BOTTENS (Antoine-Noé DE). *Souvenirs de jeunesse,* p. p. F. A. Forel. Lausanne, 1911. 8° (et *Revue historique vaudoise,* t. XIX).
SAAS (abbé). *Lettres sur l'*Encyclopédie *pour servir de supplément aux sept volumes de ce dictionnaire. BN.* Z 11835.
THIERIOT. *Lettres inédites à Voltaire,* p.p. F.Caussy. *R. hist. litt.*1908, pp. 131, 340 et 705.
VERNET (Jacob). *Dialogues socratiques* ou *Entretiens sur divers sujets de morale.* Nouv. éd. 1755.
— *Instruction chrétienne.* 1re éd. La Neuveville. 1754. 5 vol. 16° (Bibliothèque de la Société des pasteurs et ministres neuchatelois. Catal. 1919, p. 832). 2e éd. Genève, 1756. 5 vol. 12° (Bibl. publ. Genève. Bd 263).
— *Lettre écrite de Genève à M. de Voltaire à Lausanne,* 30 mai 1757.
— *Lettres critiques d'un voyageur anglais sur l'article* Genève *du* Dictionnaire encyclopédique *et sur la lettre de M. d'Alembert à M. Rousseau touchant les spectacles.* 1re éd. 1760, 3e éd. 1766.
VOLTAIRE. *Œuvres,* p. p. L. Moland.
Particulièrement :
Eléments de la philosophie de Newton, XXII, 393 (1738).
Siècle de Louis XIV, XIV et XV (1751).
[*Le Tombeau de la Sorbonne*], XXIV, 17 (1752).
Avis à l'auteur du journal de Gottingue, XXIV, 7 (1753).
Abrégé de l'Histoire universelle (Essai sur les mœurs) XI à XIII (1753-1756).
Préface et Introduction de l'Essai sur l'Histoire, XXIV, 41 (1753).
Poème sur la Loi naturelle, IX, 441 (1756).
Poème sur le Désastre de Lisbonne, IX, 470 (1756).
Réfutation d'un écrit anonyme, XXIV, 79 (1758).
Ode sur la mort de la princesse de Bareith, VIII, 462 (1759).
Socrate. V, 361 (1759).
Relation de la mort de Berthier... XXIV, 95 (1759).
Les Quand, Qui, Quoi, Que, Pour, Oui, Non, XXIV, 111 (1760).
Plaidoyer pour Ramponneau, XXIV, 115 (1760).
Requête de J. Carré aux Parisiens, XXIV, 120 (1760).
Le pauvre Diable, X, 97 (1760)
La Vanité, X, 114 (1760).
Le Russe à Paris, X, 119 (1760).
L'Ecossaise, V, 399 (1760).
Dialogues chrétiens, XXIV, 129 (1760).
Sermon des Cinquante, XXIV, 437 (1759 ? 1762 ?)
D'un fait singulier concernant la littérature, XXIV, 469 (1763).
Dictionnaire philosophique, XVII à XX (1764-1772).
*Lettres à son Altesse Mgr le prince de **** (sur Rabelais...), XXVI, 469 (1767).

La guerre civile de Genève, IX, 515 (1768).
Pyrrhonisme de l'Histoire. XXVII, 235 (1768).
De l'Encyclopédie, XXIX, 325 (1774).
Plan du Dictionnaire de l'Académie, XXXI, 161 (1778). *Correspondance.*
Correspondance
—*Recueil des facéties parisiennes pour les six premiers mois de l'an* 1760, s. l. n. d.
—*Lettres inédites de Voltaire à Panckoucke*, p. p. F. Caussy (*Merc. Fr.*, 1er mars 1910).

Dictionnaires :

De Moréri, 1674.
De Richelet, 1680.
De Furetière, 1684, 1727.
De l'Académie Française, 1694, 1718, 1740, 1762.
De Bayle, 1695, 1697.
De Trévoux, 1704, 1721, 1732, 1740, 1743, 1752, 1771.
De Chaufepié, 1752-1756.
Encyclopédie, 1751-1765.

C) Ouvrages modernes

Brunel (Lucien). *Les philosophes et l'Académie française au XVIIIe siècle*, 1884, 8°.
Brunetière (Ferdinand). *Etudes critiques sur l'histoire de la littérature française*, 1880-1907. 8 séries. Tome IV.
Calmettes (Pierre). *Choiseul et Voltaire, d'après les lettres inédites du duc de Choiseul à Voltaire*, 1902.
Cazes (André). *Grimm et les Encyclopédistes*, 1933, 8°.
Chaponnière (Paul). *Voltaire chez les calvinistes*, Genève, 1932. 4°. (Bibl. publ. Genève, Gf 1784) et Paris, 1936. 12°.
Cornou (François). *Elie Fréron*, 1922, 8°.
Delafarge (Daniel). *La vie et l'œuvre de Palissot*, 1912. 8°.
— *L'affaire de l'abbé Morellet*, 1912. 8°.
Desnoiresterres (G.), *Voltaire et la société au XVIIIe siècle*, 1867-1876. 8 vol. 8°.
Ducros (Louis). *Les Encyclopédistes*, 1900. 8°.
Gaberel. *Voltaire et les Genevois*. Genève. 1856. 18°.
— *Histoire de l'Eglise de Genève depuis le commencement de la Réformation jusqu'en* 1815. Genève, 1858-1862. 3 vol. 8°.
Galiffe (J.-A.). *Notices généalogiques sur les familles genevoises*. Genève, 1836. 3 vol, 8°
Gazier (Auguste). *Mélanges de littérature et d'histoire*. 1904. 8° (pp. 195-208 : *L'Abbé de Prades, Voltaire et Frédéric II*).
Hubert (René). *Rousseau et l'Encyclopédie*, 1928. 8°.
Le Gras (Joseph). *Diderot et l'Encyclopédie*, 1928. 16°.
Olivier (Juste). *Voltaire à Lausanne*. Lausanne, 1842. 8°. *BN*. Z Bengesco 712.
Perrey (Lucien) et Maugras (Gaston). *La vie intime de Voltaire aux Délices et à Ferney, d'après des lettres et des documents inédits*. 1885, 8°.
Roget (Amédée). *Etrennes Genevoises. Hommes et choses du temps passé.* 4e série, Genève, 1880. (Bibl. publ. Genève. Gf 577).

STINK (John Stephenson). *J.-J. Rousseau et Genève*, 1934. 8° (Bibl. publ. Genève. Q 80 P 2573).

VÉZINET (François). *Autour de Voltaire, avec quelques inédits*. 1925, 8°.

VUILLEUMIER (Henri). *Histoire de l'Eglise réformée du pays de Vaud sous le régime bernois*. Lausanne. 4 vol. 4°.

INDEX

TABLE DES MATIERES

ACHEVÉ D'IMPRIMER
PAR « LES PRESSES MODERNES »,
LE VINGT-TROIS FÉVRIER 1938,
ATELIERS AU PALAIS ROYAL,
PARIS.